# BLACK OPS – 2

## Captive

# CINDY
# GERARD

BLACK OPS – 2

# Captive

*Traduit de l'anglais (États-Unis)*
*par Sylvie Del Cotto*

*Titre original :*
TAKE NO PRISONERS

Pocket Star Books,
a division of Simon & Schuster, Inc.

© Cindy Gerard, 2008

*Pour la traduction française :*
© Éditions J'ai lu, 2013

*Ce livre est dédié à tous les militaires
de l'armée américaine,
hommes et femmes, d'hier comme d'aujourd'hui.
Aucun mot n'est assez fort pour décrire ma gratitude
et le respect que j'éprouve pour les sacrifices
que vous faites, vous et vos familles,
et pour tout ce que la plupart d'entre vous ont perdu
en tentant de protéger et défendre notre nation
et notre civilisation.*

*Si les gens dorment paisiblement dans leur lit, la nuit, c'est uniquement parce que des hommes rudes sont prêts à faire violence en leur nom.*

George ORWELL (attribué à)

# Remerciements

J'adresse des remerciements particuliers à Kylie Brant et Roxanne Rustand, les meilleurs alliés en cas de problèmes, et d'une compagnie très agréable, ce qui ne gâche rien ☺.

Une fois de plus, merci à Gail Barrett pour ses précieuses traductions espagnoles.

Susan, Leanne, Glenna, Ben, Joe – vous savez à quel point je vous aime !

# 1

*Las Rosas, Honduras*

Un lézard tropical rampait sur le rebord d'une fenêtre ouverte, toutes griffes dehors. À le voir s'agiter ainsi, on aurait pu croire qu'il était pressé d'atteindre sa destination.

*Petit veinard.*

Sam Lang le suivait du regard avec une profonde lassitude. Il soupira, envieux de ce fichu gecko semblant poursuivre un but précis.

Car depuis trois jours, son unique occupation consistait à rester avachi à une table en bois brut, dans le coin d'une cantine aux murs de pisé délabrés. Pour seule distraction il observait les reptiles, tout en songeant à tous les lieux où il aurait été plus utile. N'importe lequel aurait fait l'affaire, pourvu que ce soit loin de Las Rosas, au Honduras, où il suivait une fausse piste de plus.

Non, pour l'instant, on ne pouvait pas vraiment dire qu'il s'amusait. De la cantine, il n'avait rien de particulier à signaler, hormis que le temps y passait lentement. Toutefois, Sam avait pris soin de s'installer dos au mur. L'expérience et l'habitude lui avaient appris à faire preuve de prudence en toutes circonstances. Un peu pour se rafraîchir mais surtout par ennui, il tenait entre ses mains une bouteille tiède de soda au citron. Il essuya le goulot avec sa manche, avant de le porter à ses lèvres tandis que le lézard disparaissait.

La bestiole ne manquait pas de vivacité. Elle était même rapide comme l'éclair, comparée aux habitants de ce hameau poussiéreux et infesté de rongeurs, où les matinées s'égrenaient lentement avant de s'arrêter net à midi, vaincues par la chaleur de l'Amérique centrale. Ce lézard devait détenir un secret que Sam et les rares clients de ce restaurant sordide et étouffant ignoraient, car même les mouches ne s'aventuraient pas près des flaques de bière éventée. Oui, les divertissements étaient limités – à l'exception, notable, du gecko et du spectacle classé X qui se jouait sur ce qui faisait office de piste de danse. Au beau milieu de la salle, un homme et une femme s'adonnaient à ce qui devait être une chorégraphie.

Sam savait que les apparences étaient trompeuses. Trois heures auparavant, il n'aurait pas entraîné son partenaire, Johnny Duane Reed, dans ce lieu, s'il n'avait eu la certitude que le type qu'ils poursuivaient allait se pointer. Ils étaient venus coincer Frederick Nader. Malheureusement, rien ne se déroulait comme prévu. Chaque fois que l'aiguille avançait sur l'horloge, même si c'était au ralenti, l'évidence s'imposait avec plus de force. Une nouvelle fausse piste.

Était-ce vraiment une surprise ? Sam traquait l'Allemand fantôme depuis des mois. Il lui avait tendu piège sur piège, avait harcelé sans répit cet homme dont les sociétés multinationales « légales » n'étaient que les piètres couvertures de ses activités terroristes en tout genre. Nader était plongé jusqu'au cou dans le bioterrorisme tout comme dans le trafic de stupéfiants et d'armes, pour ne citer que ses domaines de prédilection. Néanmoins, grâce à ses origines aristocratiques et au prestige que lui conférait son immense fortune, il parvenait à tenir en respect les autorités internationales.

C'était là que Sam et les Black OPS entraient en scène. L'arrestation de Nader devait demeurer une opération secrète. Sam avait enfin réussi à trouver son talon d'Achille. Flambeur à souhait, ce salopard avait un penchant affirmé pour tout ce qui brille. Il était incapable de résister à des pierres précieuses, même volées, et Sam comptait bien sur ce péché mignon pour faire tomber le malfrat.

La semaine précédente, à El Salvador, Nader avait baissé la garde, et Sam s'était trouvé à deux doigts de le coincer. Mais il avait échoué une fois de plus. Tout comme à présent.

— Putain, ça fait déjà trois jours qu'on s'ennuie ferme ici, s'était plaint Reed un peu plus tôt, quand Sam avait pris la décision d'arrêter les frais et de quitter ce trou à rats. Une heure ou deux de plus ne vont pas changer la face du monde. Et puis surtout, je crois que nous avons mérité un petit moment de détente.

Dans ce genre de situation, réclamer « un petit moment de détente » était une façon de dire : « J'avale de la poussière et du café qui ressemble à de la boue depuis trois jours, alors maintenant je rêve d'une bière. Mets-en dix tant qu'on y est. »

Trois heures plus tôt, Sam avait eu du mal à contredire Reed ; puis, au cours de ces interminables cent quatre-vingts minutes d'attente, il avait pu ressasser à loisir le moment où il avait cédé. Et à présent, il était certain d'avoir commis une erreur.

Il hasarda un nouveau coup d'œil en direction de la piste de danse. S'il ne fut pas choqué par le spectacle, il ne l'approuva pas non plus. Reed était beau garçon, mais il possédait d'autres qualités. D'expérience, Sam savait que ses larges épaules étaient d'une puissance rare, tout comme ses jambes élancées. À de nombreuses reprises, il avait fait confiance à cet ancien Marine malgré sa grande gueule, sa dégaine de Rambo, et son penchant pour les femmes.

Non seulement le gosse ne l'avait jamais déçu, mais il lui arrivait même de le surprendre agréablement. C'est pourquoi la tournure prise par les événements n'offusqua pas Sam. Johnny Duane Reed avait du temps devant lui pour s'enivrer et trouver de la compagnie pour la nuit.

Les premières notes d'un merengue grésillèrent sur le juke-box poussiéreux. Dans la salle à l'éclairage tamisé, Sam distinguait à peine Reed tant les nuages de fumée doucereuse étaient denses. L'odeur renseignait avec précision sur l'origine de la fumée. Il était impossible de la confondre avec quoi que ce soit d'autre : c'était de l'herbe colombienne de première qualité. De la même façon, il était impossible de se leurrer sur les intentions de la femme qui ondulait des hanches, la poitrine bombée, et éclatait d'un rire empestant le sexe et le whiskey. C'était une prostituée désespérée, revenue de tout, comme on en trouve tant au Honduras.

Personne n'aurait pu s'y tromper à part Reed, qui n'avait pas eu de femmes depuis trop longtemps. Donnez un hameçon au pêcheur et il ne ratera pas le poisson. Donnez une bière à Reed et il ne ratera pas la catin du village.

*Beurk.*

Reed transpirait de désir. Il était également *bolo* – ivre mort. La combinaison idéale. Ou la tempête idéale. Sam allait devoir éloigner la catin et décoller les mains de Reed plaquées sur les fesses de la fille défraîchie, ou on retrouverait le grand cow-boy blond à l'aube, les poches vides. Et il faudrait ensuite l'épouiller.

Il soupira et ne put s'empêcher de sourire devant les pas de salsa maladroits du cow-boy fiévreux. Sam se demanda à quel moment précis il était devenu le protecteur de Reed. Lors de quelle bataille ? En Somalie ? À Beyrouth ? En Sierra Leone ? Zut. Cela aurait pu être n'importe lequel des coins reculés du tiers du monde où ils avaient combattu tous les deux. Des années auparavant, quand ils opéraient en équipe pour le compte de l'Oncle Sam, dans le Groupe d'Intervention Mercy, ils se sauvaient mutuellement la vie, chacun leur tour, plus souvent que Sam ne saurait le dire.

Plus souvent qu'il ne l'aurait voulu.

Cela remontait à une époque lointaine, quand ils étaient encore pleins de vigueur, des débutants animés par le désir de vaincre au nom de Dieu et de la patrie. Des années plus tôt, quand ils étaient soldats.

Il but une longue gorgée de bière. Au moins, Sam avait été soldat. Il avait fait partie de la Delta Force dans l'armée américaine. Avec ou sans uniforme, au plus profond de son être, Reed, lui, était un Marine des Forces de Reconnaissance. Il était un Marine, pas un soldat, aimait-il préciser, et il le répéterait jusqu'à sa mort.

Sam plissa les yeux. Ils en avaient payé le prix. C'était pour cela que, de temps à autre, ils avaient besoin de décompresser. Reed en était la parfaite illustration. Il titubait devant lui, sur la piste de danse, probablement moins ivre qu'il ne voulait le faire croire.

— Gringo, tu veux t'amuser, toi aussi ? Une danse particulière, peut-être ? *Vaya Pues ?* D'accord ?

Une petite brune à la moue boudeuse se glissa à côté de Sam pour s'enrouler autour de lui comme un fanion délavé autour d'un mât. À une autre époque, il aurait accepté l'offre de la *ladina*. À une époque où elle était jeune et jolie, et lui jeune et stupide. À une époque où la raison et le bon goût n'étaient pas encore à l'ordre du jour, et où ses hormones dominaient son intelligence dès que la bouteille de tequila était vide. Avant que le sang-froid ne devienne la caractéristique première de Sam, le mantra qui dirigeait son existence.

Sam fut tenté de la repousser sèchement, mais sa mère lui avait enseigné les bonnes manières.

— Pas ce soir, chérie.

S'il s'était cru aimable, à sa façon de filer il comprit qu'il avait encore sévi. Il l'avait terrifiée en un seul coup d'œil. Reed lui disait souvent que son regard était plus intimidant qu'un M-16.

*Pas grave.*

Il se leva pour retrouver Reed. Si le cow-boy se laissait un peu aller depuis quelque temps, son grand corps était tout en muscles et en nerfs. La trentaine bien tassée, c'était du sang de guerrier rageur qui coulait dans ses veines. Et il avait terriblement envie de sexe.

La suite allait être délicate.

Et pas très gaie.

Mais il fallait en passer par là.

Sam tapa sur l'épaule de Reed.

— Faut y aller.

— Va te faire foutre.

La réponse de Reed ne le surprit pas. Son élocution était étonnamment bonne, pour un homme qui avait la langue enfoncée dans la gorge de sa dame.

— Sammy, trouve-toi une nana. Celle-là est à moi.

— J'ai dit qu'on y allait.

Les poings sur les hanches, il attendit que ses paroles fassent le tour du cerveau alcoolisé de Reed. C'était un ordre.

— Oh, allez, se plaignit Reed devant l'insistance de Sam.

Comprenant qu'elle était sur le point de perdre un client, Lolita ou Rosalita, quel que soit son nom, lâcha quelques insultes en espagnol à l'intention de Sam.

— Ouais. Ici, la vie est dure de bout en bout, commenta-t-il en déroulant les bras de la fille accrochés au cou de Reed.

— Mais on n'a pas encore vu le type, argua Reed pour gagner du temps.

— Non, et il ne viendra pas. Partons d'ici.

Aussi naturellement que deux et deux font quatre, Reed, ivre et excité, cherchait la bagarre. Lang le savait.

18

— Quinze minutes. C'est tout, reprit le cow-boy sans faiblir.

— Non.

Comme seul un homme saoul en est capable, Reed lui fit face en redressant les épaules, le regard vague.

— Tu n'as pas à me donner d'ordres.

Sam ne put s'empêcher de sourire.

— Tu ne peux pas faire mieux ?

Reed renifla. Redressa fièrement le menton. Tenta de lui décocher un regard noir.

— Ça m'ennuierait de me battre avec toi, Sam.

Cette fois-ci, Sam rit franchement. Son hilarité était légèrement forcée car, même ivre, Reed demeurait l'un des bagarreurs les plus durs, les plus teigneux, les plus terribles qui soient.

Sam préféra jouer la carte du vieux sage.

— Ça risque de se...

Il n'eut pas le temps de terminer sa phrase.

Une voiture pila bruyamment devant la gargote. Alerté par le fracas, il se mit instinctivement sur le qui-vive.

Plongeant à terre, Sam entraîna Reed avec lui sur le sol crasseux, au moment où les portes battantes du bar s'ouvraient brusquement. Les tirs d'un AK-47 éclatèrent. Heurtant les tables au passage, ils roulèrent sur eux-mêmes, pressés d'atteindre les sacs dans lesquels Sam avait placé un H&K MP-5K et Reed un mini-Uzi.

C'était peine perdue. Les coups de feu les contraignirent à rejoindre le comptoir, où ils se mirent à l'abri d'un épais poteau en bois et d'un muret. Ils se plaquèrent sur le ventre, alors que les rafales d'une arme automatique balayaient la salle dans un bruit assourdissant. Les femmes hurlaient, chacun cherchait à éviter la ligne de tir. Reed, passant à l'action, dégaina son pistolet.

— C'est quoi ce bordel ?

Rien de tel qu'un AK pour dessoûler en quelques secondes.

Sam évalua la situation d'un rapide coup d'œil, puis se remit promptement à couvert au moment où une nouvelle salve de tirs faisait exploser la rangée de bouteilles alignées derrière le comptoir. Les morceaux de verre se mêlèrent à ceux du miroir. L'air se chargea de la forte odeur de poudre et de *guaro*, le tord-boyaux local. Sam tourna la tête vers Reed. Comme lui, il était allongé sur le dos et tenait son arme à deux mains, guettant une occasion de prendre part à l'action.

Ce fut aussi soudain que l'irruption des coups de feu.

Le silence – vibrant, et funeste.

Un silence si inattendu qu'il bourdonna dans leurs oreilles en même temps que l'écho des tirs et le grincement des portes battantes.

Des portières de voiture claquèrent, un moteur rugit, et le véhicule s'éloigna sur les chapeaux de roues.

Sam consulta Reed du regard. Approuva d'un geste. D'une roulade, Sam se décala sur la gauche, imité par Reed. À plat ventre, ils braquèrent leurs armes – Sam, son Kimber Tactical Pro 1911, et Reed, son Sig Sauer 9 mm – vers la porte, où elles ne rencontrèrent que le vide.

Personne. Le restaurant était désormais peuplé de fumée, de verre brisé, de flaques d'alcool, et de femmes qui pleuraient en silence.

Près des portes d'entrée, un bocal demeurait intact.

— La fête est terminée ? railla Reed en passant prudemment les lieux en revue, l'arme tournée vers le sol, à l'affût du moindre danger.

Sam se releva lentement, le Kimber à la main.

— On dirait bien. (Il survola la pièce du regard.) Il y a des blessés ?

Un à un, les visages émergèrent dans la pièce sombre et embrumée. Hormis une entaille marquant le visage du barman, aucune blessure n'était à déplorer. La conclusion fut simple. Après un tel assaut, il n'y avait généralement aucun survivant. Par conséquent, les tireurs n'étaient pas venus dans l'intention de tuer.

Ils avaient voulu attirer l'attention.

Reed désigna le bocal d'un mouvement de tête.

— Je parie que ça t'est destiné.

Sam grommela, puis traversa la salle en faisant crisser les tessons de verre sous ses semelles. Avec prudence, il jeta un coup d'œil par-dessus les portes battantes qui lui arrivaient à la poitrine. Le passage était jonché de cartouches vides. La rue, déserte, était barrée par une traînée de poussière.

Il baissa les yeux vers le bocal. Rien de particulier. C'était un vieux pot abîmé qui avait fait son temps. Il glissa le Kimber dans son ceinturon, et s'agenouilla pour l'examiner de plus près.

— Il y a un petit mot à l'intérieur.

— Comme d'hab', dit Reed en frottant ses yeux injectés de sang.

Sam souleva le récipient et y plongea délicatement la main pour en extraire le papier, qu'il déplia.

Il blêmit soudain, comme si toute vie le quittait.

Non, pas ça.

L'air hagard, il se rua vers son sac à dos, sans prêter attention au lézard qui détala précipitamment.

— Quoi ? demanda Reed en heurtant une table renversée, dans sa hâte de rejoindre Sam.

Sans un regard, il lui tendit le morceau de papier.

— Il me faut le téléphone satellite.

— Oh, non, Sam.

Sous le choc, Reed sentit les larmes lui monter aux yeux. Quand il eut terminé sa lecture, il était livide.

Sam fouilla le contenu de son sac en écartant le H&K, les munitions et une douzaine d'autres pièces d'artillerie, à la recherche de son téléphone satellite. Les doigts tremblants, il composa le numéro, le cœur battant, le souffle court.

— Papa, dit-il en s'efforçant de se calmer quand son père décrocha. Papa... c'est Sam.

Le silence qui suivit confirma l'impensable réalité.

— Sam...

La voix de son père n'était qu'un souffle. Il était bouleversé.

Sam sentit sa poitrine se contracter douloureusement.

— Je... j'ai essayé de te joindre, mon fils.

Il éclata en longs sanglots déchirants.

Sam serra le combiné à s'en faire mal. Les yeux brûlants, il attendit que son père trouve la force de confirmer ses pires craintes.

Fou de rage, de chagrin et de culpabilité, il raccrocha avant de s'enfoncer dans la nuit en titubant.

Peu à peu, il reprit son souffle.

S'il pouvait respirer, il pouvait encore réfléchir.

Quand Reed posa une main sur son épaule, Sam s'aperçut qu'il l'avait suivi.

Un tourbillon de poussière traversa la rue jonchée de déchets, et la terre lui piqua les yeux, libérant ses larmes.

— Allez, Lang.

La voix de Reed désormais sobre, d'une gentillesse douloureuse, forte comme un roc, fit mal à Sam.

— Allez, répéta-t-il en l'entraînant vers leur véhicule. Je vais te ramener à la maison.

*Sam savait qu'il rêvait, et il luttait de toutes ses forces pour se réveiller. Mais il était englué dans des visions, des sensations, qui l'attiraient vers les profondeurs de son cauchemar.*

22

*Il avait l'impression de nager dans la boue. De s'enfoncer dans les sables mouvants. De visionner un film au ralenti, à travers un miroir déformant. Derrière la glace, les voitures défilaient sur Las Vegas Strip. Un chaos de taches de couleur et de mouvements flous. Par-delà la vitre, il vit sa sœur, Terri. Elle marchait vers une voiture. Elle riait, amusée des paroles de son beau-frère, B.J. De l'amour dans les yeux. De la joie au cœur. Totalement inconsciente du danger.*

*Il devait les rejoindre. Mais, prisonnier de la gangue de boue, captif des sables mouvants, il ne pouvait les atteindre avant qu'il ne soit trop tard.*

*— Terri !*

*Dans un écho, il distingua le nom de sa sœur.*

*Les cris d'un homme. Sa voix. Suppliante.*

*Puis il explosa.*

*— Arrête... arrête... je t'en prie, arrête-toi !*

*Mais elle poursuivait sa route. Droit vers la voiture.*

*Il avait encore une chance de l'arrêter. Peut-être allait-il y parvenir.*

*— Terri !!!!*

*Désespérant de les rejoindre, il traversa l'air aussi dense que de la mousse et atteignit la paroi. Au-delà, la route à quatre voies était chargée de véhicules lancés dans une sinistre chorégraphie urbaine. Les voitures accéléraient, ralentissaient, puis se changeaient en chevaux de bois peint sertis de pierres précieuses. Les animaux dansaient et tourbillonnaient, formant des nuées de couleur pareilles à un kaléidoscope halluciné, auquel venaient se mêler l'éclat des anneaux en laiton et les crinières pailletées.*

*Le rythme et la lumière, l'éclat brillant et doré – la perfection mêlée si cruellement à l'horreur de l'instant qui semblait inéluctable.*

— Terri !

*Il heurta son corps à la cloison vitrée. Donna des coups d'épaule… encore, et encore… jusqu'à faire céder le mur qui vola en éclats dans une pluie scintillante, tranchante, de morceaux de verre.*

*Il s'élança en courant. Fut pris dans un nouveau banc de sable. Puis affronta encore de la boue, tandis que Terri ouvrait la portière côté passager, et que B.J. se glissait derrière le volant.*

*Ignorant ses appels.*

*Douce, lumineuse et heureuse, le visage baigné de soleil, les cheveux au vent, bercée par la chaleur matinale de Las Vegas.*

— Terri ! Terri !

*La sueur dégoulinait le long de son dos, roulait sur ses paupières lorsqu'il dépassa un mini-van, et sauta sur le capot d'une voiture de sport rouge. Insaisissable. Comme la vie de sa sœur.*

*Rouge comme le sang. Le sang de sa sœur.*

*Sa sœur, qui bouclait sa ceinture de sécurité. B. J qui mettait le contact.*

— Terri !!!!

*Il accéléra en criant son nom, porté par l'espoir d'arriver à temps…*

*Puis le temps s'immobilisa. La vie s'arrêta.*

*La voiture explosa dans un déchaînement de flammes et de fumée, dans un souffle qui le projeta en arrière et lui coupa la respiration…*

Sam se réveilla en sursaut. Son cœur battait la chamade. Il était en nage. Au loin, il crut distinguer une voix.

Une voix qui s'adressait à lui.

Il cligna des yeux. Cligna encore en entrevoyant le signal lumineux « attachez vos ceintures » sur la cloison, devant lui.

— Je suis désolée de devoir vous réveiller, monsieur.

Il se souvint alors du lieu où il se trouvait. Les morceaux du puzzle se reformèrent. Il se trouvait à bord d'un avion. Il quittait Tegucigalpa, au Honduras, pour se rendre à Las Vegas.

— Nous allons atterrir dans quelques minutes. Veuillez redresser votre siège.

D'une main mal assurée, il se frotta la joue en acquiesçant vaguement aux consignes de l'hôtesse.

— C'est quelqu'un de proche ?

Il leva la tête vers elle. Remarqua à peine ses beaux yeux bleus, son maquillage impeccable. Son badge l'informa qu'elle s'appelait Dana. Elle lui souriait. Avenante. Séductrice.

— Je vous demande pardon ?

— Terri. Vous avez crié son nom. Quand vous dormiez. C'est quelqu'un de proche ?

Sous la fine pellicule de sueur, il sentit sa peau se glacer.

Dana dut prendre son silence pour un acquiescement. Et une façon de la repousser.

— J'espère qu'elle est consciente de la chance qu'elle a.

Avec un sourire chargé de regrets et de mélancolie, elle disparut dans l'allée centrale.

*… la chance qu'elle a.*

Sam fixa le dossier du siège, devant lui. Il contint les larmes qui lui brûlèrent les yeux, celles qui menaçaient de couler depuis qu'il avait parlé à son père, la veille.

*… la chance qu'elle a.*

Oui, ça, Terri avait de la chance.

Suffisamment pour trouver la mort en compagnie de son mari.

Suffisamment pour être enterrée dans deux jours.

Suffisamment pour qu'une bombe la tue, une bombe constituant un message adressé à Sam, l'avertissant de laisser tomber son enquête.

Dans la poche de sa chemise, il trouva le morceau de papier corné.

Il relut les mots qui n'en finissaient plus de lui serrer le cœur, de lui couper le souffle, de nourrir une haine qui se glissait dans ses entrailles comme un serpent mortel.

*Vaudrait mieux appeler les parents. Boum, boum. Elle est morte.*

La culpabilité s'empara de lui. Pesante. Désespérée.

Sa sœur était décédée. Parce que Sam avait irrité la mauvaise personne.

Frederick Nader.

Sam n'avait aucun doute sur l'identité du commanditaire du meurtre de Terri et B.J. C'était Nader. Les faits étaient clairement signés.

Nader voulait que Sam renonce. Comme il avait persévéré, et que Nader ne pouvait toucher Sam directement, il avait trouvé le moyen de l'atteindre là où ça faisait le plus mal.

L'ordure avait assassiné sa sœur en posant une bombe dans sa voiture.

Une menace.

Pour s'assurer que Sam comprenne : abandonne, ou l'organisation de Nader s'en prendra aux membres de ta famille, quand cela lui plaira, et sans que tu puisses rien y faire.

Il ne lui restait plus qu'à enterrer sa petite sœur.

# 2

*Las Vegas*
*Trois mois plus tard*

— Et toi, alors ?

Abbie Hugues leva les yeux de son assiette et se massa les tempes pour apaiser temporairement la douleur qui lui enserrait la tête.

— Quoi, moi ?

— Sur quelles qualités compterais-tu pour conquérir l'homme idéal ? reprit Crystal Debrowski, rappelant à Abbie le sujet de leur conversation. Je t'ai donné les miennes. À ton tour.

Abbie joua distraitement avec une frite. Dehors, les néons clignotaient, les sirènes hurlaient, et des passants de tous âges et de toutes les origines ethniques se croisaient sur le trottoir. Ils riaient et marchaient malgré la fatigue. Il était près d'une heure du matin, mais sur Vegas Strip il faisait jour vingt-quatre heures sur vingt-quatre, toute l'année.

Impatiente, Crystal considéra son amie du regard.

— Tu penses peut-être que tu es devenue assez forte pour te débiner, mais avec moi, ça ne prend pas.

Abbie sourit à Crystal. Bon, elle avait essayé. Avec Crystal pour amie, Abbie était souvent amenée à tenter de se défiler. Malgré l'expérience, elle n'y parvenait pas toujours.

Abbie reporta son attention sur Crystal.

— Comment se fait-il que chaque fois qu'on se voit, on aborde inévitablement le sujet des hommes ?

— Parce que, expliqua Crystal avec une patience que l'on réserve généralement aux handicapés mentaux, parler des hommes conduit systématiquement à parler de sexe. Et le sexe est mon sujet de conversation préféré.

Abbie haussa les sourcils.

— Pourquoi ne l'ai-je pas compris toute seule ?

Crystal ricana.

— Tu es bien trop occupée pour penser au sexe, et encore plus pour en profiter. À mon avis, je suis ta seule chance de vivre par procuration étant donné que tu as un sens des priorités pour le moins déréglé.

Ses priorités. Oui, elle en avait, songea Abbie en s'efforçant de ne pas s'inquiéter pour son petit frère, Cory, qui n'était pas rentré à la maison la veille au soir. Non seulement Cory n'était pas en vue, mais Abbie n'avait aucune nouvelle de lui.

Ce n'était évidemment pas la première fois. C'était même fréquent. Cory n'était ni fiable ni très malin. Toutefois, elle continuait d'espérer le voir trouver une forme de stabilité.

Malheureusement, ses espoirs ne pesaient pas lourd.

Elle se fit violence en se rappelant qu'il était libre de ses choix, que c'était la vie de Cory et pas la sienne, et qu'elle devait absolument cesser de se sentir responsable de son frère. Le chassant de ses pensées, elle s'obligea à reprendre le fil de la conversation. Tout ce qu'elle entendit fut :

— ... plus tard ?

Abbie sourit d'un air navré.

— Je suis désolée. Plus tard, quoi ?

Crystal s'affaissa sur la banquette, et poussa un soupir lourd de sens. Avec son air mutin, ses cheveux roux en brosse et ses yeux verts pétillants, Crystal se donna du mal pour afficher un air sévère.

— J'ai dit, tu n'aurais pas envie d'aller au casino ?

— Je ne sais pas comment te dire, la fée clochette, mais premièrement, il est déjà très tard. Deuxièmement, j'ai multiplié les heures sup' aujourd'hui, ce qui veut dire que je viens de quitter le casino. Et troisièmement, je n'ai pas la motivation nécessaire pour y retourner.

Le menton dans la main, Crystal fit tourner sa paille dans son verre.

— Comment pourras-tu rencontrer quelqu'un si tu ne sors jamais et que tu ne vas à aucune soirée ?

Comme sa voix l'indiquait, elle était vexée.

— J'ai rencontré beaucoup d'hommes. Tu te souviens peut-être que j'ai fait la bêtise d'en épouser un.

Don n'était certes pas une référence en la matière, mais une fois avait suffi à Abbie, et pour toujours. Elle lui avait consacré deux années de son existence. Le problème étant que Don ne lui en avait accordé qu'une seule. Quand Abbie avait fini par comprendre qu'il avait des maîtresses, il était trop tard.

Oui, Abbie éprouvait des regrets. Elle avait aimé Don. Elle avait pensé faire sa vie avec lui. Elle n'avait pas compris qu'il était aussi fidèle qu'un chat de gouttière, aussi intègre qu'un Kleenex. Avant lui, elle se croyait plutôt clairvoyante. C'était probablement ce qui l'avait le plus chamboulée.

Son assurance avait pris un coup. La confiance en son propre jugement, en la valeur qu'elle s'accordait. Sa foi en la monogamie, de manière plus générale. Elle n'avait que vingt-trois ans quand elle s'était mariée. Si elle avait réussi à s'accorder cette circonstance atténuante, deux ans après le divorce elle n'avait pas l'impression d'avoir affûté les armes nécessaires à un nouveau combat.

— Je suis certaine que tu n'as même pas remarqué le beau mec assis à l'autre bout de la salle, dit Crystal en l'indiquant du menton. Il te regarde depuis qu'on est arrivées.

Abbie jeta un coup d'œil vers la droite. Et elle aperçut le garçon en question. Difficile de le rater. Il avait des cheveux trop longs et trop blonds, des yeux trop bleus, une carrure trop massive et un jean trop serré. Ah, oui, et il n'avait pas dû se raser depuis plusieurs jours, et portait des bottes en peau de serpent. Elle en avait déjà vu, des hommes dans son genre. Don était comme lui. Mignon, arrogant, avec un ego aussi vaste que le Lac Mead.

— Il ne faut jamais... attention, je répète, murmura-t-elle à Crystal, sur un ton professoral, jamais croiser le regard des hommes. Ne pas les encourager. Et n'essaie pas de jouer les entremetteuses.

Involontairement, elle posa les yeux sur M. Blond, puis ignora son sourire signifiant qu'elle lui plaisait, et qu'il était disposé à engager la conversation. Au lieu de quoi, elle préféra lancer un regard noir à son amie.

— Tu n'es vraiment pas drôle ! s'exclama Crystal en levant les yeux au ciel.

— Il te plaît ? Alors, fonce !

— Pour quoi faire ? soupira Crystal. Il doit être homo. Ou cow-boy. Ou flic. L'un ou l'autre.

Abbie rit dans un élan de sympathie. Avec n'importe qui d'autre, la logique de ces propos lui aurait échappé. Mais elle savait que Crystal avait succombé à ces trois types d'homme, et en avait eu le cœur brisé. Elle savait également que si Crystal parlait abondamment de sexe, elle était en vérité fidèle. Cela ne voulait cependant pas dire qu'elle ne pratiquait pas abondamment avec l'élu de son cœur.

— Je suppose que tu as cours demain, murmura Crystal avec un air aussi dégoûté que si elle avait déclaré : « Je crois que tu as des verrues plantaires. »

— Eh, oui.

Entre son boulot au casino et ses cours de comptabilité à l'université, Abbie n'avait que peu de temps libre. Ses heures de sommeil étaient comptées.

— Une raison de plus pour rentrer à la maison.

Abbie se leva, tandis que Crystal marmonnait :

— Et on sait ce que tu fais la nuit, chez toi.

— Oui, je dors. J'ai besoin de repos.

Alors qu'elles se rendaient à la caisse pour régler leurs hamburgers-frites, Abbie ne put ignorer les regards discrets qui se posaient sur elles. Ils ne venaient pas seulement du cow-boy blond qui les observait toujours depuis sa banquette, de ses yeux bleu layette. D'autres clients du petit restaurant se livraient à ce petit jeu. Cela faisait des années qu'on les regardait de cette façon. Individuellement, il leur arrivait de faire tourner une tête ou eux. Mais ensemble, cela ne ratait jamais.

Ni l'une ni l'autre n'était d'une beauté renversante. Mais Abbie entendait souvent ce qualificatif dans la bouche des clients de la table de black-jack qu'elle tenait cinq soirs par semaine : saisissante. Cet adjectif aurait également pu s'appliquer facilement à Crystal. En duo, elles avaient de quoi attirer l'attention.

Crystal était si petite que, malgré ses talons compensés, elle atteignait péniblement un mètre soixante, mais ses yeux verts ne passaient pas inaperçus. De son côté, Abbie avait des yeux si foncés qu'ils paraissaient noirs. Mais elle était grande. Si elle enfilait des talons de dix centimètres – quand elle cédait aux supplications de Crystal – elle frôlait le mètre quatre-vingts. En outre, Crystal avait le teint clair, ne supportant pas le soleil du Nevada, et des cheveux roux coupés court, quand Abbie avait hérité de gènes méditerranéens.

Sa peau mate adorait le soleil. Elle était perpétuellement bronzée, et son teint doré allait à merveille avec la chevelure qu'elle tenait de sa mère. Épaisse et brillante, d'un brun cendré. Sa coupe était sobre, un carré tombant entre les épaules. Quand elle relevait ses cheveux, comme ce soir, elle gagnait quelques centimètres supplémentaires.

Crystal avait une démarche alerte, qui mettait en valeur ses seins et ses hanches, tandis qu'Abbie semblait glisser. Sa silhouette était élancée et galbée, grâce aux huit kilomètres qu'elle courait tous les matins.

— À bientôt, lança Abbie, une fois sur le trottoir. Fais gaffe à toi, ajouta-t-elle avec prévenance.

— Si seulement j'avais des raisons de te demander d'être prudente, cria Crystal en s'éloignant.

Abbie sourit en gagnant sa voiture. Elle rentra directement chez elle, profitant de l'odeur de neuf de l'habitacle, du confort du cuir, du ronronnement discret du moteur. Elle adorait cette voiture. Sa toute première voiture neuve.

Une fois chez elle, elle activa l'alarme, vérifia les verrous à deux reprises. Avant d'aller se coucher, elle passa plus de temps que nécessaire à s'inquiéter pour son frère, et à s'interroger sur les colis qui arrivaient du Honduras, deux fois par semaine.

— Détends-toi, avait répondu Cory, quand elle lui avait demandé ce qu'ils contenaient, la dernière fois qu'il avait appelé. Il n'y a rien d'illégal dans ces paquets. Tu crois que je te mêlerais à ce genre d'histoires ? Je ne suis pas comme ça.

Abbie s'était toujours efforcée de ne rien lui reprocher. Mais il l'avait systématiquement déçue. Pourtant, elle préférait croire en lui, par amour mais aussi à cause de tout ce qu'ils avaient traversé. Si elle ne croyait pas en lui, personne ne le ferait.

— Ouvre-les, si tu veux, avait-il poursuivi comme si elle l'avait blessé. Tu ne trouveras que des babioles. De l'artisanat local que j'ai eu pour trois fois rien au Honduras. Tu sais, des tam-tams. Des paniers. Des figurines mayas à tomber par terre. Dès que j'aurai déniché le bon grossiste, je vais en tirer un bon pactole.

Cory passait son temps à chercher des moyens de faire fortune. Bien sûr Abbie n'avait pas ouvert les cartons avant de les entreposer dans le garage. Cory avait besoin de sa confiance.

Elle espérait avoir pris la bonne décision.

Elle consulta ses mails avant d'aller se coucher. Aucun message de Cory. Avant de tomber de sommeil, elle repensa à lui, se demanda où il était, et comment il allait. Et oui, elle songea brièvement à l'Adonis qui les avait quasiment escortées jusqu'à la sortie. Cow-boy ? Homo ? Flic ?

Flic, décida-t-elle finalement. Son regard avait des allures d'invitation, et il n'était pas dénué d'attraits. Elle comprenait cependant mal pourquoi elle l'intéressait à ce point. Cette question la ramena aux colis de Cory, à l'endroit où il se trouvait. Puis elle finit par s'endormir.


*San Pedro Sula, Honduras*

Dans sa Jeep de location, Cory tapotait nerveusement le volant.

— Patience. Patience, murmura-t-il.

Il passait la moitié de son temps à attendre sans bouger.

S'il en avait les moyens, tout serait différent. Mais dans les faits, il était en sursis.

Il le sentait. Tout comme il sentait passer chaque seconde. Il savait également que s'il ne se sortait pas de toutes ces conneries clandestines, il finirait découpé en morceaux qui seraient dispersés dans la mer, du golfe du Honduras à Cuba.

Les gaz d'échappement et le kérosène imprégnaient l'air de l'aéroport de Pedro Sula, où il attendait Derek

Styles en se demandant comment il en était arrivé là. Il se remémora l'époque où il revendait dans les rues de Las Vegas les objets artisanaux qu'il rapportait du Honduras. Un jour, il avait accepté de rendre service à un copain en échange d'un voyage gratuit au Honduras, et de la possibilité de choisir lui-même ses produits au lieu de passer par des intermédiaires lointains. Pour gagner ce billet, il n'avait eu qu'à ramener un paquet à Las Vegas.

Comment aurait-il pu refuser une telle aubaine ? Toute sa vie, il avait dû racler le fond de ses poches. Le marché du travail était restreint pour qui avait arrêté ses études après le lycée. Il avait besoin d'argent pour payer le loyer. Il devait manger. Et il s'était promis de ne plus demander d'argent à sa sœur. Alors il avait assuré la livraison. Il avait pensé que cela s'arrêterait là.

Quel imbécile ! Il aurait dû deviner qu'il s'agissait de commerce illégal. En réalité, le paquet contenait de la drogue – chose qu'il luttait pour maintenir hors de sa vie. Son soi-disant ami agissait pour le compte d'un criminel international. Il avait prévenu Cory que s'il refusait de transporter d'autres paquets, il aurait de gros problèmes.

À tout faire pour éviter les ennuis, il s'était mis dans le pétrin jusqu'au cou. Il savait que s'il donnait à ces types le moindre motif de mécontentement, ils le tueraient. Il en avait eu la certitude six mois plus tôt, quand on lui avait présenté le grand patron, à Puerto Cortez. Frederick Nader avait demandé à rencontrer son « jeune protégé très prometteur », comme il l'avait joliment annoncé.

Cory n'avait jamais été le protégé de quiconque. Il savait qu'il n'en était pas un pour cet homme, même quand une limousine était venue le chercher pour le conduire sur les quais, où un jet fuselé sorti tout droit de *Miami Vice* l'avait mené jusqu'au yacht de Nader.

Nader semblait se prendre pour un membre de la famille royale. Il avait une allure aristocratique, c'était certain. Il était plutôt vieux – cinquante ou soixante ans. Mince et en pleine forme. Les cheveux aussi blancs que son pantalon. Des chaussures étincelantes. Quand il était arrivé, Nader se faisait manucurer pendant qu'une armée de serviteurs s'étaient pliés en quatre pour lui servir du vin hors de prix dans un verre si délicat qu'il avait craint de le casser.

Puis la réalité s'était révélée à lui. Nader avait montré à Cory ce qui arrive à ceux qui entendent « se retirer ». L'homme, ou ce qu'il en restait, avait atterri sous la lame du maître d'œuvre du patron, Rutger Smith, un monstre qui maniait le couteau avec un indéniable talent.

Depuis ce soir-là, Cory vivait dans la terreur. Depuis ce soir-là, il cherchait un moyen de leur échapper.

— Salut !

Cory sursauta quand Derek Styles, un autre employé de Nader, ouvrit la portière et jeta son blouson sur la banquette arrière.

— Ça roule ?

— Tu es en retard, fit remarquer Cory en s'efforçant de paraître serein.

— Faut le dire à la compagnie aérienne.

Grand et décharné, Derek avait des cheveux d'un châtain terne. Il sentait la sueur et l'herbe. Il se glissa sur le siège passager et claqua la portière.

— À la maison.

Cory grommela, jeta un œil dans le rétroviseur et fit marche arrière pour quitter le terminal et rejoindre la route.

— Un gros coup se prépare, annonça Derek en tapotant sa cuisse.

*Oui, comme souvent dans ce milieu.*

— Je ne veux rien savoir, préféra répondre Cory.

Dégoûté, Derek secoua la tête. Ils filèrent sur l'auto-route, et le vent balaya ses cheveux, dégageant son visage de furet.

— Nader... il est plus riche que Crésus, tu sais ? dit Derek, ignorant Cory. Moi, je claquerais tout en filles et en dope. Mais Nader craque pour les diamants.

Cela ne surprit pas Cory. Rien de ce qui concernait Nader ne le surprenait plus. Ses principales activités tournaient autour de la cocaïne, de l'héroïne, des armes volées et des armes chimiques. Que Nader ait un faible pour les diamants était logique. Les diamants, les œuvres d'art volées, tout ce qu'il était difficile de se procurer et illégal de posséder correspondait à son mode opératoire.

— C'est pour ça que je suis revenu au Honduras, poursuivit Derek. L'Homme m'a demandé de déplacer des gros cailloux.

— Ça doit être des sacrés diamants ? demanda Cory en succombant à la curiosité après que Derek lui eut révélé la somme que Nader était prêt à payer. Comment sais-tu combien ils ont coûté ?

Cory s'interrogeait d'autant plus que Derek ne faisait pas partie des intimes de Nader.

— J'ai entendu Smith boucler la transaction au téléphone.

À l'évocation de Rutger Smith, Cory eut des frissons d'effroi. Ce type massif était terrifiant. Et son gros couteau l'était encore plus.

— Le paquet arrive ce soir. Port de Muchilena.

Muchilena était un petit port du golfe du Honduras, à moins d'une heure au nord de San Pedro Sula. Nader aimait changer de points de livraison. La dernière avait eu lieu du côté des Caraïbes.

— Tu sais, on pourrait être les premiers sur place. Toi et moi. Arriver avant Smith.

Cory contempla Derek comme s'il le pensait sous ecstasy, avant de comprendre ce qu'il avait en tête.

— Tu es dingue ?

— Allez, quoi ? Tu n'en as pas marre d'être le petit coursier de Nader ? Tu ne t'es jamais demandé ce que ça ferait d'avoir la part du lion au lieu de se contenter des miettes ?

— Ça, oui, je me demande quel effet ça ferait. Mais je ne voudrais pas le fâcher. Jamais de la vie.

— Même pas pour la moitié des cinq millions ? Tu crois vraiment que tu vas réussir à gagner plus que de l'argent de poche avec les babioles que tu envoies aux États-Unis ?

Ces reproductions étaient sa porte de secours, son espoir de reprendre une vie en toute légalité. Il les avait achetées pour des clous, et les avait expédiées à sa sœur, à Las Vegas. Alors oui. Quand il aurait trouvé le moyen de se libérer de l'emprise de Nader, son petit stock de marchandises lui permettrait de se lancer dans les affaires. Les riches Américains étaient prêts à payer cher pour ce genre d'objets. Il en tirerait vingt fois leur prix d'achat, quand il débarquerait sur le marché. Il pourrait tourner la page sur cette vie, et prendre la voie réglementaire.

Il ne pouvait nier que l'idée de partager cinq millions de dollars était tentante. Mais vivre le tentait tout autant.

— Une fois qu'on est mort, c'est dur de dépenser son fric.

Derek ricana.

— Avec tout ça, tu peux te cacher sans problème. Te faire refaire le visage. Changer d'identité. Nader ne peut pas tuer un homme mort.

Cory jeta un œil à son rétroviseur. Changea de file.

— Je n'ai pas envie d'en parler.

Alors il se tut. Il ne prononça plus un seul mot jusqu'à ce qu'ils soient devant l'hôtel bas de gamme de Derek.

— Ne le fais pas, lui conseilla-t-il quand il ouvrit la portière.

— C'est ta dernière chance, le défia Derek.

Cory leva les mains, secoua la tête et disparut. En souhaitant de tout son cœur que si Derek était assez idiot pour mettre son plan absurde à exécution, Nader ne vienne pas l'accuser de complicité.

C'est alors qu'il décida qu'il devait trouver le moyen de tout lâcher.

*Deux heures du matin*

Cory se redressa brusquement dans son lit, tiré du sommeil par quelqu'un qui frappait à sa porte. Les coups redoublèrent, et il bondit. Il enfila à la hâte son treillis tout en traversant la pièce.

— Qui est là ?

— Ouvre !

Derek.

Cory entrouvrit la porte de la chambre qu'il louait à la journée. Derek s'effondra de tout son poids à l'intérieur. Sa chemise était couverte de sang.

Cory le rattrapa tant bien que mal.

— Mais qu'est-ce qui t'est arrivé ? demanda Cory.

Derek le considéra d'un regard vague et fiévreux. Il respirait à grand-peine.

— Merde, tu l'as fait. Hein, c'est ça ? Mon Dieu, pas ça.

La panique accéléra les battements de son cœur. Derek toussa, et cracha du sang en se recroquevillant sur lui-même.

— Tu es un vrai connard, reprit-il.

— Tellement con… que j'ai des… millions… sur moi… en diamants.

— Et tu les as amenés ici ? Tu as conduit Nader jusqu'à moi ?

Il respira difficilement avant de répondre.

— Je les ai semés. Salauds qui m'ont... tiré dessus... semés.

— Ouais, s'emporta Cory. Pour l'instant. Putain. Il te faut un médecin.

Derek voulut se redresser, et s'agrippa au bras de Cory.

— Ma poche.

La respiration sifflante de Derek se faisait entendre à chacun de ses souffles.

— Tout est là. La marchandise. Que j'ai fait venir. Tout est... à toi... maintenant.

Puis l'imbécile s'effondra.

Mort.

*Putain de merde.*

Pendant un moment, Cory fut incapable de réagir. Paniqué, il restait immobile en s'efforçant de prendre conscience de ce qui lui arrivait. Derek n'était pas son ami. Mais c'était un être humain. Et il était mort.

Le cœur battant, Cory se redressa sans quitter le corps des yeux et se passa une main dans les cheveux. Il savait que la porte allait s'ouvrir d'un instant à l'autre, et que les hommes de Nader entreraient en trombe pour avoir sa peau, à lui aussi.

C'est pourquoi il devait prendre une décision au plus vite. Il avait beau envisager la question sous tous les angles, Nader allait l'abattre. S'il venait trouver Nader pour lui raconter ce que Derek avait fait, le grand patron conclurait à la complicité de Cory, et penserait qu'il avait retourné sa veste à la dernière minute. S'il s'enfuyait en revanche, Nader le retrouverait. Il finissait toujours par trouver ce qu'il cherchait.

Il considéra ses mains ensanglantées. Le corps allongé sur le sol. Soudain, l'instinct de survie prit le dessus, et le poussa à agir.

D'une main tremblante, il fouilla les poches de Derek. Enfin, il dénicha une pochette en velours bleu.

Il la renversa pour la vider de son contenu. Un collier composé des plus gros diamants qu'il ait jamais vus lui glissa dans la main.

Il resta bouche bée.

Merde. Et merde. Il avait déjà vu ce collier. Aux informations régionales. Un gros cambriolage au Musée national du Honduras, la semaine précédente. Un trésor national. Qui avait appartenu à une grande prêtresse hondurienne, crut-il se souvenir. Quelque chose comme ça.

Son origine avait-elle de l'importance ? Non, car il avait les diamants et rien d'autre ne comptait. S'il les rendait au gouvernement, il ne ferait que signer son arrêt de mort.

Des pierres d'une valeur de cinq millions de dollars.

Cinq millions de dollars.

Qu'il n'ait pas eu l'intention de les dérober n'avait plus aucune importance. Que ça lui plaise ou non, elles étaient désormais en sa possession. Il ne lui restait plus qu'à trouver le moyen de vivre suffisamment longtemps pour en récolter les bénéfices.

Il baissa brièvement les yeux vers Derek. Il avait dû trouver un acheteur. Quelqu'un qui garantisse une vente rapide lui permettant de se débarrasser des pierres au plus vite avant de fuir le Honduras.

Retombant à genoux, il fouilla frénétiquement les poches de Derek. Il tomba finalement sur un morceau de papier, sur lequel étaient notés un nom et un numéro de téléphone.

L'écriture était difficile à déchiffrer, mais il prit le temps nécessaire. Quand il parvint à composer un mot cohérent, il eut du mal à y croire.

Desmond Fox.

*Ouille.*

C'était à lui que Derek avait prévu de vendre les diamants ? À Desmond Fox ?

Cory eut envie de se recroqueviller à terre comme un nourrisson.

Si Nader était un cobra, Fox était une vipère. Les deux hommes étaient ennemis jurés. Aucun code d'honneur entre ces deux voleurs meurtriers ; Cory se retrouvait pris au beau milieu de leur rivalité.

Il se passa une main dans les cheveux. Puis éclata de rire. Merde. C'était ça ou se rouler en boule et attendre que Smith et son couteau fou ne retrouvent sa trace. L'alternative étant que Fox débarque avec un AK-47.

— Réfléchis, putain, trouve une idée !

Il arpenta nerveusement la pièce et trébucha sur le corps de Derek. Il se demanda qui se cognerait contre son cadavre quand ils lui mettraient la main dessus.

— As-tu d'autres solutions ? Existe-t-il d'autres options ?

Il concentra son attention sur le numéro de téléphone inscrit sur le bout de papier, et saisit son portable, décidé à faire affaire avec Fox. Il composa le numéro d'une main tremblante. Une voix, au fort accent espagnol, répondit à la troisième sonnerie.

— Tupacka.

Cory avait retourné les lettres dans tous les sens, et prononça le mot à voix haute en suivant les instructions indiquées sur la feuille. Tupacka, le nom de la prêtresse hondurienne. Les diamants lui avaient appartenu, après lui avoir été offerts en cadeau de mariage par un Espagnol quelque deux cents ans plus tôt, si l'on en croyait les informations télévisées.

— Une minute, je vous prie, répondit l'interlocuteur après un bref silence.

Cory attendit. Et arpenta la pièce. Vibrant de nervosité et de peur. Enfin, on lui transmit une heure et un point de rendez-vous. La communication prit fin.

L'appréhension lui serrait le ventre. Cinq jours. Il devait patienter cinq longues journées avant de rencontrer l'homme. En pestant, il jeta quelques affaires dans un sac à dos. Il empaqueta soigneusement les diamants, songeant au meilleur moyen de les protéger, et, s'il avait de la chance, de se protéger lui-même jusqu'à ce que le marché soit conclu.

Il rejoignit sa Jeep, démarra puis, la main sur le levier de vitesse, il se sentit incapable de partir. Il ne pouvait pas se résigner à abandonner Derek. Styles avait été un voleur et un drogué, mais il devait s'occuper de lui. Après tout, quelque part, quelqu'un se souciait de ce qui arrivait à Cory.

Grommelant, il retourna dans sa chambre au pas de course, enroula le corps de Derek dans une couverture, et le traîna jusqu'à sa voiture de location. Il s'arrêta à la première église venue – il y en avait des centaines à San Pedro Sula – et se gara à l'arrière, dans la zone la plus sombre. Après avoir vérifié que les alentours étaient déserts il sortit le cadavre de Derek et le glissa dans l'église, par la porte arrière.

Ensuite, il s'enfuit à toutes jambes, ayant finalement renoncé à la Jeep. Pas une seule fois il ne se retourna. Il se fondit dans la ville de près d'un million d'habitants. Dans cinq jours, il trouverait la richesse ou la mort. Si toutefois il était toujours en vie.

# 3

*Rancho Royale, Las Vegas, Nevada*

— J'ai compris, d'accord ?

Sans quitter l'écran des yeux, Sam interrompit le monologue de Reed à propos d'une femme dont il venait de faire la connaissance.

— Elle s'est débarrassée de toi comme d'un poil de chien sur une robe noire.

— Ouais, ça c'est sûr.

Un large sourire se dessina sur le visage outrageusement séduisant de Reed. Il était parvenu à glisser son physique de top model d'un mètre quatre-vingt-dix et ses cent kilos dans le fauteuil club en cuir noir installé face au bureau de Sam.

— Elle a dit non. À moi ! reprit Reed sans prêter attention à la mauvaise humeur de Sam.

Son sourire lumineux révéla des dents blanches parfaitement alignées, et deux fossettes qui rendaient dingues les vieilles dames, et donnaient envie aux plus jeunes de s'allonger nues.

— Elle ne manque pas de couilles ! poursuivit-il.

— J'ai quelques soucis avec cette image-là, blagua Sam en reportant son attention sur le pedigree du cheval de race qu'il envisageait d'acheter pour améliorer le programme d'élevage de son ranch.

Reed rit.

— Tu ne me prends pas au sérieux, geignit-il en se levant pour faire les cent pas dans le bureau de Sam.

— Tu crois ? Tu l'as rencontrée dans l'avion. Tu ne la reverras… jamais.

Reed l'avait appelé de l'aéroport pour lui annoncer qu'il débarquait. C'était sa troisième visite en trois mois, depuis que Sam avait démissionné des Black OPS. Que s'était imaginé Sam ?

Il aurait voulu que Reed, Nate Black, ainsi que tous les MCB, lui fichent la paix. Cependant, il avait aussi peu de chances d'être tranquille que Reed d'arrêter de courir après les filles. Et Reed surgissait une fois de plus dans son existence pour lui faire part des derniers rebondissements de sa vie affective.

Sam supportait les visites mensuelles de Reed pour une seule raison. Il était conscient que son départ des Black OPS avait brisé l'équipe. Car leur équipe n'avait rien de banal. Les Black OPS étaient une famille. Ils étaient frères. Pas de sang, mais leurs liens s'étaient tissés dans les tranchées, et ils étaient aussi tangibles que les dégâts causés par une bombe de précision.

Des années plus tôt, Nathan Black, le président directeur du Groupe d'Intervention d'Urgence, en avait eu assez de dépendre des législateurs de Washington qui lui mettaient des bâtons dans les roues alors qu'ils étaient incapables de faire la différence entre leur derrière et une grenade à fragmentation. Ils en savaient encore moins sur les guerres qui faisaient rage, officielles ou non. Black avait alors décidé de monter son agence privée. Quand il s'était séparé de la Maison Blanche, la plupart des membres du Groupe d'Intervention d'Urgence l'avaient suivi. Sam avait été l'un des premiers à accepter son offre, ainsi que Gabe Jones, Raphael Mendoza, Luke Colter, Wyatt Savage et Joe Greene – pour n'en citer que quelques-uns. Après avoir rempli leur contrat, ils avaient rompu avec leurs branches militaires respectives pour rejoindre les Black OPS.

Pendant de nombreuses années, ils avaient travaillé pour Nate comme s'ils étaient en famille.

Sam regarda avec distraction Reed qui arpentait la pièce. Ils avaient passé un grand nombre de ces années en Argentine. À traquer des truands dont les noms demeureraient inconnus pour la plupart des honnêtes citoyens, à mener à bien des opérations dont on ne parlait jamais dans les journaux, et qui n'apparaîtraient jamais dans les annales de l'histoire américaine, pas même dans les chapitres traitant de la machine de guerre qu'était leur patrie.

Durant ces épreuves successives, ils n'avaient pas simplement travaillé ensemble. Ils avaient vécu ensemble. S'étaient battus ensemble. Avaient pleuré ensemble.

Sam repensa aux funérailles de Terri et de B.J. Non seulement les MCB étaient venus présenter leurs condoléances, mais aussi Ann et Robert Tompkins, ce couple qui les avait « adoptés » des années auparavant. Les Tompkins étaient bien placés pour comprendre la douleur de perdre un être cher. Ils avaient traversé une épreuve similaire. Leur fils, Bryan, avait appartenu au Groupe d'Intervention d'Urgence. Il avait trouvé la mort lors d'une mission en Sierra Leone où il avait combattu en bon soldat, conscient des enjeux et des risques, acceptant le danger.

Le regard de Sam se perdit dans le vague. Il serra les dents.

Terri n'était pas soldat. Terri n'avait pas choisi de vivre dans le danger. Elle et B.J. étaient des civils innocents. Mais, pour Frederick Nader, la fin justifiait les moyens et Terri en avait été la victime. Un dommage collatéral, afin que Sam le laisse en paix.

Nader avait obtenu ce qu'il voulait.

Sam avait baissé les bras. Il avait démissionné des MCB le jour où il avait enterré sa sœur. Le message de Nader était clair. Retire-toi ou un autre de tes proches trouvera la mort.

Alors il s'était retiré.

Oui, ça l'avait rongé. Ça lui avait dévoré les tripes, l'âme et toute sa volonté, au point qu'il n'avait plus l'envie de combattre. Il en avait fini. Il avait renoncé à essayer. Renoncé à lutter.

Nader avait gagné.

Il ne prendrait pas le risque qu'un nouveau malheur frappe sa famille.

— Comment vis-tu ça ?

Reed s'était approché de la fenêtre. Il scrutait les écuries nichées au pied de la pente douce du vallon, entre les montagnes basses.

Sam lui épargna un regard noir. Il s'était attendu à ce moment. Cette phrase introduisait le laïus amenant à la vraie question : « Tu es prêt à réintégrer les MCB ? »

Le « ça » sur lequel il l'interrogeait, c'était sa vie au ranch. Sam avait grandi à Rancho Royale, dans l'élevage et la vente de chevaux de race, avec son père.

— Je le vis très bien.

— C'est tellement calme, ici, reprit Reed avant de se retourner pour se planter devant le bureau de Sam.

La tête inclinée, les sourcils froncés, il était l'image même de la perplexité.

— Ça ne te manque pas ? demanda-t-il.

Sam leva la tête. Il posa un regard franc sur Reed. Est-ce que l'action lui manquait ? Les poussées d'adrénaline ? Coincer des truands et leurs marionnettes pour les mettre hors d'état de nuire ?

La nostalgie était un luxe qu'il ne pouvait pas s'offrir. Tout comme il ne pouvait pas se permettre de laisser Reed entrevoir la vérité.

— Mais non.

46

Reed s'accroupit, croisa les bras sur le bord du bureau afin de se placer à hauteur de Sam. Ses yeux bleus le considérèrent longuement, à travers des cils aussi épais et blonds que ses cheveux.

— Même pas un petit peu ?

Sam cligna des yeux. Se tourna vers son ordinateur.

— Tu sais, si c'est une question d'entraînement, on n'aurait pas trop de mal à te remettre en forme, reprit Reed. Ça ne fait que trois mois, après tout. Et trente-cinq ans, ce n'est pas si vieux que ça. Tu ferais toujours le poids au combat. Enfin, tu ne m'arriveras jamais à la cheville, évidemment, mais on ne t'en demande pas tant, ajouta-t-il pour le taquiner.

Sam lui sourit avec bienveillance.

— Tout dépend du cheval qu'on monte.

Reed rit ; pas Sam.

Il ne reprendrait pas du service. Reed savait pourquoi.

Et pourtant Reed était là. Une fois de plus.

— Dans ce cas, dit Reed avec une soudaine gravité, j'imagine que ça ne t'intéresse pas de savoir qu'on a une piste pour Nader. Cette fois-ci, c'est du solide. On a de quoi le coincer.

Sam s'appliqua à rester immobile. Reed observait la même attitude figée. Son sourire jovial de joli garçon s'était dissous sous un masque de sévérité.

— Je suis sérieux, Sam. Ça pourrait être le moment qu'on attend pour l'écraser, dit-il avec douceur mais fermeté. Mendoza est au Honduras depuis que tu as quitté les Black OPS. Il cherche partout, il établit des contacts, suit des pistes, mais depuis le début, cette opération est à toi. Tu y as travaillé dur. Tu mérites d'être là pour le coup de grâce, celui qui fera tomber cet enculé pour de bon.

Sam ferma les yeux et s'appliqua à respirer calmement malgré la colère qui lui gonflait la poitrine, et menaçait de lui faire perdre son sang-froid.

*Ce qu'il méritait.*

Ce n'était pas une question de mérite. Sa sœur était morte. Son beau-frère, mort.

Parce que Sam avait pourchassé Nader sans répit.

Plus que tout au monde, il voulait l'avoir. Mais il ne pouvait pas faire ça. C'était tout simplement impossible.

Il s'adossa contre le dossier de son fauteuil, tapota ses lèvres du bout des doigts et considéra longuement Reed. Il avait envie de lui hurler de quitter sur-le-champ sa propriété, sans oublier d'emmener son offre avec lui.

Une tornade surgit dans un éclat de rire, avec une énergie qui coupa court à tout sentiment négatif.

— Oncle Sam !

Inconsciente de la tension qui régnait dans le bureau, comme seule une enfant de sept ans en est capable, Tina se rua sur les genoux de Sam.

— Hester va avoir son poulain, annonça sa nièce, essoufflée. (Elle sentait bon le foin et le soleil. C'était délicieux de la voir sourire après l'avoir entendue pleurer dans son sommeil des nuits entières.) J'ai attendu, et attendu mais ça y est. Il arrive. Le bébé est pour moi, pas vrai, oncle Sam ? Il est à moi et à Hester.

Sam sourit à Tina en admirant ses yeux marron étincelants. L'amour qu'il éprouvait pour cette belle enfant le submergeait. Elle ressemblait tant à sa mère au même âge. Petite, Terri était aussi lumineuse et pétillante que la limonade qu'elle aimait boire. Tina débordait de la même énergie.

Si Sam devait aider ses parents à élever la fille de sa sœur, c'était à cause de Frederick Nader. En fin de compte, Sam était l'unique responsable de la situation. Et de la même façon, s'il ne repartait pas sur les traces de Nader, c'était pour le bien-être de Tina et ses parents.

— D'accord, oncle Sam ?

Déterminée à obtenir toute son attention, elle tira sur la plaque d'identification militaire qu'il portait toujours autour du cou.

— Y a intérêt, ma puce, dit-il en déposant un baiser sur son front. Tout se passe bien à la grange ?

— Oui, oui. César dit qu'Hester s'en sort très bien, mais il m'a demandé de venir te prévenir si jamais tu veux appeler le vétérinaire.

Reed parvint enfin à placer un mot.

— Salut, mon trésor. Comment va ma petite chérie ?

— Johnny Duane ! s'exclama Tina.

Comme une furie, elle trépigna en faisant danser ses couettes, et quitta d'un bond les genoux de Sam pour plonger dans les bras de Reed.

— Qu'est-ce que tu m'as apporté ?

En riant, Reed la serra dans ses bras et l'embrassa bruyamment.

— Ah, les femmes ! Vous êtes toutes pareilles. Des petites sorcières avides de cadeaux. C'est tout ce que vous aimez.

— Alors, qu'est-ce que tu m'as apporté ? insista Tina en reprenant le jeu auquel ils se livraient depuis leur première rencontre, celui de la jeune fille minaudière.

Reed plongea la main dans sa poche et en sortit une paire de menottes.

— Waouh ! s'exclama-t-elle en les lui arrachant des mains comme une voleuse. J'en rêve depuis toujours !

— Si seulement les filles étaient aussi faciles que toi à satisfaire, petit bout.

— Tu restes dîner avec nous ? demanda-t-elle, pleine d'espoir, en quittant ses bras pour étrenner le jeu des menottes.

Reed consulta Sam du regard, et ne rencontra que de la froideur.

— Je ne crois pas, trésor. Je dois retourner en ville. Je vais tenter ma chance sur Strip. Je suis juste passé transmettre un message à Sam.

Il sortit une enveloppe de sa poche et la lança sur le bureau.

Le regard de Sam se posa dessus. Il savait qu'elle contenait le renseignement crucial sur Nader. Très lentement, Sam se leva, et tourna le dos au bureau comme à la discussion.

— Allez, Tina. Allons voir comment va Hester.

— Appelle-moi, dit Reed en les accompagnant dehors.

Le soleil était écrasant.

Sam continua à marcher. Désormais, tout ce qui avait de l'importance à ses yeux se trouvait dans ce ranch. Plus jamais il ne les laisserait seuls et sans défense.

La première chose que vit Sam en entrant dans son bureau à six heures du matin, le lendemain, fut l'enveloppe cachetée que Reed avait laissée sur son bureau. Mal réveillé, il la considéra tout en posant à côté sa tasse de café fumant. Ensuite, il s'assit dans son fauteuil en cuir et frotta ses joues rugueuses.

La jument l'avait tenu éveillé toute la nuit. Des complications s'étaient développées au cours de la nuit, et il avait dû faire venir le vétérinaire. Mais la jument et le petit poulain fringant se portaient bien.

Pas lui.

Il ne quittait pas l'enveloppe des yeux.

Il jura.

S'en empara.

Et la reposa d'un geste sec.

Son regard se perdit à l'extérieur. À travers les branches d'un peuplier de Virginie qui encadraient la fenêtre du bureau, il pouvait voir les bâtisses principales. Le haras se trouvait au nord, la grange des poulains juste en face. Une vaste annexe abritant les plus jeunes animaux s'ouvrait largement vers l'est, derrière le pâturage des poulinières accompagnées de leurs petits.

Sa mère se tenait près de l'enclos, une main protectrice sur le dos de Tina qui avait escaladé la clôture pour observer les mamans et leurs bébés.

Sa mère était aimante et généreuse, attentive et bienveillante avec Tina, mais cette image ne lui plaisait pas. Terri aurait dû être avec elles.

On frappa légèrement à la porte, et Sam revint à la réalité.

— Je te dérange, mon fils ?

Sam s'obligea à se détendre, tout comme il se força à sourire.

— Non, Papa. Entre. Depuis quand dois-tu frapper avant d'entrer dans ton bureau ?

Son père traversa la pièce, et jeta un coup d'œil par la fenêtre.

— C'est ton bureau, maintenant.

Tom Lang se tourna vers Sam, mais son sourire ne parvenait pas à dissimuler le chagrin que le décès de Terri avait gravé sur son visage.

— J'ai toujours espéré que tu reviennes à la maison. Que tu reprennes le ranch.

Il serra les lèvres, secoua la tête, et Sam comprit qu'il ravalait ses larmes.

— Je n'aurais jamais imaginé que ça se passe dans ces conditions.

Sam avait la gorge serrée. Il supportait mal de voir son père ainsi. Hagard. Brisé. Perpétuellement au bord des larmes.

Aussi loin que remontaient ses souvenirs, il avait vu son père comme un dieu. Fort. Fier. Vigoureux. Aimant. Invincible.

La disparition de Terri et de B.J. avait tout changé.

De sa vie entière, Sam ne s'était jamais senti impuissant. Mais désormais il connaissait ce sentiment. Au plus profond de lui-même. Aussi irrépressible que le besoin de traquer Nader comme le limier qu'il était. Pour lui faire payer. Pour la petite Tina. Pour sa mère, et son père.

Mais s'il se sentait impuissant, c'était surtout parce que, s'il voulait que sa famille vive en sécurité, Sam devait renoncer à arrêter l'assassin.

— Tu dois faire quelque chose.

La dureté de la voix de son père le prit par surprise. Pour la première fois depuis plusieurs semaines, Sam perçut autre chose qu'un terrible chagrin dans les yeux de son père. Il y vit briller la colère et la détermination.

— Tu ne peux pas le laisser s'en tirer après ce qu'il a fait à Terri et B.J.

Son père était au courant, bien entendu. Un soir, Tom Lang avait ouvert une bouteille de Jack Daniel's et convoqué son fils.

— Je t'écoute. Raconte-moi tout.

Sam n'avait jamais menti à son père. Il n'avait jamais réussi à lui cacher ses inquiétudes, qu'elles soient profondes ou passagères. La mort de Terri lui déchiquetait les tripes avec la férocité d'une mâchoire de requin.

Alors il lui avait tout raconté. Enfoncé dans le canapé en cuir, dans cette même pièce. À près de minuit, un verre à moitié vide dans une main, les larmes aux yeux, il avait expliqué que Frederick Nader avait tué Terri pour atteindre Sam.

— Sam. (La voix de son père le ramena brusquement à la réalité.) Tu dois faire ce qu'il faut.

Sam était horriblement fatigué. De vivre dans la culpabilité. De résister au besoin violent de faire exactement ce que son père attendait de lui.

— Je ne peux pas. Et tu sais pourquoi.

Son père se cala dans le fauteuil club, et plongea les yeux dans ceux, torturés, de son fils.

— Je t'ai accordé du temps. Tu avais besoin de te remettre sur pied. Besoin de faire le deuil. Mais il est temps de se venger.

Sam détourna la tête, le cœur serré. Son père était un homme bon. Comme Sam, c'était un homme discret. Sévère mais juste. Honnête. Un croyant – en Dieu, en la bonté, en son prochain. La haine de Sam pour Nader atteignit de nouveaux sommets, face à son père et à ses désirs de vengeance.

— Je ne peux pas, répéta-t-il.

Du regard, il suppliait son père de le comprendre. De laisser tomber. De passer à autre chose.

Comme Sam essayait de tourner la page.

Des larmes emplirent les yeux de son père.

— Tu ne peux pas ne rien faire.

Des larmes. Coulant sur les joues de cet homme si fier.

C'était sa faute.

— Tu crois que je n'ai pas envie de faire tomber cette ordure ? s'emporta Sam avant de retrouver son calme. Enfin, Papa ! Je ne pense qu'à ça.

— Alors fais le nécessaire.

Il leva une main, qu'il laissa retomber.

— Quoi ? Lui offrir la chance de s'en prendre à toi… ou à Maman ? Et s'il décide de s'en prendre à Tina ? Je ne pourrais pas vivre avec un nouveau mort sur la conscience.

Son père se redressa.

— Il est certain que je vieillis, mais je peux encore prendre soin de moi. Il ne parviendra pas à me prendre en traître, ni moi ni les miens. Tant que je serai là pour protéger notre famille, personne ne se fera tuer.

Dehors, le ciel était d'un bleu limpide, et la chaleur répandait l'odeur du désert. À l'intérieur, des nuages obscurcirent la pièce lorsque le fantôme de sa sœur les visita.

Tom Lang se leva, approcha de Sam et posa une main sur son épaule.

— Tu le dois à Terri. Mais ce n'est pas tout. Tu te le dois à toi-même. Je te connais. Ça va te ronger jusqu'à ce qu'il ne reste rien d'autre de toi que ton ombre. Une enveloppe décharnée vidée de son âme. Et alors, à mes yeux, je t'aurai perdu comme j'ai perdu Terri.

Il serra son épaule, et retira sa main.

— Je ne peux pas vous perdre tous les deux.

Sur ces paroles, il quitta le bureau, et referma la porte derrière lui.

Sam demeura dans le silence assourdissant pendant près d'une heure avant de parvenir à saisir l'enveloppe déposée par Reed. Son pouce se promena sur le rabat collé, puis il l'ouvrit d'un geste sec.

Il lut. Et relut.

Par la fenêtre, il vit son père sortir du haras pour bifurquer dans l'allée. Il avait le dos voûté, et le pas traînant.

Sam respira profondément, et lentement il s'empara du téléphone.

Reed décrocha à la seconde sonnerie.

— J'en suis, dit-il avant de raccrocher, conscient que son geste équivalait à sauter d'un Blackhawk sans parachute ni corde.

# 4

*Le même jour*

— Tu penses que je devrais m'inquiéter pour Cory ? demanda Abbie en installant son nouveau canapé et ses fauteuils neufs avec l'aide de Crystal.

— Je pense que tu devrais profiter de tes nouveaux meubles. Ce cuir est tendre comme du beurre, dit Crystal en s'enfonçant dans le luxueux canapé avec un soupir d'aise.

— Ouais, répondit Abbie en souriant à son amie. Il est plutôt cool, hein ?

— Il est bien plus que ça.

— C'est parfait, dit-elle en survolant la pièce d'un regard approbateur.

Après avoir déplacé les meubles en tous sens, elle était finalement satisfaite de leur disposition.

— C'est magnifique ! s'exclama Crystal.

Pour la décoration et la peinture, elle avait choisi des teintes douces et apaisantes qui venaient compléter le cuir couleur chamois. Avec le rythme effréné de ses journées, elle avait eu envie de calme, d'un coin accueillant où se détendre. Le sauge et le vert tendre, le sable et le beige répondaient aux touches de bleu ciel pour composer l'oasis nécessaire à son emploi du temps surchargé.

— Alors, quel est ton avis pour Cory ? insista Abbie en se laissant choir sur le canapé, à côté de Crystal. Il aurait dû rentrer à Las Vegas il y a deux jours. Je n'ai aucune nouvelle de lui.

— Et tu trouves que ça ne lui ressemble pas ?

Abbie haussa les épaules.

— Bon, peut-être que ce n'est pas si étonnant que ça.

— Abbie, tu n'es pas sa mère, lui rappela gentiment Crystal. Et tu n'es pas là non plus pour le surveiller.

Oui, Crystal avait raison. Abbie devait arrêter de s'en faire pour lui.

— Exact. Merci. Et merci aussi pour ton aide.

Elle regarda l'heure à sa montre.

— Oh, zut, il faut que je me dépêche, je vais être en retard au travail.

— Message reçu. Je disparais comme une vilaine mouche. À la prochaine, fit Crystal en s'apprêtant à sortir.

Abbie se hâta de prendre une douche, en songeant au temps qui lui restait, et au moyen de ne pas arriver en retard. Elle tenta à grand-peine de chasser son frère de ses pensées.


— C'est elle. Deuxième table. Elle revient tout juste de sa pause.

Sam avait rejoint Reed au Casino New Orleans dix minutes plus tôt, et les deux hommes s'étaient installés devant des machines à sous. Depuis leur arrivée, ils attendaient une croupière de black-jack nommée Abbie Hughes.

D'après Reed, Abbie Hughes allait les conduire à Frederick Nader.

Sam inséra des pièces de monnaie dans la machine, et s'efforça de ne pas revenir sur une décision qui avait mis en danger tous ceux qu'il aimait. Il était de retour. Il était dedans jusqu'au cou.

Nader allait mourir. Pour Terri. Pour B.J. Pour son père. Sam ferait tout ce qui était en son pouvoir pour s'assurer du bon déroulement de l'affaire.

À la dérobée, il observa la sœur de Cory Hughes.

— Cette fille a l'air géniale, tu ne trouves pas ? demanda Reed, assis derrière lui. Alors je me demande pourquoi une fille comme elle fricote avec cette merde de Frederick Nader ?

Avec l'âge, Sam avait appris que tout ne s'explique pas toujours par la logique. Dans ce cas précis, il devait admettre qu'il se posait la même question que Reed. Fort de sa longue expérience, il évalua Abbie Hughes d'un œil froid et critique.

Reed l'avait bien résumée. Cette fille était, en apparence, formidable. Elle avait un physique saisissant. Elle mesurait près d'un mètre soixante-quinze, et était svelte à souhait. Las Vegas regorgeait de belles femmes. Des filles qui aspiraient à devenir mannequin, actrice, star. Selon la première impression de Sam, Abbie Hughes n'avait besoin que d'être elle-même. Elle discutait avec aisance avec les clients assis à sa table, sans faux-semblant.

C'était un premier indice. Elle ne devait pas être exactement ce qu'elle laissait croire. Oui, Abbie Hughes offrait une image séduisante. Sam avait appris depuis longtemps à ne pas juger un paquet sur l'emballage. Tout comme il savait que les femmes d'une telle beauté visaient toujours plus haut, plus loin, plus audacieux. En dépit de ses grands yeux francs et de son sourire généreux.

Ses cheveux châtain foncé retombaient sur ses épaules, brillants, et d'un naturel discret. Malgré son corps athlétique, elle ne manquait pas de formes. Elles étaient d'autant plus efficaces qu'elles n'avaient rien d'aguichant. Elle avait l'air saine, la tête sur les épaules, et si son innocence était artificielle, ses talents de comédienne étaient extraordinaires. D'après les informations de Reed, Abbie Hughes et son frère étaient fortement impliqués dans des réseaux criminels internationaux. Cela faisait d'elle la voie royale pour atteindre directement Nader.

Toutefois, Sam était perplexe.

— Tu es certain qu'elle est dedans ?

— Dommage, hein ? Mais oui. Aucun doute là-dessus.

Oui, c'était dommage. Parce que si elle était liée à Nader, elle devenait une cible légitime. En tant que telle, Sam allait se servir d'elle pour obtenir ce qu'il voulait, et ignorer les conséquences sans remords ni regrets.

— Raconte.

Sam avait refusé que Reed lui communique les détails par téléphone. Les vieilles habitudes avaient la vie dure. Le téléphone fixe du ranch n'était pas sécurisé, et il préférait éviter de se servir de son portable. Le rapport adressé par Reed offrait une présentation générale de Cory Hughes et sa sœur, mais il manquait de précision.

Reed jura en donnant un coup de poing dans la machine quand il rata le jackpot.

— Abbie Hughes. Vingt-sept ans. Divorcée. Étudie la comptabilité à l'université de Las Vegas. Travaille ici comme croupière cinq soirs par semaine. Le frère, Cory Hughes, a vingt-deux ans. Célibataire. Aucune source de revenus déclarée.

— Ça, je l'avais compris. Qu'est-ce qui t'a amené à te pencher sur lui ?

— Ces listes d'hommes à surveiller de près, tu sais ? Peu après ton départ, le nom de Cory Hughes a commencé à apparaître de plus en plus souvent, associé à des complices de Nader connus.

Sam inséra des pièces dans la machine. Appuya sur le bouton. Le tintement et le roulement des cloches se mêlèrent au brouhaha qui régnait dans l'enceinte du casino.

— Tu as quelque chose de précis sur lui ?

Reed secoua la tête. Il jura encore lorsqu'il manqua le jackpot pour la seconde fois.

— On sait avec certitude que Nader aime jouer au chat et à la souris avec la douane américaine. Il a brouillé toutes les traces écrites, mais Hughes est parfait pour faciliter les transactions.

— Alors tu en es venu à identifier Cory comme le passeur de Nader.

— À petite échelle. Au moins jusqu'à récemment. Comme je te l'ai dit, Hughes n'a jamais eu de revenus stables. Tout semble indiquer que Nader l'a coincé en commençant par des livraisons de drogues. Il lui a fait sortir des paquets d'Amérique centrale. Surtout du Honduras.

Le terrain de jeu préféré de Nader. Le plus gros cauchemar de Sam.

— Hughes a été vu à San Pedro Sula la semaine dernière, continua Reed.

La piste était donc fraîche. Il devait agir vite, tant qu'elle était valable.

— Je sais que la famille constitue généralement la première ligne de soutien, mais qu'est-ce qui indique que la sœur est impliquée ?

— D'abord, un « créateur d'entreprise » comme Cory Hughes a besoin d'un complice fiable. De quelqu'un en qui il puisse avoir confiance. On est d'accord ?

Sam se tourna brièvement vers Reed.

— Ouais, ça serait logique. Mais tu dois avoir autre chose contre elle, non ?

Reed râla en fouillant dans ses poches, à la recherche de monnaie.

— Un ou deux trucs. Le petit frère loue une tanière au nord-ouest de la ville, juste après Circus Circus. Joli quartier, pour les rats. C'est bourré de motels à l'heure, parfois à la journée. Et c'est plein de labos de méthadone.

— J'imagine que tu es allé y faire un tour.

— Et bizarrement, la porte de sa chambre s'est ouverte d'elle-même quand je suis arrivé.

Sam savait que Reed devenait magicien dès qu'il disposait d'un objet pointu. De nombreuses portes tendaient à s'ouvrir d'elles-mêmes face à Reed.

— Bref. Comme je te l'ai dit, c'est un trou à rats. Rien que des cafards, et pas assez grand pour stocker des cartons. Mais j'ai trouvé des reçus d'expédition de colis dans un tiroir fermé à clé.

— Ce tiroir s'est ouvert aussi naturellement que la porte d'entrée ?

Reed sourit.

— À ton avis ? Et quelle adresse est inscrite sur les bons d'envoi ? Alors ?

— Celle de la sœur.

— Un vrai coup de poker. Donc, je suis allé chez elle.

— Dis-moi, Reed, combien de lois as-tu enfreintes ?

Reed prit un air offusqué.

— Je n'enfreins pas les lois. Je saisis toutes les occasions qui se présentent à moi. Mais dans ce cas, c'était minime. Le quartier dans lequel elle vit est quelques crans au-dessus du frangin. Pas super chic, mais respectable. Une petite maison. Les joies modestes de la banlieue. Hautement sécurisé. Trop pour être honnête, en réalité. Un pavillon avec portail. J'ai repéré deux caméras sur le toit. Avec tout ça, je me suis demandé ce qu'elle avait à cacher. Les voisins sont trop nombreux et curieux. Je n'ai pas pu entrer. Mais j'ai placé l'endroit sous surveillance plusieurs jours.

La machine émit un joyeux tintement indiquant un gain modeste, et Reed reprit :

— Elle reçoit beaucoup de colis. Assez pour se demander ce qu'ils contiennent. S'ils ont été envoyés par le frère, ils pourraient aussi bien renfermer de la drogue que de l'argent blanchi ou des pierres précieuses volées.

— Et si c'est le cas, nous devrions pouvoir la convaincre qu'elle ferait mieux de nous raconter tout ce qu'elle sait étant donné que nous avons la preuve de son implication, résuma Sam.

Une fois de plus, il observa Abbie Hughes à la dérobée. Sa table était complète. Elle distribuait à ses joueurs des sourires ravageurs tout en battant plusieurs paquets de cartes, avant de couper pour distribuer le premier jeu et de remettre les cartes dans le sabot d'une main experte.

Sam observa la façon dont elle tenait sa table. Il se surprit à espérer qu'elle ne cachait rien, même si cela signifiait que c'était une fausse piste.

— Autre chose ? demanda-t-il à Reed.

— Il y a des chances pour qu'elle encaisse la marchandise de son frère. La jolie demoiselle a une voiture toute neuve. Elle l'a achetée la semaine dernière. Du haut de gamme. Et jette un œil au truc qui brille autour de son cou.

Elle portait une chemise d'une blancheur éclatante boutonnée jusqu'en haut, et une cravate noire, mais le collier était ce que Sam se plaisait à appeler une pièce de décolleté. Le caillou était accroché à une chaîne en or. Il imagina sans mal que, dévêtue, le diamant tombait pile entre les seins d'Abbie Hughes mis en valeur par son soutien-gorge pigeonnant.

Se détournant de sa poitrine, Sam reporta son attention sur la machine à sous.

— Peut-être qu'ils paient bien leurs croupiers dans ce casino.

— Ouais, c'est ça. Légèrement au-dessus du salaire minimum, sans compter les pourboires, dit Reed.

— Tu as vérifié son historique bancaire ?

— Une carte. Solde nul. Pas de crédit pour la voiture.

Cela soulevait une nouvelle question que Sam ne pouvait se résigner à voir comme une coïncidence : comment une croupière, qui finançait elle-même ses études, avait-elle les moyens de s'offrir une voiture neuve et un caillou assez gros pour étouffer un cheval ?

Si Reed avait vu juste, Abbie Hughes pouvait se le permettre car elle travaillait avec son frère, qui œuvrait pour Nader, un escroc présentant un penchant certain pour les pierres volées.

Des pierres précieuses comme le diamant qui brillait au cou d'Abbie Hughes.

— Au fait, dit Reed sans quitter son poste, hier, Mendoza m'a communiqué un renseignement. C'est à ajouter au compte rendu que je t'ai transmis.

Raphael Mendoza, comme Reed, faisait toujours partie des MCB, avec Jones, Colter et les autres. Ces trois derniers mois, Mendoza passait beaucoup de temps à enquêter au Honduras, à la recherche d'un moyen de faire tomber Nader.

Sam attendit.

— Tu as bien lu le rapport, j'espère ?

— Ouais, je l'ai lu.

Le collier de diamants de Tupacka avait été dérobé au Musée national du Honduras, une semaine auparavant. Un bijou à cinq millions de dollars, qui était aussi un trésor national. On lui rattachait une légende antique. On décèlerait certainement les traces de l'intervention de Nader à toutes les étapes du cambriolage. Bien évidemment, il ne s'était pas personnellement chargé du hold-up mais il l'avait, sans aucun doute, grandement facilité.

— Quelle est cette nouvelle info ?

— Le nom de Desmond Fox semble s'ajouter à celui de Nader. On dirait qu'ils ont tous les deux un faible pour les diamants.

Sam grommela, sans pour autant être surpris.

— Ça commence à ressembler à une banale association de sales malfaiteurs.

Desmond Fox et Frederick Nader étaient issus des mêmes marécages. Fox était dans la ligne de mire des MCB depuis presque aussi longtemps que Nader. Ce n'était pas le grand amour entre les deux truands. Ils se faisaient concurrence sans scrupule, et ne rataient aucune occasion de se couper l'herbe sous le pied. Logiquement, dès qu'ils étaient en compétition sur une vente de stupéfiants ou d'armes, la température grimpait de quelques degrés.

— Bien sûr, on peut espérer qu'ils finissent par s'égorger, fit remarquer Reed. Ça nous épargnerait pas mal de boulot.

— Mieux vaut éviter de compter sur la chance. Surtout que je préfère attraper Nader moi-même.

Reed hocha la tête.

— Comment comptes-tu t'y prendre ?

Sam regarda Abbie Hughes une nouvelle fois, et se frotta la lèvre inférieure du bout du pouce.

— On pourrait s'appuyer sur elle, suggéra Reed après un moment de silence. Lui faire peur au point qu'elle donne les bons renseignements.

Sam secoua la tête.

— Ce sera plutôt le plan B. Je ne veux pas prendre le risque que cette tactique se retourne contre nous. Il est possible qu'elle ne crache pas le morceau, qu'elle prévienne le petit frère, et on se retrouvera au point mort. Pire encore, on les perdrait tous les deux.

Non. Une approche plus subtile s'imposait.

— Tu as dit qu'elle était célibataire ?

Reed inséra des pièces dans la machine à sous.

— Divorcée.

— Un petit copain ?

— A priori, non.

— Alors il lui en faut un.

— Inutile de me regarder comme ça.

Reed eut l'air écœuré.

— Je me suis débrouillé pour qu'on se croise, un soir, en me disant qu'on pourrait peut-être sympathiser. Tu vois ce que je veux dire ? Elle m'a envoyé promener sans même un « bonjour, comment ça va ». Je lui ai fait passer tous les signes d'ouverture possibles, mais elle m'a carrément ignoré.

— Comment tiens-tu debout après un tel coup porté à ton amour-propre ?

— La plupart des femmes me trouvent irrésistible, mais celle-là n'a aucun goût pour les bonnes choses et je n'y peux rien. En parlant de mauvais goût, tu serais peut-être son genre, toi.

Ignorant la raillerie, Sam jeta un nouveau coup d'œil à Abbie Hughes.

— Ouais, dit-il, se sentant prêt à tout pour faire tomber Nader. Je suis peut-être son genre d'homme.

Quand elle pénétra dans la salle de jeux après sa pause, Abbie remarqua immédiatement le flic cowboy et homo. Il ne passait pas inaperçu, avec son physique de mannequin. Si, dans le fond, elle se sentait vaguement mal à l'aise de le voir resurgir – sur son lieu de travail, cette fois-ci – elle n'avait pas l'intention de se laisser démonter par sa présence.

En fin de compte, le Vegas Strip n'était pas si vaste que ça. Pas vraiment. Il n'y avait pas tant de lieux où manger, dormir et se divertir qu'on voulait le croire. Quand, vingt minutes plus tard, il disparut sans lui adresser le moindre regard, elle mit sa présence sur le compte de la coïncidence. Tout comme elle pensa que c'était un hasard si l'homme aux yeux noirs et aux cheveux noirs taillés en brosse qui jouait aux machines à sous près du cow-boy se dirigeait à présent vers les tables de black-jack.

Un homme imposant. À sa chemise sortie tout droit d'un western et à son jean Wrangler impeccable, elle conclut qu'il était un véritable éleveur de chevaux. Du genre qui passe sa vie en selle, et qui ne se déguise pas pour frimer. Il était sûr de lui mais calme, se dit-elle en distribuant les cartes à sa table avant de jeter un coup d'œil dans sa direction.

Il se tenait en retrait, les bras croisés sur son large torse, ses longues jambes écartées, solidement plantées dans le sol. Il était concentré sur la partie qui se déroulait à la table voisine. Les soirs, au casino, les spectateurs étaient nombreux. Qu'il préfère rester à quelques mètres des tables, sans avoir envie de jouer, n'avait donc rien de surprenant. En revanche, le fait qu'elle le cherche du regard dès qu'elle en avait l'occasion était moins normal.

Encore plus curieux, quand son joueur de troisième base rassembla ses jetons et sortit du jeu, laissant une chaise vide, Abbie se surprit à espérer que le grand cow-boy prenne sa place.

*Que lui arrivait-il ?* Et pourquoi son cœur se mit-il à battre plus vite quand il approcha, la salua d'un geste et posa ses fesses gracieuses sur la chaise ?

— Bonsoir, dit-elle avec un sourire de bienvenue qui se voulait conventionnel.

Il répondit par un signe de tête courtois, tout en plongeant une main dans la poche de son pantalon pour en sortir son portefeuille. Quand elle eut terminé de payer et d'encaisser les mises autour de la table, il posa un billet de cent dollars devant lui.

Abbie le prit, compta les jetons équivalents à voix haute, puis les étala sur le plateau de velours vert pour les lui montrer. Quand il les eut rassemblés et empilés devant lui, elle glissa le billet de cent dans la fente placée devant elle.

— Faites vos jeux, déclara-t-elle à la table de sept, avant de servir la première carte, face visible, à chaque joueur.

Quand chaque joueur eut deux cartes devant lui, elle annonça son propre total.

— Le croupier a treize.

Le premier joueur demanda une nouvelle carte, et se fit écraser. Quand ce fut le tour du cow-boy paisible, il esquissa un geste vague au-dessus de ses cartes, et se contenta de son dix-huit.

Les mains en disent long sur la personnalité des gens. Abbie voyait beaucoup de mains – vernies et manucurées, sales et calleuses, fines et arthritiques. Les mains du cow-boy étaient grandes, proportionnelles à sa carrure. Ses doigts étaient bronzés et longs, et ses ongles courts étaient nets. Propres mais pas trop soignés, ce qui, selon son dictionnaire personnel, aurait signifié prétentieux. Mais les siennes ne l'étaient pas. Elles étaient habiles. C'étaient des mains de travailleur, et leurs discrètes cicatrices montraient qu'il était plus qu'un élégant propriétaire de ranch. De nombreuses callosités. Il décida de tirer.

Cela plut à Abbie. Elle se réjouit pour lui quand elle tira un roi, et qu'il gagna la main.

— La chance tourne en votre faveur, dit-elle avec un sourire tout en le payant.

Il leva les yeux vers elle et pour la première fois, elle prit conscience de la force de son sourire. Timide et doux. Pourtant elle eut la nette impression qu'il avait un côté sombre et dangereux.

Waouh ! D'où cela venait-il ? Et que lui arrivait-il ?

Des centaines, voire des milliers, de joueurs s'installaient à sa table tous les mois. Certains étaient sérieux, d'autres amusants, tristes parfois. Et oui, il lui arrivait de tomber sur des hommes qui attiraient son attention. Toutefois, aucun ne l'embrasait comme lui. C'était particulièrement troublant.

— Faites vos jeux, annonça-t-elle une nouvelle fois, avant de servir la tablée après que les joueurs eurent placé leurs jetons dans la boîte des mises.

Si le blondinet de magazine était du genre mauvais garçon à tomber à la renverse, cet homme-ci n'avait rien de juvénile. Abbie lui donnait dans les trente-cinq ans, peut-être la petite quarantaine, mais cette impression ne se fondait pas sur son physique. Il semblait solide comme un roc. Des cheveux châtain foncé, coupés court, des yeux d'un brun très foncé, pénétrants. Un joli visage. Un air dur. Des traits nets et la mâchoire carrée.

Cette impression de noirceur devait provenir de là. Il était à la fois déconcertant et fascinant. Il semblait détenir l'expérience et l'intelligence, ainsi qu'une forte confiance en lui qui n'avait pas besoin de s'afficher pour exister.

Il était la quintessence du héros tranquille. Clint Eastwood sans les yeux plissés et le regard d'acier. Matthew McConaughey sans les cheveux longs et le charme de la jeunesse – et vêtu d'une chemise, contrairement à McConaughey. Le cow-boy possédait néanmoins un charisme très personnel qui la déstabilisait.

— Cartes ? lui demanda-t-elle.

— Je double la mise.

C'est un joueur intelligent, se dit-elle, en séparant sa paire de huit. Elle sourit quand il finit par battre la table avec chaque carte.

— Je crois que c'est vous qui me portez chance.

Il lança un jeton rouge dans sa direction.

— Pourboire, dit-elle suffisamment fort pour être entendue par son superviseur.

Elle lui montra le jeton de cinq dollars avant de le ranger dans sa poche.

— Merci, dit-elle avec un sourire.

— Je vous en prie.

Sa voix était si douce qu'il fallait le regarder en face pour le comprendre. Le vacarme du casino étouffait ses paroles, si bien qu'elles étaient inaudibles aux autres personnes assises autour de la table. De plus, les joueurs parlaient entre eux, et échangeaient des blagues.

Mais ce qu'il ajouta l'arrêta net :

— Vous terminez à quelle heure ?

Elle évita son regard.

— Faites vos jeux, annonça-t-elle à la tablée en se disant *On dirait bien qu'on peut être réservé sans être timide.*

L'homme n'avait pas perdu de temps. Elle en fut aussi surprise que ravie, car cela signifiait qu'elle n'était pas la seule à ressentir cette « connexion ». Néanmoins, sa question la rendit nerveuse. D'instinct, elle eut envie de lui répondre son habituel *Désolée, il est interdit de sympathiser avec les clients.*

Mais elle songea au petit diable assis sur son épaule – un diablotin aux cheveux roux et hérissés qui ressemblait étrangement à Crystal. *Je ne te laisserai pas l'envoyer balader. Regarde-le ! Non, mais regarde cet homme !*

Elle s'aventura à croiser son regard. Il semblait attendre sa réponse, mais sans la presser. Et soudain, elle se surprit à articuler le mot « minuit ».

Il esquissa un sourire en coin.

— Où ?

Elle n'hésita pas assez longtemps à son goût.

— Ici.

*À quoi jouait-elle ?*

— Cartes ? demanda-t-elle à l'assemblée.

Il lui fit signe de le servir quand ce fut son tour.

Sa main dépassa vingt et un, et il haussa les épaules.

— Désolée, dit-elle, en appréciant la facilité avec laquelle il acceptait d'avoir perdu. Vous aurez plus de chance la prochaine fois.

— J'y compte bien, dit-il en se levant. À plus tard, murmura-t-il à son attention avant de s'éloigner.

— Le croupier paie seize, annonça-t-elle distraitement avant de régler les joueurs.

À la dérobée, elle admira ses fesses impeccables dans son Wrangler alors qu'il disparaissait dans la foule.

# 5

Le temps passa lentement mais, peu après minuit, Abbie put enfin toucher ses cinquante-cinq dollars de pourboires, faire sa caisse, et passer le contrôle de sécurité avant de récupérer ses affaires dans son casier. Elle n'oublia pas de se recoiffer, et de rafraîchir son rouge à lèvres.

Elle était follement excitée à l'idée de retrouver le cow-boy. Beaucoup trop excitée à son goût. En retournant à sa table de black-jack, elle s'interrogea sur le bien-fondé de sa décision. Elle n'accordait jamais de rendez-vous à des étrangers, et elle avait accepté avec empressement. En y réfléchissant bien, elle n'avait jamais de rendez-vous galants.

*Allez, calme-toi*, susurra le petit diable à son oreille, d'une voix qui ressemblait terriblement à celle de Crystal.

Elle devait reconnaître que Crystal n'avait pas tort. Abbie était sortie du jeu des rencontres amoureuses depuis longtemps. Le temps était peut-être venu de franchir le pas. Et oui, il était normal qu'un jour ou l'autre, un homme s'intéresse à elle, et que face à lui, elle éprouve le désir de délaisser sa zone de confort pour découvrir de nouveaux horizons. Tout cela était on ne peut plus normal.

— Mon raisonnement a beau se tenir, j'ai un peu de mal avec l'idée de rejoindre un homme dont je ne connais même pas le prénom, murmura-t-elle en arrivant devant la table.

Il observait la partie de black-jack, où Bill Gates – oui, c'était véritablement son nom – l'avait remplacée. De nombreux cow-boys venaient jouer dans les casinos de Las Vegas mais elle ne l'avait jamais vu avant ce soir. Et surtout, aucun d'eux ne remplissait son jean aussi bien que lui.

— Salut, dit-elle tant qu'elle en avait le courage.

Avant de flancher, et de lui poser un lapin.

Il se retourna, décroisa les bras et sourit d'un air ravi.

— Salut.

Puis il resta là, comme s'il comptait sur elle pour prendre la suite en main. Comme s'il avait deviné qu'une phrase lui brûlait les lèvres.

— Juste pour que tout soit clair…

Abbie avait les yeux rivés sur sa gorge tant elle se sentait incapable de le regarder dans les yeux. Malgré tout, elle aimait l'idée de devoir lever légèrement la tête pour s'adresser à lui.

— C'est la première fois que je fais ça. Accepter un rendez-vous qu'on me donne à ma table.

Bon, à présent, il allait lui répondre quelque chose comme *Comment ? Une belle jeune femme comme vous ? Pas habituée à se faire draguer ? Allons, voyons. Les hommes doivent se presser à votre porte.*

Ou une autre phrase toute faite, censée la faire rougir de plaisir. Elle en entendait souvent. Mais il ne dit rien. Il se contenta de l'examiner de ses yeux noirs et intenses, et d'opiner du chef.

— D'accord.

Sa réponse la prit de court. Tout comme son regard insistant mais sans lourdeur. Le panneau Stop qu'elle avait brandi devant lui avait donc rempli ses fonctions.

— Et vous devez savoir que vous avez épuisé votre quota de chance pour la soirée.

Lentement, et avec amusement, il sourit.

— Il ne m'en reste même plus assez pour espérer dégoter une bonne tasse de café ?

Un point de plus pour le cow-boy. Aucune trace de déception sur son visage. Aucune tentative désespérée de s'enfuir vers des pâturages plus verts. Ou dans ce cas précis, vers une fille plus chaleureuse et mieux disposée.

Alors elle put se détendre, et lui rendre son sourire.

— Ça, je pense que je peux m'en charger.

— Au fait, je m'appelle Sam, dit-il en tendant la main. Sam Lang.

Sa façon de se présenter était polie et douce. S'il avait porté un chapeau, Abbie était certaine qu'il aurait été blanc, et qu'il en aurait soulevé le bord du bout des doigts pour la saluer.

— Abbie.

En serrant sa grande main calleuse, elle fut saisie par la force, l'énergie qui s'en dégageait. La charge sexuelle sous-jacente de ce contact était d'autant plus énervante qu'il semblait ne pas la ressentir.

— Abbie Hughes, précisa-t-elle, soudain mal à l'aise. Allons prendre ce café. Je connais l'endroit idéal. On peut y aller à pied, ce n'est pas loin.

Abbie emmena Sam chez Benny, une petite cantine familiale à deux pâtés de maisons du casino.

— Quand j'étais lycéenne, je travaillais ici comme serveuse, expliqua-t-elle quand ils s'installèrent à une table. Vous êtes sûr de vouloir un café ? Ils font de délicieux milk-shakes au chocolat.

— Peut-être une autre fois. Ce soir, le café me va très bien.

Tout allait pour le mieux, se rassurait Abbie en s'installant en face de lui. Il semblait emplir tout l'espace. Sa chemise blanche, sur la banquette d'un rouge passé, soulignait la largeur de ses épaules. Ses grandes mains qui tenaient la tasse de café étaient plus excitantes que n'importe quel breuvage à base de caféine. Et pourtant, rien dans son attitude ne semblait indiquer qu'il en abusait.

— Je ne vous avais jamais vu au casino avant aujourd'hui, avança-t-elle avec une sincère curiosité.

— Je suis de retour à Las Vegas depuis peu. Et c'est la première fois que j'ai le temps de faire un tour au Strip. Tout a beaucoup changé, depuis que je suis parti.

— Parti ?

Il acquiesça d'un geste.

— J'ai grandi dans un ranch, dans la campagne. Mais la ville s'est tellement étendue qu'elle a fini par rejoindre la campagne.

— Incroyable ! Vous voulez dire que vous êtes d'ici ?

— Je suis né ici, et j'ai passé toute mon enfance dans la région.

Elle sourit.

— Moi aussi. Nous sommes une espèce en voie de disparition. Il est rare de croiser des gens qui ne viennent pas d'ailleurs.

— Rare, c'est le mot juste, approuva-t-il d'un air évocateur qui semblait la désigner directement.

Oh, non. Quel mal y aurait-il à sortir avec un homme qui la trouvait rare ?

— Parti ? Que vouliez-vous dire par là ? reprit-elle.

— Pour poursuivre mes études. Et ensuite, je me suis engagé dans l'armée. Après ça, j'ai bossé dans le privé, résuma-t-il en haussant les épaules. Le temps passe vite, et un jour, on se rend compte de ce qui nous manque.

— Être chez soi, conclut-elle.

— Eh, oui, admit-il après un bref silence. Les racines. Elles prennent de l'importance avec l'âge.

Lui aussi semblait être une personne rare. Spéciale.

— Alors... vous avez repris le ranch ?

Il souleva sa tasse, et but.

— Oui. Je succède à mon père.

C'était une belle idée. Perpétuer l'œuvre familiale.

— Je suis sûre qu'il est content de vous avoir à la maison.

Il sourit poliment à la serveuse qui vint remplir leurs tasses. Abbie profita du moment où il remerciait l'employée pour s'attarder sur les lignes fortes de son cou, le tracé net de sa mâchoire.

Tout en lui l'attirait.

— Et vous, racontez-moi, reprit-il.

— Il n'y a pas beaucoup à dire. Je crains de n'avoir jamais quitté la ville. Mais ça me va. Je me plais ici. J'aime le climat de la région, et tous mes amis vivent là.

— De la famille ?

Rien à voir avec la sienne, c'était évident.

— Un frère.

S'il avait envie d'en savoir plus, il ne posa aucune question. Elle lui en fut reconnaissante car elle ne le connaissait pas assez bien pour donner une tournure plus personnelle à la conversation. Elle avait trop souvent été déçue au cours de sa vie pour s'ouvrir à quelqu'un qui demeurait un inconnu. En outre, elle avait de nombreuses raisons de se protéger.

— Quand vous ne tenez pas une table de black-jack, qu'aimez-vous faire ?

Lier connaissance avec un étranger. Leur conversation était plaisante, et tout se déroulait en douceur. Elle appréciait particulièrement sa retenue. Il n'était pas trop curieux, ne la forçait pas à parler d'elle, ne s'imposait pas comme un macho, et n'affichait pas ouvertement son désir, pour dire les choses franchement. L'alchimie était indéniable – présente dès que leurs regards s'étaient croisés pour la première fois, à la table –, mais elle aimait qu'il prenne le temps de la connaître.

Elle joua avec l'anse de sa tasse.

— J'étudie la comptabilité à l'université de Los Angeles, alors quand je ne travaille pas au casino, je suis soit en cours, soit chez moi à étudier.

— Vous menez une vie studieuse, aucun loisir…

— Abbie est une fille ennuyeuse, acheva-t-elle pour lui.

Le regard de Sam s'attarda sur son visage.

— Ce n'est pas l'impression que vous me donnez.

Ses méthodes de séduction étaient très subtiles. Et également très efficaces.

— Alors comme ça, vous êtes un cow-boy, s'amusa-t-elle à flirter.

— Oui, ma petite dame.

Il sourit largement, et elle l'imita. En fait, ce soir, elle souriait beaucoup. Plus qu'elle n'avait souri à un homme depuis… elle n'en avait pas le souvenir.

— À part pousser des « yi-ahou ! » que fait exactement un cow-boy ?

— C'est vrai qu'on pousse pas mal de cris de ce genre. Mais il m'arrive aussi de travailler à parfaire les lignées des chevaux de race, d'entraîner ou de dresser les bêtes. Mon père participe à des concours hippiques depuis toujours. Je vais peut-être développer cette voie.

Elle n'avait aucun mal à l'imaginer sur un cheval. Grand, costaud et rude, le fouet à la main.

— Vous montez à cheval, Abbie ?

— Oui, je sais monter. Je suis loin d'être une professionnelle, mais j'ai eu un ami qui avait des chevaux. Je les trouvais passionnants.

— Les filles aiment les chevaux, en général, dit-il avec sagesse.

Il avait raison, les filles aiment les chevaux. Leur grande beauté alliée à la puissance – un peu comme cet homme grand, fort et beau qui lui souriait.

— Quoi ? demanda-t-elle, sentant qu'une question lui brûlait les lèvres.

— Croupière. Étudiante. Amoureuse des chevaux. Vous ne m'avez toujours pas parlé de vos loisirs.

— Je cours, répondit-elle.

— Vous courez ?

— Huit kilomètres par jour.

— Dans l'armée, on appelle ça de l'EP. Entraînement physique. Mais on ne considère pas ça comme un loisir.

Elle éclata de rire.

— Chacun son point de vue. C'est mon petit moment à moi.

Il acquiesça.

— J'aime les montagnes russes, ajouta-t-elle, un peu parce que c'était vrai, un peu pour lui prouver que sa vie n'était pas monotone.

— Ah ! Vous aimez les sensations fortes, s'exclamat-il en haussant les sourcils. Quelles autres sensations fortes vous font vibrer ?

Bon. Dans la bouche d'un autre homme, cette question aurait paru trop orientée, trop érotique. Et peut-être avait-elle cette connotation, mais son visage n'en montrait rien. C'était un bon comédien, à moins qu'il ne soit particulièrement spontané.

— L'Aiguille de l'espace. Mais ça fait des années que je ne suis pas montée dans cette tour.

— Le saut en chute libre ? demanda-t-il avec une note de défi dans la voix.

— Jamais essayé. Mais ça me plairait de sauter en parachute.

Il s'adossa contre le dossier de la banquette, et l'observa en plissant les yeux.

— Que faites-vous demain soir ?

— Demain soir ?

Elle aurait probablement dû consulter son agenda, faire semblant d'y réfléchir. Mais sa simplicité l'empêchait de jouer à ces petits jeux.

— Rien. Je termine de bonne heure, demain.

— Réservez-moi votre soirée.

Son cœur tressauta.

— Pour faire quoi ?

Quelque chose d'aussi diabolique que l'éclat noir de ses yeux ?

— Et si je vous préparais une surprise ?

Depuis qu'elle l'avait rencontré, il ne faisait que la désarçonner. Et elle se surprit elle-même à répondre sans la moindre hésitation.

— Comment dire non à une bonne surprise ?


— Non, je ne te crois pas !

Quand Abbie l'appela le lendemain matin, avant ses cours, Crystal eut du mal à cacher son étonnement.

— Toi ? Un rendez-vous ? Avec un homme ?

— Ce n'était pas un rendez-vous. On a juste pris un café.

Un délicieux café. En agréable compagnie. Ponctué de sourires généreux. Une pause durant laquelle elle avait un peu oublié Cory, ne s'était plus inquiétée pour lui alors qu'il n'avait donné aucune nouvelle.

— Quand même ! C'est un changement radical dans ta vie. J'exige des détails. Tout de suite. Commence par me dire à quoi il ressemble, insista Crystal.

Abbie se rendit dans sa chambre pour prendre un jean. Elle cala le combiné entre son oreille et son épaule, et se tortilla pour s'habiller.

— Il ressemble à un cow-boy.

— Est-ce que je sens comme yi-ahou dans ta voix ? ricana Crystal. Dis-moi, quel genre de cow-boy ? Le genre solitaire avec un grand chapeau ou plutôt la totale avec le ranch ? J'espère qu'il ne fait pas des rodéos !

Abbie rit. Certains cow-boys ne vivaient que pour ça, y consacrant pleinement leur existence. D'autres avaient pour seul bien leur selle, un vieux pick-up, et quelques fractures à leur actif. Et puis il y avait les « grand chapeau, mais pas de troupeau ». Des hommes qui se faisaient passer pour ce qu'ils n'étaient pas.

Abbie n'avait pas été surprise de découvrir que Sam Lang correspondait à l'image qu'il donnait de lui. Il ne débordait pas de suffisance. Il ne cherchait pas à impressionner les autres. Cela lui plaisait énormément.

— Un authentique cow-boy, répondit-elle en se contorsionnant pour ôter sa chemise de nuit.

— À quel point ? voulut savoir Crystal.

— Né dans un ranch, dans la banlieue de Las Vegas.

— Non, tu plaisantes.

— Après ses études, il a bossé dans l'armée, et ensuite il a rejoint le secteur privé. Et maintenant il est de retour pour reprendre le ranch de son père qui prépare sa retraite.

— Un citoyen stable. Un fils aimant. Ce type me plaît bien.

Il plaisait bien à Abbie, aussi. À tel point qu'il lui fallait redoubler d'efforts pour retrouver son calme.

— Quand vas-tu le revoir ?

— Ce soir. Après le travail.

Bon, ce n'était pas digne d'une fille qui prenait les choses calmement. Mais elle avait eu envie de dire oui, et elle l'avait fait.

— Je suis tellement fière de toi, minauda Crystal sur un ton maternel.

Abbie éclata de rire.

— Il n'y a pas de quoi en faire une histoire.

— Ma petite, c'est énorme. Ma petite fille. Un rendez-vous galant.

Abbie leva les yeux au ciel.

— Où allez-vous ? Comment vas-tu t'habiller ? Et la lingerie ? Je t'en prie, dis-moi que tu n'as pas que des culottes de grand-mère en coton blanc qui montent jusqu'au nombril.

Abbie s'allongea sur son lit, en souriant.

— Je n'ai jamais dit que j'allais coucher avec lui. Donc, je ne me suis pas interrogée sur mes sous-vêtements. Et je ne sais pas ce que nous allons faire. Il me réserve une surprise.

— Un rendez-vous galant et une surprise ! C'est tellement années 1960.

— Moi, je trouve ça mignon. Bon, il faut que je file ou je vais être en retard en cours.

— Abbie, tu as illuminé ma journée. C'est très prometteur. Vraiment.

— Je répète. Ce n'est qu'un simple rendez-vous.

— C'est la volonté de Dieu, voilà ce que c'est.

— Salut, Crystal, fit Abbie en raccrochant.

Juste un rendez-vous, se répéta Abbie en finissant de se préparer.

Un simple rendez-vous avec un homme qui était de surcroît très agréable, et qui l'émoustillait comme une débutante.

Elle regarda l'heure. Il lui restait quelques minutes à perdre, et elle décida de consulter ses mails. Aucun signe de Cory. Il lui arrivait souvent de disparaître plusieurs jours, mais il donnait généralement signe de vie, même s'il avait du mal à lire et à écrire.

— C'est un grand garçon, se rassura-t-elle.

Il était dyslexique, et même si cela lui compliquait la vie, il n'était pas handicapé. Elle était fière de tout ce qu'il parvenait à accomplir. Il avait finalement réussi à se prendre en charge. Elle avait du mal à l'admettre, car depuis toujours, elle l'avait pris sous son aile. Abbie se sentait comme une mère pour lui. En réalité, elle l'avait toujours protégé contre leur père.

Il n'y avait pas grand intérêt à ressasser les moments malheureux de leur enfance. Cory en avait le plus souffert. C'était toujours lui qui faisait les frais des diatribes de Dexter Hughes. Leur père ne s'était pas limité aux corrections physiques, et Cory avait toujours eu du mal à trouver sa voie.

Abbie chassa ces souvenirs. Le passé était le passé. Comme il lui restait encore un peu de temps – et qu'elle ne croyait pas aux hommes « trop beaux pour être vrais » –, elle fit ce qu'elle s'était promis de ne pas faire. Elle alla sur Google, et tapa « Sam Lang » et « Rancho Royale », le nom de son ranch.

Cette recherche était importante, se dit-elle. Par sécurité. C'était indiscret, mais dans ce monde, il valait mieux être trop prudent.

— Oh, zut, murmura-t-elle en découvrant le premier résultat.

Un vieil article de journal – l'un des reportages régionaux que proposait le *Vegas Sun* tous les ans – qui dressait le portrait de Tom Lang et de sa famille. Un fils, Samuel, et une fille, Terri.

Sam n'avait pas dit qu'il avait une sœur. Abbie parcourut l'article, et sentit son cœur se serrer quand elle ouvrit un lien se reportant à Sam Lang. Elle crut d'abord qu'il ne s'agissait pas de la même personne. Puis elle vit le nom de Tom Lang.

— Oh, mon Dieu, quelle horreur, murmura-t-elle en découvrant une nécrologie.

Au fil de la lecture, ses yeux s'emplirent de larmes. L'article relatait la vie brève de Terri Cooper, fille de Tom et Vivian Lang. La photographie montrait une femme pétillante et souriante.

*Lui survivent ses parents, un frère, Sam Lang, et une fille, Tina Cooper.*

— Comment ? se demanda Abbie avant de trouver la réponse.

Une bombe. L'explosion de sa voiture. Qui avait tué la sœur de Sam et son mari trois mois plus tôt. Ici, à Las Vegas. En fait, Abbie se souvenait de cette histoire. Elle n'avait pas fait le lien avec Sam à cause du nom d'épouse de Terri.

Le cœur battant, elle parcourut l'article. Poursuivant ses recherches, elle apprit que l'affaire n'avait pas été élucidée. On soupçonnait un coup de la mafia qui se serait trompée de cible puisque les Lang étaient des citoyens exemplaires.

Abbie était sous le choc. D'un geste mécanique, elle éteignit l'ordinateur et se prépara à partir. La poitrine serrée, elle prit ses clés de voiture, et activa l'alarme. Avec la télécommande, elle ferma et verrouilla le portail puis sortit du garage en marche arrière.

Voilà pourquoi Sam n'avait pas évoqué sa sœur, comprit-elle en roulant. Le chagrin était encore trop vif. Elle devait lui manquer horriblement.

*Tu ne le connais pas assez bien pour être profondément touchée par les événements de sa vie*, se sermonna-t-elle.

Et pourtant, elle devait admettre qu'elle se sentait proche de lui. Elle était même bizarrement encline à lui faire confiance. Oui, elle se sentait concernée par ce qui lui arrivait. Sans cela, elle n'aurait pas eu si mal au cœur pour lui.

# 6

— Comment ça s'est passé avec la fille Hughes ? demanda Reed au téléphone.

Par la fenêtre, Sam vit son père passer au volant du pick-up. Il transportait des bottes de foin.

— Ça s'est passé, répondit-il.

— Il faut activer les choses, Sam, lui rappela Reed.

Sur l'affaire Nader, le temps était compté. Abbie Hughes était la clé de leur réussite.

— Je m'en charge, dit-il avant de raccrocher.

Ce soir, il avait « rendez-vous » avec Abbie Hughes.

Il repensa à la soirée de la veille. Au café qu'ils avaient pris ensemble. Aux sourires qu'ils avaient échangés. Il se rappela qu'elle n'était pas aussi innocente qu'elle en avait l'air. Ce soir, il ferait un pas de plus. Il en saurait plus long sur son implication dans les affaires de son frère, et découvrirait à quel point il l'avait entraînée dans la boue avec lui.

À son image, le pick-up de Sam était imposant, élégant et puissant.

— Désolé d'arriver en camionnette, s'excusa-t-il en l'aidant à monter. Je n'ai pas encore trouvé le temps d'acheter une voiture.

Souriante, Abbie attacha sa ceinture pendant que Sam s'installait au volant.

— On a un autre point de vue sur le monde de là-haut, plaisanta-t-elle.

— Un atout important, admit-il en faisant sourire Abbie, comme il l'avait amusée quand il l'avait appelée pour lui demander de mettre un jean.

— Vais-je obtenir un indice sur l'endroit où nous allons ?

Il conduisait comme il marchait. Avec naturel, décontraction, et une assurance discrète. Bien plus attirant que la frime. Sa grande main tenait le levier de vitesse, ferme, assurée et plus sexy que tout.

— C'est une surprise, lui rappela-t-il.

— Je l'avais compris, dit-elle en riant.

— Si vous insistez, je serai contraint de vous répondre que si je vous le disais, ce ne serait plus une surprise.

— On va éviter, admit-elle en décidant de profiter du trajet pour se détendre.

C'était un homme mystérieux, et elle devait respecter ce trait de caractère. Elle songea à sa sœur. Elle avait envie de lui dire qu'elle était navrée pour lui, mais pour cela, elle devrait lui confier qu'elle avait enquêté sur son passé. Ce n'était pas une chose à dire lors d'un premier rendez-vous. De plus, il semblait être d'humeur joyeuse et légère et elle n'avait pas envie de le chagriner.

Alors elle décida de penser à autre chose. Après tout, s'ils étaient amenés à se revoir, il aborderait le sujet naturellement, un jour ou l'autre, quand ce serait le bon moment. Et ce jour-là, elle serait présente pour lui, songea-t-elle avant de se rappeler qu'il était préférable d'avancer à petits pas, et d'éviter de mettre la charrue avant les bœufs.

Les lumières de Vegas Strip défilaient devant ses yeux. La foule emplissait les trottoirs, se déversait des casinos. Des éclats de rire, le tintement lointain des pièces de monnaie et le bourdonnement perpétuel des conversations se perdaient dans la chaleur de la nuit.

— Ça vous fait envie ? demanda Sam en désignant les montagnes russes du casino New York-New York.

— En réalité, oui, ça me fait envie. Je n'ai jamais trouvé le temps de monter dans celles-ci.

— Tant mieux, s'exclama-t-il avec un sourire sournois. Parce que c'est là que nous allons.

Elle se tourna vers lui avec un franc enthousiasme.

— Vous ne dites pas ça pour rire ?

— Je suis sérieux comme un pape, déclara-t-il l'air satisfait.

Avec un sourire croissant, Abbie regardait tour à tour Sam et les montagnes russes, ses virages, ses descentes vertigineuses, ses boucles qui s'enroulaient autour du casino pour retomber de part et d'autre de la bâtisse.

— Génial !


— Vous criez fort ! s'exclama-t-il une heure plus tard, quand ils quittèrent le manège en titubant.

Il avait tenu à ce qu'ils montent dans la première voiture.

— Quoi ? Ce n'est pas interdit, répondit-elle dans un rire, tout en reprenant son souffle, et ses esprits. J'ai bien lu les consignes. Il n'est écrit nulle part qu'il est interdit de rire, et d'ailleurs vous ne vous êtes pas gêné.

— C'est votre faute, la taquina-t-il en posant une main sur l'épaule d'Abbie. J'ai hâte de vous entendre hurler dans l'Aiguille de l'espace.

Une surprise de plus.

— Non !

— Je le crains.

Pendant ce tour de manège, elle s'égosilla tout autant. Elle était toujours à bout de souffle quand ils remontèrent dans son pick-up et s'éloignèrent du centre de loisirs.

— Je me suis vraiment bien amusée, dit-elle alors qu'il bifurquait sur Convention Center Road. Vraiment bien.

— Tant mieux. Mais ce n'est pas fini.

— On arrête les montagnes russes et les manèges, le pria-t-elle en feignant l'effroi.

Ils roulèrent un moment dans un silence apaisé, puis elle se tourna vers lui. Les ombres et les néons de la nuit dansaient sur son visage. Sa beauté farouche la saisit une fois de plus. Tout comme elle était stupéfaite de constater à quel point cet homme lui plaisait.

— Je passe un très bon moment avec vous.

— Moi aussi.

— Cette soirée me rappelle ma jeunesse.

Elle avait peu de bons souvenirs de cette période de sa vie, mais ils étaient vifs.

— Je passais beaucoup de temps avec mon amie Crystal et ses parents quand j'étais petite. Ils étaient toujours partants pour ce genre d'aventures. Nous allions souvent dans des fêtes foraines, à la campagne. Parfois, on campait dans les environs. Ils nous ont même envoyées ensemble en colonie de vacances pendant une semaine. C'est d'ailleurs là que j'ai appris à faire de l'équitation.

Il s'arrêta à un feu rouge, et la regarda.

— Et à tresser des paniers, aussi ?

— Autant vous dire que je suis particulièrement douée pour le tressage des paniers, répondit-elle avec amusement.

Oh, oui. Elle se sentait bien avec lui. Non seulement sa présence faisait resurgir d'agréables souvenirs, mais elle semblait présager de bons moments à venir.

Bon, d'accord, ils avaient encore du chemin à parcourir avant de se construire des souvenirs communs, mais elle avait perdu l'habitude de penser à autre chose qu'au travail, aux études, à ses finances et à Cory.

— Quoi ? Vraiment ? s'étonna-t-elle quand il s'arrêta sur un parking et qu'elle comprit ce qu'il avait derrière la tête. Nous allons vraiment faire ça ?

— Je croyais que vous aviez envie de sauter en parachute.

— Je parle trop, dit-elle, la gorge serrée.

— Hughes, ne me dites pas que ça ne vous fait pas envie ?

Elle examina le bâtiment dans lequel s'effectuaient des sauts en intérieur, et déglutit à grand-peine.

— En voilà un défi !

— Prête à le relever ?

— On saute de quelle hauteur ? demanda-t-elle en s'attardant sur la bâtisse.

Il rit en sortant de voiture.

— L'essentiel est d'arriver à terre. On saute jusqu'en bas.


— Incroyable ! Incroyable ! répétait Abbie, en s'extasiant après avoir effectué son premier saut. Ils venaient de se rejoindre près de l'entrée après avoir ôté leur équipement dans les vestiaires.

— Quand on saute pour de vrai, ça doit être l'expérience la plus folle du monde.

— C'est assez excitant, en effet. Surtout quand on saute d'un avion qui vole à quatre mille mètres, qu'il fait nuit et qu'on doit viser une ZA aussi grosse qu'une tête d'épingle.

— Une ZA ?

— Désolé, une zone d'atterrissage.

— La nuit ?

— Le plus souvent, oui.

— Vous étiez dans les paras ou quoi ?

— Les Forces Spéciales, précisa-t-il.

Toutefois, elle eut la nette impression qu'il ne lui disait pas tout.

— Et si on allait manger quelque chose ? proposa-t-il.

Changement de sujet. Bien. Elle pouvait le comprendre et respecter son désir. Elle avait déjà croisé des vétérans. Aucun ne souhaitait partager ses expériences passées.

— Avec plaisir. Je meurs de faim. Toute cette adrénaline m'a ouvert l'appétit.

— Et si c'était moi qui choisissais l'endroit ?

— Pour l'instant, vous faites un sans-faute. C'est ce qu'on appelle un trois sur trois. Je ne chercherai pas à rivaliser avec votre moyenne de tirs.

— Vous aimez le base-ball, on dirait.

Elle rit, ravie de constater qu'il avait compris sa référence sportive.

— Même si le base-ball me paraît un peu trop sage pour vous.

Elle sourit encore.

— Comment ça ?

— J'aurais dû me douter que vous étiez plutôt à la recherche d'action, de fougue.

Était-ce une invitation ? Lui tendait-il une perche ? Probablement. Même si son visage ne trahissait rien. Il conduisait en regardant droit devant lui, et son expression était indéchiffrable.

Et s'il lui faisait une proposition franchement osée ? se demanda-t-elle. Que ferait-elle ?

Elle connaissait la réponse, et elle était aussi excitante qu'effrayante.


— Comment se fait-il que je ne sois jamais venue ici ? demanda Abbie, plus tard dans la soirée, alors qu'ils se délectaient de hamburgers juteux, de frites, et d'un milk-shake au chocolat aussi fameux que celui de chez Bennie.

— Je suis content que cet endroit existe toujours, dit-il en admirant ses frites.

S'adossant confortablement, elle repoussa son assiette vers lui.

— Servez-vous. J'ai le ventre plein.

— Vous m'impressionnez. Vous avez bon appétit, pour une fille.

Elle gloussa.

— Vous venez de m'insulter.

Il prit un air penaud.

— Désolé. Ce n'est pas ce que je voulais dire.

— Mais comme c'est la vérité, je vous excuse.

Elle sourit avant de reprendre.

— Merci, Sam. Merci pour cette formidable soirée.

— Je vous en prie, dit-il en plongeant ses yeux noirs dans les siens. Moi aussi, j'ai passé une excellente soirée.

Oui, c'était la vérité. Alors quand il la raccompagna devant sa porte, et déposa un baiser chaste sur sa joue, non seulement il la prit de court, mais elle se sentit totalement perdue.

— Que vient-il de se passer, au juste ? murmura-t-elle en refermant la porte derrière elle.


*Muchilena, Honduras*
*Un peu avant minuit, un jour plus tard.*


De sa main moite, Cory frotta sa barbe naissante. Seul dans l'obscurité, devant la porte du bar, il dut se résoudre à voir les choses en face. Une fois à l'intérieur, il pourrait trouver la mort. Comme Derek.

Malgré la chaleur étouffante, il frissonna. Tout ce qu'il resterait de Cory Hughes serait un visage sur une affiche, perdu parmi des centaines de personnes portées disparues.

Il appuya sa tête contre le mur délabré de la gargote, et un filet de sueur coula le long de son dos. Une seule personne au monde serait affectée par sa mort, ou par sa disparition. Abbie. Sa sœur aurait de la peine, même si, depuis toujours, il ne lui avait apporté que des ennuis.

— Je jure devant Dieu, murmura-t-il au ciel, que si j'en sors vivant, je deviendrai un autre homme.

Abbie y gagnerait beaucoup. Toute l'inquiétude, tous ces tourments qu'il lui avait fait subir. Toutes les bêtises auxquelles il se trouvait mêlé depuis des années.

De l'extérieur, il entendait résonner dans le silence ambiant l'écho d'un joyeux *punta-rock* diffusé par une minuscule radio. Des rires gras s'échappaient par la porte ouverte, ponctués de gloussements féminins.

Quelqu'un avait de la chance de l'autre côté de ce mur. Pour dix dollars, dans ce village, on pouvait s'offrir du bon temps. Ici, il y avait plus de chiens que d'hommes, et trois fois plus d'hommes que de femmes.

Il passa la langue sur ses lèvres sèches. Le regard fixe de Derek le hantait. Nader le terrifiait, et face à lui il se sentait vulnérable. Il redevenait ce petit morveux qui se cachait dans un coin, en attendant que son père ne vienne le battre, comme chaque fois que la drogue faisait éclater sa colère.

Cory n'était plus un gamin. Il avait vingt-deux ans. Il plaisait aux filles, se rappela-t-il pour retrouver sa fierté, et lutter contre la peur d'avancer. Elles aimaient son grand corps élancé, ses longs cheveux bruns, ses yeux bleu clair, et son sourire. Quand il réussissait à faire sourire une fille, il avait l'impression d'être un homme. Toutefois, elles souriaient plus facilement aux hommes aisés.

Son cœur fit un bond dans ses côtes quand un chat de gouttière bondit dans les poubelles. Il se passa une main sur le visage, et se répéta qu'il devait se ressaisir.

— Une fois ce cap franchi, tu pourras filer directement à Vegas Strip, se promit-il en souriant nerveusement à sa petite plaisanterie.

Il se concentra sur sa respiration.

Bien sûr, il allait devoir disparaître un certain temps de la circulation. Cela chagrinerait Abbie. Elle pleurerait de ne pas savoir ce qu'il était advenu de lui. Cela l'ennuyait profondément. Mais mourir serait encore plus embêtant.

— Allez, vas-y, murmura-t-il en appuyant d'une main tremblante sur le bouton commandant l'éclairage de sa montre bon marché. Il vérifia l'heure pour la centième fois.

Où était passé son contact ? Le contact de Fox, un certain Juan, aurait dû être là depuis un quart d'heure. Comme si Cory pouvait compter sur quelqu'un qui refusait de donner son nom de famille, et n'avait accepté qu'un rendez-vous nocturne, dans une allée sombre.

Il passa une main moite sur son visage, ignorant ses tremblements. Il était particulièrement nerveux car Fox avait édicté de nouvelles règles – en les assortissant d'une menace : l'ire de Frederick Nader.

Nader ne sait rien, se rappela-t-il. Il ignore que Derek l'a doublé. Il a dû avoir des soupçons quand Derek a disparu avec les diamants, mais il n'est pas remonté jusqu'à moi. Pas encore.

— *Hola, gringo.*

— Putain !

Cory bondit. En tournant la tête, il s'attendit à trouver un jeune sud-américain répondant au nom de Juan. Mais l'homme qui se tenait là n'était pas hondurien.

C'était Rutger Smith.

*Oh, non. Pas lui.*

Toutes les ombres de la nuit se reflétèrent dans les yeux, lugubres et graves, de l'homme de main de

Frederick Nader. Le halo de la lune intensifiait le lustre du crâne chauve de Smith, et accentuait la profonde cicatrice en forme de faux qui courait du coin de son œil gauche à la commissure de ses lèvres.

Si ce visage fermé et ces yeux ovales exprimaient une quelconque émotion, c'était un amusement pervers. Si le sang circulait dans le cœur caché sous ce large torse gonflé par les stéroïdes, il devait être figé par la glace. Un jour, Cory avait lu un livre dans lequel un tueur sadique se plaisait à laisser ses victimes se vider de leur sang pendant qu'il les découpait en petits bouts. Depuis toujours, Rutger lui faisait immanquablement penser à ce roman.

— On y va, Hughes.

La pointe de la lame effilée s'enfonça entre les côtes de Cory, et piqua sa peau à travers le tissu du tee-shirt – suffisamment pour qu'il gémisse. Suffisamment pour faire sourire Rutger.

Cory avait la gorge serrée, l'estomac noué, et en cet instant, il lui restait deux certitudes : la première, il aurait dû se fier à son instinct et s'enfuir au plus vite ; la seconde, à moins qu'il ne parvienne à convaincre Nader qu'il lui serait plus utile vivant que mort, il allait bientôt servir de repas aux poissons du golfe.

# 7

*Las Vegas*
*Le lendemain, en fin d'après-midi*

— Tout est prêt pour ce soir ?

Sam jeta un coup d'œil à Reed, puis se concentra sur les dernières informations concernant les activités de Nader apportées par Reed. Si personne ne savait où Nader se trouvait, son homme de main, Rutger Smith, avait été repéré à San Pedro Sula. Ils pouvaient en conclure que Nader ne devait pas être très loin.

— Tout est prêt, répondit-il distraitement.

— Alors… elle est comment ? demanda Reed au bout d'un certain temps.

Sam savait que Reed faisait allusion à Abbie Hughes. Tout comme il savait que Reed se mordait la langue depuis quelques jours pour ravaler sa curiosité. Le soir où il l'avait invitée à prendre un café remontait à quatre jours. Trois jours s'étaient écoulés depuis leur folle sortie riche en sensations fortes.

La veille, il l'avait invitée au cinéma. Et il la revoyait ce soir.

En quelques mots, il précipitait les événements et cherchait à déterminer le moyen le plus sûr de l'atteindre. Convaincu que le genre cow-boy paisible et sincère la séduisait, il avait décidé de tout miser sur ce personnage. Il ne l'avait presque pas touchée, car cela s'avérait plus difficile pour lui que prévu, mais il savait que cette distance l'intriguait et la déroutait.

Oui, il avait du mal à passer à l'acte et cela le laissait perplexe, lui aussi, d'autant qu'il s'en voulait de se laisser distraire. Toutefois, la stratégie portait ses fruits. Elle lui avait enfin demandé de passer la prendre chez elle, ce soir.

Elle commençait donc à lui faire confiance, ce qui était précisément son objectif. Il devait à tout prix gagner sa confiance. Sinon, elle ne lui parlerait pas d'elle. De sa vie. De sa famille. De son frère. Au fond de lui, il continuait à douter de sa participation aux agissements de Nader. Aussi préférerait-il nettement qu'Abbie Hughes lui révèle d'elle-même l'information dont il avait besoin, sans avoir à la contraindre.

Pour l'instant, il n'avait rien. Et le temps pressait. Nader ne prendrait pas le risque de passer trop de temps au même endroit. S'il était toujours à San Pedro Sula, ou dans les environs, c'était uniquement parce qu'il attendait quelque chose. Sam était prêt à parier qu'il s'agissait des diamants de Tupacka. Cela lui paraissait la seule explication plausible.

Il devait admettre que la nouvelle voiture d'Abbie, son gros solitaire, et son alarme sophistiquée semblaient indiquer que son frère lui faisait profiter de ses activités illicites. Cory Hughes pourrait bien être le maillon faible du réseau, celui qui entraînerait la chute définitive de l'escroc.

Pour ces raisons, Sam avait terriblement besoin d'apprendre tout ce qu'Abbie savait et il se réjouissait d'avoir une occasion de pénétrer chez elle. Il espérait avoir de la chance, et tomber sur un élément crucial. S'il découvrait des objets volés ou de la drogue à son domicile, il pourrait s'en servir pour obtenir l'information dont il avait tant besoin. La menace d'un séjour en prison constituait un argument de poids.

S'il ne trouvait rien qui puisse peser dans la balance, il devrait malgré tout s'arranger pour débloquer rapidement la situation. En effet, l'apparition de Desmond Fox n'était pas le seul grain de sable dans le rouage.

Reed lui avait récemment révélé la dernière nouvelle :

— Nous avons perdu Hughes.

— Comment ça, perdu ?

Reed avait haussé les épaules.

— Envolé. Dissous. Évanoui. Je n'en sais rien, tiens ! Il a disparu de la circulation d'un seul coup.

Il n'y avait rien à tirer de cette information. On pouvait l'interpréter de mille façons.

— Il est peut-être plus malin qu'on ne le pensait, avait avancé Sam. Il a peut-être semé Mendoza. Il a compris qu'il devait se planquer. D'un autre côté, il a aussi bien pu énerver quelqu'un et recevoir une balle entre les deux yeux.

— C'est marrant que tu en parles, avait ajouté Reed. Au moment où Hughes s'est envolé, un autre passeur de Nader, un certain Derek Styles, a disparu de la circulation lui aussi.

— Il se passe quelque chose, avait admis Sam.

Tout cela les amenait à attendre beaucoup de cette soirée. Deux des passeurs de Nader manquaient désormais à l'appel, on pouvait aisément imaginer qu'ils étaient tombés dans un traquenard. Pour Sam, c'était une raison supplémentaire d'obtenir quelque chose de concret d'Abbie, sous peine de laisser filer Nader, une fois de plus.

— Le temps presse, déclara Reed en arpentant nerveusement le bureau de Sam. Je sais que la tâche est pénible, vu que cette fille est horrible et insupportable, ironisa-t-il, mais tu vas peut-être devoir sacrifier ton corps au nom de l'équipe, la baiser jusqu'à lui faire cracher l'info.

Sam lui lança un regard noir, et fut sur le point de lui flanquer son poing sur le nez, en plein dans son beau minois. Quand la colère se dissipa, il comprit les intentions de Reed. Il avait cherché à l'aiguiller sur ce terrain.

— Oh, zut.

Reed avait tout de celui qui voit ses pires craintes se concrétiser.

— Je n'y crois pas. Elle te plaît !

Sam serra les dents.

— Elle te plaît, c'est ça ?

Sam leva le nez du rapport.

— Ce qui me plaît en elle, c'est qu'elle a ce qu'il faut pour nous conduire à Nader.

— Mais avoue que tu l'aimes bien, insista Reed en se laissant tomber dans le fauteuil club.

Il croisa les mains sur son ventre, et l'observa en plissant les yeux avec circonspection.

Sam lança le rapport sur son bureau.

— On est où ? À l'école primaire ? Écoute, je sais ce que je cherche. Et je sais à quel point elle est importante pour cette opération. C'est un accès facile. Mais les choses s'arrêtent là.

Peu importait que Reed ait raison, qu'Abbie soit en réalité une fille franche, directe et que, oui, d'accord, Sam appréciait sa personnalité. Si elle était aussi impliquée que tout semblait l'indiquer, il n'hésiterait pas à l'arrêter en même temps que son frère et Nader. Sans regrets. Ni remords.

Il desserra la mâchoire. Il se dégoûtait d'avoir envie de croire en la sincérité si visible dans ses yeux, en l'innocence qu'elle incarnait à la perfection. Ce soir, il allait miser sur le concret. Il l'attirerait physiquement. Il s'en était aperçu dès le premier soir, quand il s'était assis à sa table de black-jack. Et rien n'avait changé. S'il devait en passer par là, il exploiterait l'alchimie à son avantage.

Ce soir, le mot d'ordre était « passe à l'action ou crève ». S'il n'obtenait pas d'information par la déduction, le jeu tournerait au vinaigre. Il sortirait les crocs.

— À quelle heure arrivent les gars ?

Reed regarda l'heure à sa montre.

— Leur avion atterrit dans deux heures.

Luke « Doc Holliday » Colter, ancien Navy SEAL et médecin de l'équipe des MCB, et Wyatt « Papa Ours », le technicien et ancien de la CIA, débarquaient de Buenos Aires pour les aider – si du renfort s'avérait nécessaire – puis se joindraient à Sam dans son expédition au Honduras.

— Tu es certain que ça va aller ? demanda Reed.

Non, Sam n'était sûr de rien, mais il n'avait pas le choix.

— Ouais, ça va aller. Mais les gars n'interviendront qu'en dernier recours. Vous attendrez que je donne le signal.

— Contente-toi de faire ce que tu as à faire. Elle va te manger dans la main, dit Reed.

— Ouais. Je suis le mec cool dans toute sa splendeur, marmonna Sam, en se convainquant que ce n'était pas la culpabilité qui le retenait, et l'empêchait de se servir d'Abbie.

Il regarda Reed.

— C'est bon, tu as terminé de jouer au maquereau avec moi ?

Reed l'examina longuement.

— Mmm, je crois que j'ai fait le tour.

— Alors dégage.

— Je dégage, répondit Reed en le saluant froidement avant de se diriger vers la porte. C'est bien, Sam, dit-il avec une gravité soudaine. Ce que tu fais. Quoi que tu fasses. C'est la chose à faire. Et c'est légitime.

» Ce n'est que justice, reprit-il face au silence de Sam.

Puis il s'en alla, et referma la porte du bureau derrière lui.

Sam s'adossa contre le dossier de son fauteuil, le regard perdu dans le vide, et s'efforça d'ajouter foi aux paroles de Reed.

Il s'appliqua à appréhender ses mots comme la vérité.

Mais le problème n'était pas d'être juste, ou dans son droit. Il avait tout fait pour s'en convaincre. Pour croire que cela devait être fait. Cela devait être fait pour son père, qui réclamait vengeance. Pour sa mère, dont le cœur était à jamais meurtri. Pour la petite Tina, qui sanglotait la nuit et appelait ses parents dans son sommeil, quand la journée ses yeux reflétaient le courage et la gaieté de sa mère.

Oui. Sam avait fait de son mieux pour se convaincre qu'il agissait en leur nom à tous.

Il se leva. Approcha de la fenêtre. La vérité se trouvait dans le reflet que lui renvoyait la vitre. Dans ses yeux cernés. Dans la colère qui grondait en lui.

Le vrai problème, c'était lui.

Qui aurait voulu pouvoir passer une nuit – rien qu'une seule nuit – sans voir la voiture de Terri exploser parmi les flammes.

Qui se réveillait trempé de sueur, la mâchoire serrée pour retenir un cri, étouffé par le poids de la culpabilité qui lui écrasait la poitrine aussi lourdement qu'un tank.

Le véritable enjeu était de trouver le moyen de se supporter en sachant que sa sœur serait vivante, que Tina aurait une mère et un père, que ses parents auraient toujours leur fille, si Sam n'avait pas laissé la violence de son quotidien entacher leur vie.

S'il n'avait pas merdé.

S'il n'avait pas raté toutes les occasions, l'une après l'autre, de mettre Nader hors d'état de nuire.

S'il avait correctement fait son boulot.

Alors, non. Le problème, ce n'était pas eux. C'était lui.

La seule perspective qui le motivait désormais était de faire payer Nader.

Ce qui le ramenait à Abbie Hughes.

Il regarda l'heure, et partit prendre une douche.

Doutait-il, ne serait-ce qu'un peu, du double jeu d'Abbie Hughes ? Oui, il avait des doutes.

Est-ce que cela avait la moindre importance ? Non, se rassura-t-il en offrant son visage au jet d'eau chaude. Cela n'avait aucune importance.

Tout ce qui comptait, c'était de harponner Nader. Coupable ou non, Abbie Hughes allait fatalement en subir les conséquences.


— Vous êtes splendide.

Abbie sourit en levant la tête vers les yeux graves de Sam. Sur le seuil, elle le trouva grand, fort, et séduisant. Il sentait bon, un subtil mélange de bois de santal et de sauge qu'elle trouva particulièrement attirant.

Comme toujours, sa chemise était blanche et luisait dans l'obscurité. Ses épaules paraissaient encore plus larges. La chaîne en argent à laquelle pendaient ses plaques d'identification de l'armée était visible dans l'encolure de sa chemise. Il en avait enfoncé les pans dans son jean fraîchement lavé qui soulignait sa taille fine, et qu'il portait avec une aisance naturelle. Si Calvin Klein et ses copains venaient à le croiser, ils saliveraient à l'idée de publier Sam en couverture de *GQ*.

Dès le premier regard, Abbie frissonna d'envie, de joie, d'excitation sexuelle. Tout ce qui l'avait désarçonnée le premier soir et dont elle avait espéré que cela s'estompe avec le temps.

Mais rien n'avait changé. À leur quatrième rendez-vous, elle pouvait affirmer sans crainte que ses réactions, face à lui, ne faisaient que s'accentuer.

— Merci, dit-elle, en retrouvant la présence d'esprit de parler.

Ce soir, elle portait une robe. Elle était noire, avec un décolleté pigeonnant. Sans manches, et courte. Sa taille semblait plus fine, ses seins plus rebondis, et ses jambes plus longues de plusieurs centaines de centimètres.

Crystal appelait ce vêtement une robe « baise-moi », et c'était une grande première pour Abbie. Elle se sentait à la fois plus forte et plus manipulatrice, mais elle n'était pas parvenue à faire taire son instinct qui lui commandait la prudence.

Jusqu'à ce qu'elle plonge dans les yeux de Sam.

— Vous n'êtes pas mal non plus, ajouta-t-elle en s'écartant pour le laisser entrer.

Malgré la joie que sa présence lui procurait, elle se sentait plutôt nerveuse. C'était la première fois qu'elle l'invitait chez elle. Elle était une femme prudente. Et elle avait appris la méfiance durant son enfance. Entre une mère alcoolique et un père drogué. Elle avait appris très jeune à fermer la porte de sa chambre à clé. Depuis ce jour, elle fermait toutes les portes, métaphoriquement et littéralement.

Alors inviter Sam à entrer n'avait rien d'anodin pour elle. C'était un pas gigantesque, d'autant que depuis son divorce, elle n'avait reçu aucun homme chez elle.

Cet après-midi, chez Victoria's Secret, elle avait dépensé suffisamment d'argent pour que Crystal se roule par terre dans la cabine d'essayage et pleure de joie.

— Du gel lubrifiant et des préservatifs, avait précisé Crystal en tendant un sac à Abbie qui l'avait accepté en fronçant les sourcils, avant qu'elles se disent au revoir. Ça fait tellement longtemps que tu es hors-jeu que tu vas sûrement avoir besoin d'un coup de pouce.

— Mais enfin ! Ce n'est pas parce que j'achète des sous-vêtements que je vais coucher avec lui !

Crystal s'était contentée de cligner des yeux.

— Bon, d'accord, j'ai envie de coucher avec lui, et alors ? avait admis Abbie en arrachant le sachet des mains de Crystal.

— Fonce, et vise l'orgasme multiple, avait ordonné Crystal.

— L'orgasme n'est pas un but, l'avait taquinée Abbie en éclatant de rire.

— Ça le devient, quand c'est bien fait, mon trésor.

Abbie avait la nette impression que Sam Lang savait s'y prendre. Toutefois, elle n'en demeurait pas moins anxieuse, et se demandait sur quoi déboucherait cette soirée. Sa dernière fois remontait à longtemps. Abbie n'avait jamais pris le sexe à la légère.

Cet homme lui plaisait bien. Elle l'aimait même beaucoup. Et cela donnait encore plus de valeur à ce qui pourrait se passer.

Bon. Certes, elle ne le connaissait que depuis quelques jours. Mais si leur relation ne prenait pas un tour plus physique, ses veines allaient exploser – si toutefois son inquiétude pour Cory ne la tuait pas avant cela.

Ce soir, elle n'avait pas envie de penser à Cory. Elle se dit que son frère allait bien, et que lorsqu'il pointerait le bout de son nez, elle n'hésiterait pas à lui dire ses quatre vérités – juste après l'avoir serré dans ses bras si fort qu'elle lui casserait quelques côtes.

— C'est joli, dit Sam après avoir fait le tour de son salon.

À la faible lueur des lampes posées sur le guéridon, il semblait immense, séduisant, et ravi par ce qu'il découvrait. « Chaleureux. »

Sam, s'était-elle rendu compte, s'exprimait par bribes. Elle trouvait du charme à cette singularité. Quand il s'apprêtait à ouvrir la bouche, elle savait qu'il avait longuement pesé chaque mot et que ses commentaires concis tapaient généralement dans le mille.

— Merci, dit-elle, démesurément satisfaite de sa réaction.

Les meubles, comme la prestation compensatoire qu'elle avait perçue lors de la finalisation de son divorce, s'étaient fait attendre. Mais elle avait enfin pu refaire la décoration de son appartement, et s'offrir quelques cadeaux.

— Faites comme chez vous, dit-elle en posant inconsciemment les doigts sur le diamant qui scintillait entre ses seins. J'ai ouvert une bouteille de vin. Je reviens tout de suite.

En se rendant à la cuisine, elle s'obligea à effectuer des petits pas lents. Une fois seule dans la pièce, elle grommela à voix basse en s'apercevant que ses mains tremblaient au moment où elle saisit deux verres dans le placard.

*Reprends-toi.*

Elle n'était plus une enfant. Mais elle était sortie du jeu de la séduction depuis si longtemps. Le divorce l'avait aigrie. Profondément. Alors oui, penser qu'elle était sur le point de s'ouvrir à quelqu'un, sans savoir où cela la mènerait, la terrifiait. Et qu'elle ait envie que lui aussi s'ouvre à elle lui faisait encore plus peur. Elle avait du mal à chasser sa sœur de ses pensées. Elle se demandait comment il s'en sortait.

Elle avait envie – et c'était horrifiant – de l'aider à passer ce cap du deuil. C'était l'un de ses plus gros travers – le gène de l'infirmière qui veut porter secours à tout le monde. Sam Lang, solide, fort et débordant d'assurance, avait autant besoin d'aide qu'un lion pour échapper à une souris.

Manifestement, tout n'était pas clair dans sa tête... et ses sous-vêtements étaient là pour en attester.

Abbie remplit deux verres de son cabernet préféré, rassembla son courage et retourna au salon. Sam se tenait devant sa bibliothèque, de dos, et contemplait une photographie de Cory.

Jamais, ô grand jamais, elle ne se lasserait de voir cet homme en jean.

— C'est mon frère, Cory, expliqua Abbie, en lui tendant un verre.

Il acquiesça, et se tourna vers elle.

— Tant mieux.

Son cœur fit un bond dans sa poitrine. Elle savait ce qu'il entendait par là, mais elle voulait qu'il le dise clairement.

— Tant mieux ?

Il redressa un coin de sa magnifique bouche.

— Je ne voyais pas de ressemblance. Alors, oui. Tant mieux s'il s'agit de votre frère.

Elle but une gorgée de vin, en se concentrant sur la lueur qu'elle vit danser dans ses yeux. Un éclat pareil à une invitation, un appel au flirt. Ce devait être une extrapolation, mais elle s'en contenta pleinement.

— Plutôt que quoi ?

Il leva son verre, la considéra par-dessus le rebord, et ses yeux noirs prirent soudain un air dangereusement attirant dans la lumière tamisée.

— Par opposition à un concurrent, reprit-il avant de savourer une longue gorgée de vin.

Elle désirait qu'il la savoure lentement, de la même façon.

— Non. Pas de concurrent, dit-elle dans un murmure.

Cela provoqua un nouveau sourire. Et il murmura encore une fois :

— Bien.

Un homme de peu de mots, pensa-t-elle à nouveau. Efficace. Très efficace, à en croire la bouffée de chaleur qui la submergea.

— Vous ne parlez pas souvent de lui. Êtes-vous proches ?

Il parlait de Cory, s'aperçut-elle, en rejetant l'attirance qui lui brouillait l'esprit.

*Vas-y doucement.*

— Oui.

Elle préféra se concentrer sur la photo de Cory, car si elle gardait les yeux rivés plus longtemps sur Sam, elle allait finir par lui sauter dessus.

— Nous sommes très proches. C'est mon petit frère, vous savez. Je veille sur lui.

— Il m'a tout l'air d'être un grand garçon.

Elle avala une nouvelle gorgée de vin, et revit Cory à quatre ans, les yeux rougis par les larmes, le visage mangé par le chagrin. Et elle qui le prenait dans ses bras, tremblant, blessé, pour le sortir du placard. Ce souvenir lui revint par surprise, et la bouleversa.

— Notre mère... n'a jamais été une mère pour nous. Elle avait plus d'amour pour le Jack Daniel's, si vous voyez ce que je veux dire.

Elle haussa les épaules, et toucha le portrait de Cory du bout du doigt.

— Notre père, quant à lui, préférait consommer toutes sortes de choses. Et ça le rendait mauvais. Surtout après la disparition de notre mère. C'est là qu'il a commencé à s'en prendre à nous. Enfin, surtout à mon frère.

Ses pensées la ramenèrent à cette époque... alors qu'elle n'avait pas toujours été là pour Cory. Quand elle était en cours – son père en profitait pour s'emporter contre le petit garçon. Il le battait en lui reprochant d'être idiot. En réalité, la dyslexie l'empêchait de bien travailler à l'école. Mais le diagnostic n'était tombé que plus tard.

Soudain, elle prit conscience du silence de Sam.

— Oh, non, fit-elle en secouant la tête avec embarras. Je suis désolée. Vraiment, je suis navrée. Je ne sais pas trop pourquoi je repense à tout ça. C'est parfait pour gâcher l'ambiance.

Elle lui sourit d'un air ennuyé. Elle aurait détourné le regard, si elle n'avait pas croisé cette lueur dans ses yeux. Cela dépassait la sympathie, et sans la moindre trace de reproche.

— Ça a dû être dur pour vous, dit-il.

Elle redressa les épaules, et secoua la tête pour passer à autre chose.

— Oui, bon, c'était il y a longtemps.

— Mais pas suffisamment pour que vous ayez cessé de vous inquiéter pour votre frère.

Elle acquiesça, et se força à tourner la tête. La tentation était trop grande de s'appuyer contre cet homme, et de puiser de la force en lui.

— Comme vous dites, c'est un grand garçon maintenant.

— Vous le voyez souvent ? demanda-t-il après quelques secondes.

— Oui, il vit à Las Vegas, lui aussi. Nous sommes toujours en contact.

En temps normal. Mais il n'avait donné aucun signe de vie depuis une éternité.

Les larmes menaçaient de couler. Zut, et zut. Ce n'était pas du tout la tournure qu'elle avait voulu donner à cette soirée.

— Il travaille dans un casino, lui aussi ?

Bon, se dit-elle, il cherche à être agréable. Il manifeste de l'intérêt pour mon frère car il a compris qu'il comptait beaucoup pour moi.

— Non, Cory est… créateur d'entreprise, en quelque sorte, répondit-elle.

Il sourit comme s'il avait compris, puis confirma cette impression en ajoutant :

— Il ne travaille pas.

Elle le regarda. Durement.

105

— Est-ce que je vous ressers du vin ? demanda-t-elle, soudain mal à l'aise.

Elle n'avait pas envie de poursuivre sur ce terrain. Elle aurait pu en profiter pour évoquer sa sœur, mais elle préféra passer du coq à l'âne.

Elle tendit la main vers le verre de Sam. Et s'aperçut alors qu'il s'était approché d'elle. Si près qu'il la touchait presque. À une distance qu'aucun homme n'avait franchie depuis très longtemps.

Elle resta interdite. Lui aussi fut surpris, apparemment, puisqu'au moment où leurs doigts se frôlèrent, il recula d'un pas, l'air désolé.

Pour une raison qu'elle ignorait, ce léger signe d'embarras lui donna de l'audace. Puis, les petites décharges électriques qui reliaient leurs doigts l'aidèrent à appréhender pleinement l'énergie sexuelle qui crépitait entre eux. Poussée par l'éclat que prirent les yeux de Sam, elle se sentit brave, imprudente et intrépide.

— Allez-vous finir par m'embrasser, Sam ?

# 8

Le souffle coupé. Sa propre audace la laissait sans voix. Tout comme la proximité de Sam. Son odeur. Sa chaleur.

Elle déglutit avec peine mais parvint à tenir bon, et rejeta une dizaine de raisons de ne pas aller plus loin, de ne pas encourager ce qui allait inévitablement se produire. Du moins, l'espérait-elle.

Il n'était pas question d'échanger un simple baiser. Un baiser – leur premier baiser – donnerait un sens inévitable à ce qu'ils avaient partagé depuis leur rencontre. Il ferait d'une relation amicale une histoire d'amour naissante. Elle le savait, et lui aussi.

Alors, oui, il existait une dizaine de raisons de faire machine arrière.

C'était trop rapide. Trop tôt. Trop passionné. Trop effrayant. Une seule chose la poussait à poursuivre, et justifiait tout.

Lui.

— J'ai cru que vous n'alliez jamais le demander, dit-il finalement.

Ah, merci, enfin, cela allait arriver. S'il vous plaît, mon Dieu, dès le prochain battement de cœur, songea-t-elle.

Mais il prolongea son supplice. Prolongea son désir. Et pendant tout ce temps elle se demandait ce qu'elle éprouverait s'ils s'embrassaient.

Il était très méticuleux, Sam Lang. Abbie tremblait quand il lui prit son verre des mains pour le poser à côté du sien, sur l'étagère. Il était aussi très intense quand il revint vers elle, plus près, et qu'il chercha son regard comme s'il pensait y découvrir le secret de l'immortalité. Lorsqu'il effleura sa joue de ses doigts repliés et la fit frissonner, lui coupant le souffle, elle se surprit à regretter qu'il ne l'ait pas déjà libérée de cette attente insupportable.

Mais il n'en fit rien.

Son regard sombre et scrutateur caressa son visage, puis il pencha la tête vers elle. Son haleine chaude, qui sentait légèrement le vin, lui balaya la joue à l'endroit où il l'avait effleurée avec la douceur d'une plume, avant de tracer un chemin de baisers le long de sa joue. Une manœuvre séduisante et proche de la torture.

— Sam.

Elle s'appuya à ses bras parce qu'en plus de lui ravir son souffle, il la privait de son sens de l'équilibre.

— Vous me rendez folle.

— Moi aussi, je deviens fou, murmura-t-il, avant de finalement poser sa bouche sur la sienne.

Certaines choses méritent que l'on patiente.

Certaines choses méritent d'être ardemment désirées.

Pour le baiser de Sam Lang, Abbie aurait pu donner sa vie.

Ses lèvres étaient d'une douceur incroyable, ses bras follement puissants, sa chaleur totalement ravageuse. Cet homme peu bavard en disait long sans proférer la moindre parole, et lui expliquait de cent manières différentes à quel point il avait envie d'elle.

Sa façon d'ouvrir sa bouche pour prendre la sienne, son cœur qui tambourinait contre le sien, et son grand corps tendu et bouillant sous ses mains, tout cela lui apprenait ce qu'il n'aurait jamais pu exprimer par des mots.

Les mains d'Abbie se perdirent dans ses cheveux, poussées par le besoin de se rapprocher de lui, prêtes à tout pour que sa peau rencontre la sienne.

La promesse de la suite était là, dans sa façon de la toucher, dans les frémissements qui parcouraient son grand corps, et dans le membre qui s'allongeait contre son ventre... aussi, quand il releva la tête, elle resta stupéfaite.

Malgré elle, un bruit de protestation s'échappa de sa bouche. Mais elle était trop perdue en lui pour prendre une quelconque décision. Au point d'être entièrement obsédée par le besoin de ce baiser, aussi fort qu'il lui était indispensable de respirer.

— Chhhut...

Il appuya le visage d'Abbie contre son épaule.

— Chhhut, l'apaisa-t-il, alors que ses bras la serraient fort contre lui.

Elle sentit son cœur battre la chamade quand elle s'abandonna entre ses bras, tout contre lui, et reprit son souffle par longues inspirations.

— Sam ? murmura-t-elle avec désespoir.

— Oui.

Il la serra ardemment, puis la relâcha légèrement.

— Je sais.

Une nouvelle respiration saccadée.

— Peut-être... zut. Je ne pensais pas que ce serait si intense. On devrait... peut-être... aller dîner ?

Il émit un petit rire frustré, et sa tête partit en arrière.

— Sérieusement ?

Soulagée, elle se hissa sur la pointe des pieds. Elle embrassa son cou, en dégusta le goût salé et chaud.

— Abbie...

— Sam.

Elle interrompit ce qu'elle reconnut comme un début d'avertissement, et sourit en le regardant droit dans les yeux.

— Taisez-vous, et embrassez-moi.

Elle pensait qu'il allait lui rendre son sourire. Mais il n'en fit rien.

Il la scruta de ses yeux trop graves pour l'occasion.

— Ce n'est pas ce que j'avais prévu, en venant ce soir.

— Il suffit de prévoir les choses pour qu'elles se passent différemment, murmura-t-elle en se rapprochant de lui.

Une fois de plus, il recula.

— Sérieusement, Abbie. Peut-être... peut-être que nous devrions y aller plus doucement.

Pourtant, l'érection qui battait contre son ventre lui disait que cette idée ne correspondait pas pleinement à son humeur.

— Je n'ai pas envie d'y aller plus doucement.

Elle l'embrassa, à pleine bouche cette fois, avec chaleur et appétit.

Il geignit. S'agrippa à ses bras.

— Vous devez être certaine de ce que vous voulez. Il vaut mieux le savoir car après un autre de ces baisers, je ne pourrai plus m'arrêter.

— Mon Dieu, dit-elle en imitant sa gravité. J'espère bien que ça ne va pas s'arrêter là.

Au moment où Sam l'allongea, elle songea vaguement que dans ce lit, elle n'avait jamais fait que dormir. Alors qu'il la déshabillait lentement, elle réalisa qu'aucun homme ne l'avait vue nue depuis deux ans.

Deux années à ne porter que des sous-vêtements confortables, sans autre but que de se couvrir. Deux années à rejeter la dentelle noire et le satin autant que l'idée du regard d'un homme qui s'assombrit de désir en la découvrant joliment parée. Cette pensée lui traversa l'esprit quand il les lui enleva.

Deux trop longues années solitaires durant lesquelles elle ne s'était pas sentie suffisamment sûre d'elle pour désirer la présence d'un homme dans son lit. Dans son corps.

Cette lueur dans les yeux de Sam, indescriptible, quand il ôta la dentelle noire qui recouvrait ses seins, la mit en alerte. Elle brûlait de l'envie de s'arquer contre lui quand il baissa la tête et porta son téton à sa bouche.

Sa bouche.

Sa bouche était incroyable. Chaude. Humide. Affolée.

Et affamée. Elle éprouvait pour lui une faim similaire, une faim qui ne fit que croître quand il l'embrassa, et l'embrassa encore, puis la laissa étendue avec pour seule parure sa culotte noire.

Elle s'offrit le plaisir de l'observer quand il se releva et déboutonna les poignets de sa chemise. Il était si… beau. Il n'y avait pas de meilleur qualificatif pour le décrire. Sa beauté n'était pas simplement physique – ses larges épaules, les abdominaux fermes, les hanches étroites, la peau douce et halée – mais provenait aussi de son regard intense, du besoin qu'elle sentait dans ses muscles tendus de reprendre le contrôle de lui-même.

D'un geste sec, il ouvrit sa chemise, et elle frémit. Ses plaques militaires reposaient sur son torse nu quand elle tendit la main vers la boucle de son ceinturon, et défit sa fermeture Éclair. Il resta immobile, une épaule en arrière. Ses muscles abdominaux se contractèrent quand ses doigts effleurèrent les poils fins qui recouvraient cette partie de son corps. En cet endroit, il était chaud, fin et l'extrémité de son pénis était d'une douceur satinée, humide, contre le dos de ses doigts.

Quand leurs yeux se croisèrent, l'éclat qu'elle distingua dans le regard de Sam décupla son audace et son impatience. Sa respiration se bloqua quand elle ouvrit lentement la fermeture Éclair de son jean. Ce geste l'émut tout en la rendant plus téméraire que jamais. Le sourd grognement de plaisir quand elle glissa les doigts sous l'élastique de son boxer et trouva sa verge longue et gonflée intensifia l'élancement sourd qui lui enserrait le bas-ventre.

À contrecœur, elle le lâcha, puis tira sur son jean d'un geste impatient pour le faire glisser en bas de ses hanches. Elle s'allongea sur le dos, et le regarda enlever le reste, tout ce qui pourrait faire entrave à l'union de leurs deux corps nus. Peau chaude contre peau chaude.

Tout sauf sa culotte. Sa fine lingerie de dentelle noire.

Avant de jeter son jean à terre, il sortit un préservatif de sa poche, et le déposa sur son nombril. Elle apprécia sa délicatesse. Elle se réjouissait qu'il ait pris ses précautions, qu'il soit parfait et nu.

Complètement, magnifiquement nu. Et pourtant, elle se sentit soudain exposée.

Jusqu'à ce qu'elle voie son sourire.

Et quand il sourit, et qu'il enfonça un genou dans le lit, que sa cuisse chaude rencontra sa hanche, elle perdit le peu de pudeur qui lui restait. La connexion physique prima sur le léger sursaut d'insécurité qui avait surgi à la dernière seconde. Elle chercha sa main, entrelaça leurs doigts sans quitter son visage des yeux, et entraîna leurs mains vers le petit morceau de dentelle qui couvrait son mont de Vénus.

Quand elle frotta leurs mains unies contre son intimité, l'excitation lui envoya des décharges électriques au point qu'elle écarta spontanément les cuisses, avant de séparer leurs doigts et d'y abandonner les siens. Qui caressèrent. L'aguichèrent. La conduisirent à un niveau d'excitation qui aurait été effrayant si elle ne lui avait pas fait autant confiance.

Son absolue confiance l'émerveillait. Cela faisait naître en elle espoir et optimisme, mais aussi des attentes – tout ce qu'elle avait laissé de côté depuis

Don. Et elle décida de s'abandonner pleinement à Sam.

Elle était mouillée, brûlante, et avide d'un contact plus profond. Cela ne fit qu'empirer quand il glissa un doigt sous la dentelle noire et effleura ses boucles humides.

— Sam.

Elle soupira son nom, et l'ondulation de ses hanches montrait que ce contact était merveilleux... mais insuffisant.

Alors il la prit entièrement dans sa main, la paume en appui contre son pubis tandis qu'il écartait ses lèvres pour rencontrer la chair lisse et gonflée de son clitoris, et qu'il le caressait.

Elle en eut le souffle coupé. Elle fut prise d'un soubresaut et se tortilla pour dégager sa culotte afin de mieux s'offrir à lui, de s'ouvrir plus largement, de vivre pleinement la multitude de sensations qu'elle s'était refusées depuis si longtemps.

— Vas-y. Viens en moi.

Il lui tendit le préservatif.

Ses doigts tremblaient, et l'excitation la rendit maladroite au point qu'elle eut du mal à ouvrir l'emballage. Exaspérée, elle parvint finalement à le déchirer avec les dents. Elle riait à demi tout en geignant au moment de tendre la main vers lui, de dérouler le latex, et de lui faire de la place entre ses cuisses ouvertes.

Là où les sensations reprirent avec plus de violence.

Plus fortes. Plus intenses. Plus profondes. Et dévastatrices.

Si dévastatrices qu'elle poussa un cri quand il s'enfonça profondément en elle et resta là, les muscles de ses fesses se serrant sous ses mains, ses biceps se crispant alors qu'il se tenait en appui au-dessus d'elle.

— Ne bouge pas, grommela-t-il, les dents serrées, quand elle ondula des hanches pour aller à sa rencontre. Ne bouge pas, répéta-t-il, en baissant la tête vers sa gorge, où il l'embrassa avant de remonter vers sa bouche. Tu es incroyable, murmura-t-il.

Il joua avec sa bouche… mordilla, dégusta, aspira sa lèvre inférieure avant de glisser sa langue à l'intérieur.

Elle s'ouvrit pleinement à lui, répondit à chacun de ses mouvements, tout en aimant éperdument son goût mais aussi sa maîtrise lorsque le rythme de ses hanches épousa celui de sa langue.

Dedans. Dehors. Dedans. Dehors.

— C'est si bon.

C'était si agréable de le sentir en elle. De sentir son poids. Sa chaleur. Sa force qui l'enveloppait sans jamais la dominer. À aucun moment, elle ne se sentit vulnérable. Non, elle se sentait même incroyablement puissante tandis qu'il lui faisait découvrir des sensations qu'elle avait peut-être oubliées, si elle les avait jamais connues.

Elle le laissa la prendre complètement. Jamais elle ne se serait crue capable d'une telle reddition. Elle s'émerveillait de cette liberté. Puis elle cessa entièrement de penser dès que les coups de reins s'accélérèrent, que le rythme se fit plus intense, et que la nuit s'évapora dans le plaisir torride.

Le temps, le lieu, et même la réalité devinrent flous. Tout se suspendit au moment où l'orgasme s'annonça.

Implacablement.

Impitoyablement.

Jusqu'à ce qu'il ne soit plus possible de retarder l'inévitable. Alors elle s'abandonna.

Elle se laissa tomber en chute libre dans un orgasme si vif et sauvage qu'elle hurla sous l'effet de l'intensité et de l'émerveillement. Elle haleta de bonheur et de stupéfaction, en dépit de la crainte si délicieuse qui naquit en elle lorsque le rythme s'accéléra dangereusement. Elle le serra de toutes ses forces quand il s'enfonça loin en elle, une dernière fois, avant qu'il se crispe et qu'à son tour, il s'abandonne.

Elle enfonça les ongles dans son dos, tandis que leurs corps en sueur se tendaient. La chaleur se mêla à la chaleur quand la libération arriva comme une vague salvatrice, fulgurante, et dangereusement dévorante.

Elle s'agrippa à lui comme si sa vie en dépendait, tout en s'efforçant de retrouver son souffle, sa raison, alors qu'elle souhaitait que ce moment suprême ne cesse jamais.

Quand il reprit enfin son souffle, quand il parvint à se concentrer sur ses muscles et à faire bouger ses bras... quand il parvint à voir plus loin que le plaisir et la chaleur de son corps, que le désordre des sensations, Sam roula sur le côté.

Allongé sur le dos, il resta étendu dans l'obscurité naissante. Il écouta la respiration d'Abbie. Et la sienne s'apaisant suite à un moment de partage qui n'aurait jamais dû se produire. Après ce qui aurait dû être du simple sexe, mais qui lui donnait l'impression d'avoir été tellement plus.

Sa conscience lui envoyait des reproches à chaque battement de cœur.

Zut. Il n'avait pas eu l'intention d'aller aussi loin.

*Vraiment ?*

Non.

Oui.

Il n'en savait rien.

Mais c'était fait.

La preuve était là, allongée, éreintée, sur les draps, à côté de lui. Elle était comblée. Physiquement. Sexuellement. Et, s'il ne faisait pas erreur, émotionnellement.

Il tourna la tête sur l'oreiller, pour s'apercevoir qu'elle avait les yeux fermés. Sa respiration était lente, profonde, régulière.

Endormie. Elle s'était endormie. Si ce n'était pas si révélateur, cela aurait été amusant. En temps normal, c'était l'homme qui s'endormait après l'amour. Sauf si la femme était épuisée. Les cours, le travail, ses inquiétudes au sujet de son frère. Oui. Elle était exténuée.

Repoussant l'élan de tendresse qui montait en lui, il se frotta la joue, et se redressa lentement. Par-dessus son épaule, il vérifia qu'il ne l'avait pas dérangée dans son sommeil. Un souffle délicat s'échappait de ses lèvres entrouvertes.

D'autres sentiments le prirent en traître.

Comme le besoin de la déshabiller et de l'allonger l'avait saisi par surprise. Comme le besoin d'être en elle l'avait privé de sa raison – mais pas de son sang-froid. Non, il était parvenu à garder le contrôle de lui-même. Cette femme... cette femme éveillait en lui des envies qui semblaient mettre en péril cette maîtrise. Parce qu'il ne savait pas s'il supporterait de se laisser aller, il avait préféré se retenir. Il avait préféré garder en cage une attirance qui vibrait encore entre ses cuisses.

Ça, c'était le pire de tout, vraiment le pire, se dit-il en se levant lentement. Il avait envie de tout reprendre à zéro. Il voulait l'embrasser éveillée, la caresser éveillée, l'exciter délicatement, et les emmener ensemble de l'autre côté de la limite, et au-delà.

*Un coup pour l'équipe, et baise-la pour lui faire cracher l'info.*

Les paroles de Reed lui revinrent en mémoire avec violence, et elles n'avaient rien d'amusant. Ce qui s'était produit n'avait rien à voir avec sa quête de renseignements. Tout avait été spontané et s'était imposé dans toute sa réalité.

C'était également l'une des plus grosses bêtises qu'il ait faite de sa vie entière. Au départ, il cherchait simplement à obtenir un renseignement. Il avait prévu de jeter un œil à son système de sécurité et de trouver le moyen de le déjouer sans que surgisse la police de Las Vegas si jamais lui et Reed décidaient de procéder à une visite-surprise. Mais tout s'était enchaîné, et une chose en entraînant une autre…

Dégoûté de lui-même, il récupéra son jean. Une main sur la poignée de la porte, il se retourna pour s'assurer qu'elle dormait toujours… et fut captivé par la vision qui s'offrit à lui. Elle, allongée sur ce lit. Ses longs cheveux noirs et soyeux étalés sur l'oreiller blanc. Le profil d'un sein parfait et rose qu'il aperçut dans la pièce sombre. Une jambe longue et souple étendue sans pudeur sur les draps. La chaîne en or et son diamant collés contre sa peau chaude.

Il serra les dents. Se détourna de cette image.

Ses échanges avec Abbie Hughes auraient dû s'en tenir au cœur du sujet.

Et le cœur du sujet était Nader. Déterminé, il referma la porte de la chambre derrière lui. Puis il enfila son pantalon et commença à fouiller, avec la désagréable impression d'être la pire des ordures pour oser abuser ainsi de sa confiance.

Quand il arriva dans le garage, ses remords s'envolèrent.

Il était propre, bien rangé, impeccable. À l'image d'Abbie.

Mais une bâche noire recouvrait le pan du mur opposé. En la soulevant, il trouva des piles de cartons de différentes tailles. Aucun d'eux ne semblait avoir été ouvert. Ne pouvant pas déchiffrer l'adresse de l'expéditeur, il alluma le plafonnier. Il vérifia alors les tampons de la Poste.

Honduras. Chacun de ces cartons était frappé du tampon du Honduras.

Sam ravala ses regrets et sa culpabilité. Elle était impliquée dans ces histoires de trafic jusqu'au cou.

Son téléphone vibra dans sa poche. Il lut le nom de l'appelant. C'était Reed.

— Quoi ?

— Tu peux parler ?

Sam se tourna vers la porte de la cuisine par laquelle il était entré dans le garage.

— Magne-toi.

— Tu sais, l'autre passeur qui a disparu. Derek Styles. Il a refait surface, hier. Mort. Quelqu'un a déposé son corps devant une église.

— Merde.

— Tu l'as dit. Il se passe un truc. On doit accélérer le mouvement ou on risque de perdre également Cory Hughes, s'il n'est pas déjà trop tard. Et alors Nader nous échapperait une fois de plus.

Sam n'avait pas besoin de l'explication de Reed. Il ne savait que trop bien que le temps pressait. Il aurait également pu se passer de ses cas de conscience, mais il fut incapable de les mettre de côté. Avant d'agir, il aurait préféré s'expliquer avec Abbie. Prendre le temps de discuter, peut-être même de déterminer son innocence.

Mais ils manquaient de temps, et sa candeur n'existait que dans ses rêves. Sa voiture neuve, le diamant, et les tampons du Honduras ne jouaient pas en sa faveur.

— Les gars sont arrivés ? demanda-t-il à Reed.

— Oui. Ils sont à bloc. Ils n'attendent plus que ton signal.

Il avait tout ce qu'il lui fallait. Il n'avait plus qu'à passer à l'action, et à la faire parler. Son ventre se noua quand il imagina la réaction d'Abbie au moment où elle comprendrait qu'il s'était servi d'elle.

— Sam ?

— Ouais, dit-il, agacé par Reed. On y va.

Il raccrocha, et resta un moment debout, dans le silence. Puis il regagna la cuisine, et trouva le panneau de contrôle de système de sécurité. Il désactiva les alarmes. Quand il revint dans la chambre, Abbie dormait toujours, bienheureuse, ignorant que son monde était sur le point de s'effondrer.

Sans faire de bruit, il rassembla ses affaires. Regarda longuement la femme qu'il s'apprêtait à trahir. La nostalgie et le regret étaient si violents qu'il eut mal au cœur.

Il n'aurait aucune difficulté à tomber amoureux d'elle. Il était même sur le point de succomber.

*C'est parce que tu penses avec ta bite*, se rappela-t-il avec colère, avant de quitter la chambre.

La culpabilité et les remords ne figuraient pas dans son agenda professionnel. Il devait cesser de se demander quelles conséquences ses actes auraient sur elle. Il devait arrêter de penser aux petits bruits qu'elle faisait en jouissant. À son odeur. À son goût.

Il devait se concentrer sur ce que Nader avait fait à sa famille. Il devait garder à l'esprit qu'Abbie Hughes et son frère étaient, au mieux, coupables par association, et au pire, complices de meurtre.

— Allez, allez, murmura-t-il en soulevant le coin du rideau de son salon pour voir si les gars arrivaient.

Il voulait en finir. Un gros 4 × 4 s'arrêta devant la maison quelques minutes plus tard.

Soulagé, Sam se rendit à la porte. D'un air sombre, il salua brièvement Colter et Savage qui sortirent de l'arrière du véhicule. Ils portaient vestes et casquettes du FBI, des harnais équipés d'armes et, certainement, des faux badges dans leur portefeuille assortis à leur tenue de pacotille.

Sam n'avait pas vu Luke « Doc Holliday » Colter, le médecin de l'équipe des MCB, et Wyatt « Papa Ours » Savage depuis trois mois. Holliday était un ancien des Forces Spéciales de la marine de guerre, et

Savage venait de la CIA, mais les deux hommes avaient appartenu au Groupe d'Intervention d'Urgence en même temps que Sam. Ils en connaissaient plus long sur les armes, les guerres secrètes, et les ruses que personne.

Sam n'avait ni vu ni parlé aux deux hommes depuis l'enterrement de Terri. Il réalisa qu'ils lui avaient manqué au moment où leur visage exprima clairement que ce sentiment était réciproque.

L'heure n'était pas à l'émotion. Reed, également en fausse tenue du FBI, descendit du véhicule par la portière du conducteur, et les rejoignit devant le garage.

— Ça se passe à l'intérieur.

Sam les fit entrer par la porte latérale.

— Putain de merde.

En découvrant les piles de cartons, Reed poussa un long sifflement.

— C'est Noël, ma parole. Il ne manque plus que du ruban et des guirlandes.

— Je crois que tu vas trouver toutes sortes de décorations à l'intérieur de ces boîtes, dit Sam.

— Et si on ne trouve rien ? demanda Colter.

Sam leva les yeux vers Reed, qui acquiesça pour signifier qu'il était venu avec ce qu'il fallait.

— Dans ce cas, tu sais ce qu'il te restera à faire.

Sam se dirigea vers la cuisine, et attendit qu'Abbie se réveille. Il valait mieux qu'elle ne les entende pas s'affairer dans le garage. Si elle croyait qu'un cambrioleur était entré par effraction, elle appellerait la police.

Il se prépara à sa réaction, quand elle comprendrait qu'il l'avait trahie. Il ne laisserait pas ses émotions l'atteindre.

# 9

Quand Abbie se réveilla, les draps étaient froids à côté d'elle. Elle s'étira longuement, se sentant rassasiée, détendue, comme régénérée.

Crystal avait raison. Peut-être était-ce le sexe avec Don qui l'avait induite en erreur.

Sam était... En repensant à lui, elle frémit de la tête aux pieds. Sam était incroyable. Et doué. Cet homme s'était montré doué et très minutieux.

Elle soupira avec lasciveté, roula sur elle-même et retrouva l'odeur de l'homme, du sexe et de la satisfaction. Elle tomba également sur les plaques d'identification militaires qu'il avait enlevées pour éviter de la blesser. *Sexy et attentionné*, se dit-elle en rassemblant la chaîne dans le creux de sa main. Elle s'abandonna un instant aux souvenirs émoustillants, puis regarda l'heure à son réveil. Il était un peu plus de minuit.

— Flûte, marmonna-t-elle en s'asseyant avant de tirer ses cheveux en arrière.

Elle avait dormi près d'une heure.

Elle imaginait sans peine ce que Crystal dirait.

*Tu avais un homme comme Sam Lang dans ton lit, un homme qui t'a fait perdre les pédales et t'a donné le plus gros orgasme de ta vie, et tu t'es endormie ? Tu es dingue ?*

Cette fois, Abbie ne pourrait qu'admettre qu'elle avait raison.

Il fallait être dingue pour s'endormir dans un lit, avec Sam.

Bon, elle manquait certes de sommeil. Entre le travail, les cours et les longues heures de révision, elle se reposait peu. Mais de là à s'endormir... près de Sam.

C'était gênant. D'autant qu'il semblait avoir disparu.

— Bah voilà, murmura-t-elle en se levant, nue. Tu n'as rien d'une déesse du sexe.

D'un geste enfantin, elle passa la chaîne et les plaques militaires autour de son cou, et se sentit idiote, voire même un peu possessive. Folle de lui bien sûr mais que pouvait-elle y faire ? Elle choisit son kimono court en soie, en se demandant s'il aimait le bleu. S'il ronflait. Et l'effarement s'empara d'elle.

— Pas étonnant qu'il ait décampé.

Soudain, elle entendit du bruit. Perçut l'odeur du café.

*Adorable*, se dit-elle en nouant la ceinture autour de sa taille avant d'ouvrir la porte de sa chambre. Il n'était pas parti. Il préparait du café dans la cuisine. Sans savoir ce qu'elle devait en penser, elle se réjouit de constater qu'il se sentait à l'aise, et qu'il faisait comme chez lui. Son comportement était révélateur. Il n'était pas ici uniquement pour le sexe.

Elle se peigna avec les doigts, mais sans trop lisser ses cheveux. Elle tenait à afficher une apparence sexy, à lui rappeler ce qu'ils venaient de faire. Elle ouvrit légèrement son peignoir, juste assez pour exposer son diamant et les plaques militaires qui tombaient entre ses seins. Pieds nus, elle pénétra dans la cuisine.

Sam était assis à table.

— Salut, dit-elle en souriant.

Quand ses yeux tombèrent sur ses mains, elle se sentit fondre au souvenir de leur contact. Elle aimait tant sa façon de la toucher.

Il leva les yeux vers elle, la détailla rapidement, avant que son regard ne s'arrête entre ses seins.

Elle s'était attendue à le voir admirer sa tenue et son sourire coquin, mais Sam se concentra sur la tasse de café posée devant lui.

— Il vaudrait mieux vous habiller.

Il venait de parler d'un ton bourru, de la vouvoyer et tout cela avec un air horriblement sérieux.

Elle cligna des yeux, stupéfaite de son accueil qui était loin du « viens par ici, chérie, me faire un petit câlin » qu'elle attendait.

— Waouh, dit-elle, troublée par la tension qui émanait de lui. Bon, on dirait que ça répond à ma question. Je me demandais si ça vous avait ennuyé que je me sois endormie.

Si son but était d'alléger l'ambiance, c'était raté. L'inquiétude s'insinua en elle.

Avant qu'elle ait eu le temps de s'interroger sur sa réaction, sur les raisons de son comportement et le malaise soudain qui était né entre eux, elle entendit des voix. En provenance du garage.

Son cœur bondit. En alerte, elle le regarda.

— Il y a quelqu'un dans le garage, murmura-t-elle avec angoisse.

— Je sais. Allez vous habiller, répéta-t-il.

La confusion se mêla à la panique en un éclair. Il se tramait quelque chose de grave, de très grave.

— Sam ? Que se passe-t-il ?

Elle fit quelques pas en arrière, prête à quitter la cuisine, quand Sam se leva. Il brandit un badge.

— FBI, dit-il. Détendez-vous. Personne ne vous fera de mal.

S'il avait annoncé « Jack l'Éventreur » ou « L'étrangleur des collines », elle n'aurait pas été plus surprise, ni angoissée.

— FBI ?

Elle resserra son kimono autour d'elle, ferma les pans sur sa poitrine, avec le violent sentiment d'avoir été mise à nu et violée.

— FBI ? répéta-t-elle d'une voix tremblante sous l'effet de la peur. Je ne comprends pas. Que... que se passe-t-il ?

— À moins que vous ne vouliez que mes hommes vous voient dans cette tenue, reprit-il sans que son visage ne trahisse la moindre émotion, allez vous habiller. Ensuite, je répondrai à vos questions.

— Vous allez répondre tout de suite à mes questions !

La colère et l'humiliation fondirent sur elle avec la violence d'un coup de massue, dominant la peur et la confusion.

— Pourquoi le FBI s'intéresse-t-il à moi ?

La porte donnant sur le garage s'ouvrit. Un homme passa la tête à l'intérieur. Oh, non, c'était le cow-boy flic et homo.

Même avec son blouson et sa casquette du FBI, il ressemblait à une gravure de mode. Seul le sourire manquait au tableau, et cela en disait long. Il ne jouait pas. Il affichait une gravité extrême. Pour une raison qu'elle ignorait, elle semblait être le motif de tout ce manège. Abbie aperçut un étui attaché à un harnais entre les pans ouverts de son blouson.

Il jeta un rapide coup d'œil dans sa direction, s'attarda sur une partie de son corps qui la poussa à resserrer plus fermement son kimono autour d'elle, puis se tourna vers Sam en indiquant le garage d'un signe de tête.

— Il faut que tu voies ça.

Après un dernier regard furtif, il disparut dans le garage.

Alors elle comprit.

— Cory, dit-elle en croisant le regard de Sam, pétrifiée par la terreur. Mon Dieu. Tout ça, c'est à cause de Cory ? Est-ce qu'il lui est arrivé quelque chose ?

L'inquiétude emplit ses yeux de larmes, chassant le chagrin qu'elle éprouva en comprenant que Sam l'avait trahie.

— Ouais, dit finalement Sam. C'est Cory. Est-ce qu'il lui est arrivé quelque chose ? Je n'en sais rien. Je comptais justement sur vous pour me le dire.

— Pour vous le dire ? Pour vous dire quoi ?

Il n'était plus question pour elle de garder son sang-froid ou de contrôler ses émotions. Elle était perdue, terrifiée et elle attendait que Sam lui explique une situation qui la dépassait.

— Je n'ai pas vu Cory, et je n'ai pas eu de nouvelles de lui depuis des jours. Et je ne comprends rien à ce qui se passe ici. Le FBI ? Vous êtes du FBI ?

Il la considéra durement, avec colère et impatience.

— Putain, Abbie. Pour la dernière fois. Allez vous habiller. Nous ne poursuivrons pas cette conversation tant que vous ne serez pas vêtue.

Elle baissa les bras, et secoua la tête de frustration.

— C'est ça qui s'est passé entre nous ? Dans mon lit ? Était-ce... une conversation, Sam ? Ou plutôt un interrogatoire ?

Il serra les dents, et elle vit l'ombre de la culpabilité planer sur son visage.

— Pourquoi ne me l'avez-vous pas demandé ? reprit-elle doucement, alors que le silence pesait lourdement entre eux. Si vous aviez des questions à poser sur Cory, pourquoi ne pas me les avoir posées, tout simplement ?

Elle se passa un doigt sur le visage. Essuya d'un geste empreint de colère la larme qui roula sur sa joue quand elle reçut la vérité de plein fouet.

— Ce n'était pas la peine de me baiser, Sam, dit-elle avec un franc-parler volontaire et accusateur. M'enfoncer des clous dans la chair aurait été aussi efficace.

Et moins douloureux.

Elle l'étudia longuement. Mais ne vit rien sur son visage.

— Je vous attends ici, dit-il au bout d'un long moment. Ne touchez pas au téléphone. Et n'essayez surtout pas de vous enfuir.

Elle sortit. Tremblant de colère, elle se dirigea vers sa chambre. Elle se laissa envahir par la déception et le vide qui la saisirent, la renvoyant à son enfance. À l'indifférence de sa mère, à la main violente de son père, et plus tard, à l'infidélité de Don. Tout était pâle comparé à la peine que Sam Lang venait de lui infliger avec ses baisers langoureux, ses douces caresses, et une promesse tacite qu'il n'avait jamais eu l'intention de tenir.

— Elle y a cru ?

Reed leva la tête des cartons qu'il ouvrait les uns après les autres quand Sam entra dans le garage. Du matériel d'emballage, des vases et des bols en argile, des statues primitives jonchaient le sol du garage.

Pourtant, tout ce que Sam avait devant les yeux, c'était le visage stupéfait d'Abbie. Sa confusion, ses accusations silencieuses, sa profonde tristesse.

— Ouais, dit-il, chassant de son esprit cette image, ainsi que le malaise d'avoir abusé d'elle. Elle y a cru.

Reed faisait allusion à leurs déguisements du FBI. Par précaution, Sam avait déconnecté la ligne téléphonique et récupéré son portable dans son sac à main. Autant éviter que la police de Las Vegas n'envahisse la maison.

Toutefois, ils ne devaient pas traîner. Le facteur X – un voisin trop curieux, un passant – risquait de perturber leur opération à tout instant.

— Tu as trouvé quelque chose ?

— Rien.

126

Wyatt Savage, un grand bonhomme au doux accent méridional, releva la tête. Il furetait dans les piles de cartons éventrés.

— Rien que des statues, de la poterie, ce genre de conneries. Pas de drogue. Pas de cailloux. Que des merdouilles sans valeur.

Sam se tourna vers Holliday.

— Ça avance ?

Colter s'occupait du boîtier téléphonique installé dans le mur du garage.

— Presque terminé, répondit-il en installant un mouchard sur sa ligne.

— Si Hughes expédie des objets illégaux, je ne pense pas qu'on les trouve ici, avança Reed en sortant une pochette en velours de sa poche. Pas sans un coup de main.

Sam n'aimait pas envisager cette suite, même s'il savait ce qu'il lui restait à faire.

— Arrêtez tout. Et attendez mon signal, ordonna-t-il avant de retourner dans la cuisine.

Il se servit une autre tasse de café et patienta. Abbie ne tarda pas à ressurgir. Elle avait enfilé un jean et un tee-shirt jaune clair à manches longues. Elle était couverte de la tête aux pieds. On ne voyait même plus ses orteils. Il en conclut qu'elle se sentait vulnérable.

Elle se tenait le dos droit, sur la défensive. Dans ses yeux sans larmes, il vit toutes les émotions que Sam ressentirait s'il était à sa place.

De la colère. De l'incompréhension. De la peine.

Et de la haine.

Par-dessus tout, il y avait de la haine.

Il se leva, et lui servit du café.

— Asseyez-vous, Abbie.

— J'aimerais revoir votre carte du FBI.

Elle croisa les bras et attendit avec détermination, à l'autre bout de la cuisine. Elle ignora la tasse de café qu'il lui tendit.

Sam posa le café sur la table, et chercha sa fausse carte du FBI dans sa poche, ainsi que le mandat de perquisition tout aussi faux que Reed avait fabriqué dans l'après-midi. Il lui laissa le temps d'examiner son badge. Elle n'était pas idiote. Elle finirait par s'apercevoir que c'était un coup monté. Ils devaient se dépêcher, agir sans laisser retomber la pression. Peut-être n'avait-elle rien à se reprocher, et rien à voir avec les magouilles de son frère, mais Sam savait que s'ils ne prétendaient pas appartenir au FBI, ils n'obtiendraient aucune info. Il ne pouvait pas s'offrir le luxe d'attendre qu'elle se décide à parler. Il avait déjà perdu suffisamment de temps.

— Ça va ? demanda-t-il quand elle s'assit à contrecœur.

— Non, rien ne va.

Elle lui lança son badge sur la table, ainsi que ses plaques militaires.

Il s'en saisit. Elles portaient encore la chaleur de sa peau nue. Son regard glissa des plaques jusqu'à elle, et il écarta l'image d'elle surgissant dans la cuisine en kimono, ces plaques nichées entre ses seins. Il alla droit au but, afin d'en terminer au plus vite, et de ne plus avoir à affronter le chagrin qu'il voyait dans ses yeux.

— Nous avons besoin de savoir où se trouve votre frère actuellement.

— Je n'en sais rien.

Ses longs cheveux noirs tombèrent sur son visage. Elle gardait les yeux rivés sur ses mains croisées sur la table. Les mains qui l'avaient entraîné vers un plaisir intense, dans la chambre sombre.

— Quand avez-vous eu de ses nouvelles pour la dernière fois ?

Elle releva la tête.

— Pourquoi voulez-vous retrouver Cory ? demanda-t-elle au lieu de répondre à sa question.

— Je pense que vous le savez déjà.

Ses yeux s'assombrirent au point de devenir noirs.

— Voilà ce que je sais avec certitude, dit-elle d'une voix cassante. Vous êtes une ordure et un sale menteur.

Sam ferma les yeux. Respira profondément. Et sentit son odeur. Et le sexe.

— Je n'avais pas prévu que ça se passerait de cette façon.

Elle émit un son qui était à la fois las et sage.

— Ouais, c'est pour ça que vous avez pensé à prendre un préservatif.

*Coupable des actes qui me sont reprochés.*

— Je suis désolé.

— Oh... ça alors, je n'avais pas remarqué. Ça change tout !

— Abbie, je comprends. Vous êtes remontée contre moi...

— Non, vous ne comprenez rien du tout.

Ses yeux s'embuèrent de larmes qu'elle chassa de toutes ses forces.

— Je ne suis remontée contre personne. Mais je suis profondément blessée. Et je me sens violée. Vous et vos pauvres excuses pouvez aller brûler en enfer.

Il regretta qu'elle ne le gifle pas. Qu'elle ne le flanque pas à terre. Peut-être qu'après cela, tout s'arrangerait entre eux. Au moins, lui se sentirait mieux. Comme il n'avait aucun moyen de réparer ce qu'il avait fait, il s'efforça de poursuivre.

— Pour qui travaille votre frère ?

Elle détourna le regard.

— Je ne savais pas qu'il travaillait pour quelqu'un.

— Que fait-il au Honduras ?

— Je ne sais pas.

— Frederick Nader. Ce nom vous dit quelque chose ? demanda-t-il en passant à la vitesse supérieure.

— Ça devrait ? rétorqua-t-elle en fronçant les sourcils.

— Nader est un terroriste notoire. Il trempe aussi dans la drogue, les armes illégales, et les pierres précieuses volées.

— Et en quoi cela me concerne-t-il ?

— Il emploie votre frère.

Enfin il obtenait autre chose que du dédain. Ses yeux le transpercèrent.

— Vous n'êtes pas qu'une ordure. Vous êtes également fou. Cory est tout un tas de choses, mais pas un truand. C'est absurde. Il ne fait pas que des choses intelligentes mais il ne s'associerait jamais à un terroriste.

Sam dut se faire violence pour ne pas lui apporter son soutien. Elle avait besoin de réconfort, et il posa sur elle son regard le plus sévère.

— Je vous le demande une dernière fois. Que fait-il au Honduras ?

Elle renifla.

— Pourquoi ne pas me le dire, puisque vous avez déjà toutes les réponses ?

— Bon, très bien. Il sert de passeur à Nader. Un passeur de petit niveau.

— Un passeur ?

— Une sorte de coursier. Il livre des paquets. Des colis qui contiennent toutes sortes de produits qu'Oncle Sam n'apprécie pas. De la drogue, de l'argent blanchi, des pierres volées. Comme les colis qu'il vous a expédiés.

— Ces cartons-là, dit-elle, la fierté perçant dans chacun de ses mots, sont pleins de reproductions de statuettes mayas, de poteries primitives, d'artisanat local…ce genre d'objets. Cory les achète, et il me les envoie pour que je les stocke. Quand il rentrera, il en aura suffisamment en réserve pour lancer un commerce de vente au détail.

— Et vous le savez parce que vous en avez vérifié leur contenu ?

Elle lui lança un regard noir.

— Je le sais parce qu'il me l'a dit. Et contrairement à vous, je le crois.

— Pour que tout soit clair entre nous, je ne vous ai jamais menti.

— Non. Vous m'avez juste sautée pour vous amuser et vous servir de moi.

— Je ne pensais pas que ça se passerait ainsi.

— Ouais. J'ai bien vu que vous résistiez farouchement.

Sam s'écarta de la table. Il se dirigea vers la porte menant au garage et l'ouvrit.

— Reed !

L'agent blond surgit dans la cuisine.

— Montre-lui, ordonna Sam.

Reed tenait l'une des copies de statuette maya dans la main. Elle était de la taille d'une bouteille de vin. Il la porta à hauteur de son oreille. La secoua.

— Celle-ci est un peu plus lourde que les autres. Qu'en dites-vous ? On vérifie ce qu'il y a à l'intérieur ? proposa-t-il.

— Allez, fais-le, le pressa Sam.

Reed cogna le plâtre contre le bord de la table. La figurine se brisa en deux. L'intérieur était creux.

Sam glissa la main à l'intérieur, et en ressortit un petit paquet enroulé dans un morceau de tissu que Reed avait glissé à l'intérieur. Il le déposa devant Abbie.

Son regard passa de lui au tissu. Elle fronça les sourcils d'un air interrogateur.

— Ouvrez-le, dit-il.

Elle secoua lentement la tête.

— Pour vous faire le plaisir de laisser mes empreintes sur ce qu'il y a dedans ? Je ne sais pas à quoi vous jouez mais n'espérez pas me voir collaborer, dit-elle, provocante.

— Alors je vais le faire.

Reed déroula le morceau de tissu et révéla un petit sachet en plastique rempli de poudre blanche.

— Tiens, qu'avons-nous là ? demanda Reed en levant le sachet à la hauteur des yeux d'Abbie.

Abbie le considéra avec méfiance, comme si c'était du poison. Reed éventra le sachet, plongea l'extrémité de son petit doigt dans la poudre et le porta à son nez. Sam vit qu'elle savait de quoi il s'agissait. Elle lui avait dit que son père se droguait. Elle devait reconnaître la poudre.

— Il ne savait pas, insista-t-elle, son regard passant de Reed à Sam. Cory n'est pas un dealer. Et il ne me ferait pas ça à moi.

— Il ne ferait pas quoi ? Vous rendre complice de l'envoi de produits illicites ?

Elle se leva si brusquement que sa chaise faillit se renverser.

— Je ne suis complice de rien. Et je vous le répète, Cory ne ferait jamais ça. Comment dois-je le dire pour que vous le compreniez ? Et d'ailleurs, comment être certaine que ce n'est pas vous qui avez glissé le sachet à l'intérieur ? Sam, vous êtes fort pour jouer des tours, non ? Je veux dire Agent Lang. Enfin, si c'est votre vrai nom, ajouta-t-elle avec rancœur.

— C'est bien mon nom.

Elle le défia avec froideur.

— Peu importe. Je ne comprends pas pourquoi vous vous en prenez à moi.

Si elle mentait, elle était douée, pensa Sam tiraillé par la culpabilité.

La porte du garage s'ouvrit. Savage et Colter entrèrent dans la cuisine. Ils étaient sur le point de lui assener le coup fatal.

— Le petit gars a bossé dur, dit Colter en brandissant une statuette cassée. Vous voulez deviner ce qu'on a trouvé à l'intérieur ?

Abbie blêmit devant la pochette en velours bleu qu'il tenait à la main. Elle était couverte de poussière de plâtre. Il en vida le contenu dans sa main. Un collier d'émeraudes brilla dans sa paume. C'était l'une des plus belles imitations que Sam ait vues. Pour cela, ils devaient remercier Joe Greene – un autre membre des MCB – et ses contacts de Buenos Aires.

— Vous voulez parier que quelqu'un est à la recherche de ce petit trésor ?

Colter tenait une enveloppe kraft marquée du symbole du FBI. Il l'ouvrit, fouilla son contenu et trouva ce qu'il cherchait.

— Tiens, tiens.

Il sortit une feuille de papier de la pile, une image photocopiée des fausses émeraudes qui avaient été marquée d'une date remontant à six mois.

— Eh, oui.

Savage leva la photographie afin qu'Abbie puisse la voir et la comparer au collier.

— Les voilà.

Sam se tourna vers Abbie, et s'arma de courage pour affronter la panique et l'incompréhension qui envahissaient son regard.

— Vous êtes en danger, Abbie. Vous vous en rendez compte, je pense. Dites-nous ce que vous savez et nous pourrons vous aider.

— Votre sollicitude me touche, dit-elle, la gorge serrée.

Il ignora la douleur qui teintait sa remarque sarcastique, et poursuivit.

— De la drogue. Des pierres précieuses volées. Avec toutes ces preuves à charge, vous ne parviendrez jamais à convaincre un tribunal à la seule force de vos airs innocents.

Sur son visage, la peur se mêla à la tristesse.

— Un tribunal ? Vous pensez sincèrement que je suis mêlée à tout ça ?

Sam consulta Reed du regard avant de se tourner vers Abbie.

— Une voiture neuve. Un gros diamant. De beaux meubles. Vous pouvez m'expliquer comment une étudiante qui travaille comme croupière peut s'offrir tout ça ? Et pourquoi possédez-vous un tel système de sécurité ? Vous devez avoir quelque chose à cacher.

Elle pâlit.

— Ai-je besoin d'appeler un avocat ? demanda-t-elle faiblement.

Sam sentit qu'il était sur le point d'atteindre son but, mais n'en tira aucune fierté.

— Ce dont vous avez surtout besoin, c'est de nous parler. De nous dire exactement tout ce que vous savez au sujet de votre frère, et de ses activités pour Frederick Nader. Si vous coopérez, nous trouverons un arrangement. Si vous ne nous donnez pas ce que nous voulons, vous serez accusée de trafic de stupéfiants et de vol de bijoux.

Il fallait absolument qu'ils passent ce marché. Avant que le choc ne s'estompe, et que ses pensées s'éclaircissent. Avant qu'elle passe des coups de fil. Qu'elle se renseigne et qu'elle finisse par apprendre qu'ils n'appartenaient pas au FBI. Avant qu'elle comprenne qu'ils se raccrochaient à n'importe quoi, et qu'elle était leur seul espoir d'atteindre Nader depuis que Cory avait disparu de la circulation.

D'un geste défensif, elle croisa les bras sous sa poitrine.

— Je ne cesse de vous le répéter. Je ne sais rien.

— Voilà qui prouve le contraire, affirma Sam en montrant le faux sachet de drogue, et les émeraudes en pâte. Ça m'ennuierait de devoir vous placer en garde à vue.

Elle le toisa du regard.

— Autant que ça vous a ennuyé de m'emmener au lit ?

Sa voix exprimait tant de haine et de chagrin que Savage et Reed détournèrent le regard. Et Sam n'en éprouva que plus de respect pour elle. Elle était dure. Elle devait atrocement souffrir pour s'épancher devant les autres hommes. Il fallait du cran pour ça.

— Écoutez, reprit Sam, en suivant son instinct. (Il comptait sur la mise sur écoute de sa ligne, avec la certitude qu'elle sauterait sur le téléphone dès qu'ils auraient quitté les lieux.) Et si je vous laissais la nuit pour y réfléchir ? Nous reviendrons demain matin. Mais je préfère vous prévenir, si vous contactez un avocat, ce qui reviendrait à un aveu de culpabilité, plus aucun marché ne sera possible. Nous avons suffisamment de preuves pour vous inculper.

Elle ne répondit pas.

— Je vous donne jusqu'à 8 heures, demain matin.

D'un geste, il invita Reed et Savage à reprendre les « preuves » posées sur la table de la cuisine.

— Je reviendrai à ce moment-là, ajouta-t-il.

Il se leva, et se posta face à elle.

— Réfléchissez bien, Abbie. Vous pouvez encore vous en tirer si vous prenez la bonne décision.

— Avez-vous seulement envisagé la possibilité que je vous aie déjà dit tout ce que je savais ? Ou êtes-vous tellement habitué à mentir pour arriver à vos fins que vous n'êtes plus capable de reconnaître la vérité quand vous l'entendez ?

Oui, c'était vrai, il avait l'habitude d'user de mensonges. En revanche, le sentiment de culpabilité qui le tenaillait était beaucoup plus rare.

— Si vous nous dites la vérité, vous ne craignez rien. Mais si vous mentez, vous allez vous attirer des ennuis inimaginables. Quoi qu'il en soit, votre frère est coupable. Il trafique pour de gros bonnets, Abbie.

S'il vient à tomber en disgrâce, Nader le tuera sans plus de questions. Aidez-moi à retrouver Cory avant que ça ne se produise, et vous l'aiderez au mieux.

Une unique larme roula sur sa joue.

Sam ne devait pas laisser cette larme l'arrêter. Il se dirigea vers la porte, conscient de la laisser sous le choc, incapable de bouger. Cependant, sa voix chargée de déception le fit hésiter au moment où il touchait la poignée.

— Je suis quoi pour vous, dans tout ça ? Une prime en nature ?

Il baissa la tête. Respira profondément. Puis s'obligea à lui faire face.

— Un accident, dit-il avec la froideur du marbre. Vous êtes un accident.

Elle hocha la tête. Puis les larmes coulèrent sur ses joues.

— Bon, c'est bien de savoir que ça n'avait rien de personnel.

*Pas aussi personnel que pour elle.*

Quand Sam referma la porte derrière lui, il se sentait vide. Fini les interrogations. Fini les regrets. Le vide lui convenait mieux. Le vide dominait la culpabilité qui le tenaillait. La fin ne justifiait pas les moyens. Rien n'aurait pu justifier le chagrin qu'il avait causé à cette femme.

Rien, hormis la mort de Terri.

# 10

Abbie regarda la porte se refermer derrière Sam. Durant un long moment, elle fut incapable de détourner les yeux de cette porte.

Et brusquement, elle fut prise de tremblements.

Elle planta ses coudes sur la table, baissa la tête et appuya son front dans la paume de ses mains. Serrant ses cheveux de ses poings fermés, elle s'appliqua à tenir bon.

Quelle horreur.

Cory, impliqué dans un trafic de drogues et de pierres précieuses.

Sam, agent du FBI.

Sam, dans son lit. La pénétrant.

*Vous êtes un accident.*

Incapable de retenir ses larmes plus longtemps, elle céda. Alors elle sanglota librement, s'abandonna à de longs sanglots violents.

Pour Cory... dans quelle situation s'était-il mis ?

Pour elle-même... la trahison de Sam était plus blessante qu'un tesson de bouteille. Une entaille en profondeur.

Le chagrin ne lui était pas étranger. La douleur physique. Émotionnelle. Elle connaissait bien.

Mais ça. Sûrement pas. Elle avait été sotte. Elle avait failli tomber amoureuse de lui.

Pendant qu'il abusait d'elle. Il voulait l'envoyer en prison pour un crime qu'elle n'avait pas commis. Pour quelque chose que Cory aurait fait, mais qu'elle refusait de croire.

Elle revit le sachet de drogue. Les émeraudes prétendument dérobées.

— Cory, murmura-t-elle en posant la tête sur la table de la cuisine. Où es-tu ? Et qu'as-tu fait ?

*Au large de la côte de Muchilena, Honduras*
*Au cours de la même nuit*

— Franchement, il y a quelques zones d'Amérique centrale qui mériteraient qu'on se donne la peine de larguer du C-4 pour les réduire à néant. Vous n'êtes pas de mon avis ?

Ligoté à une chaise en métal, Cory Hughes ne répondit pas. Le sang coulait sur son visage meurtri.

Avec impatience, Frederick Nader s'assit dans le fauteuil club que son steward avait installé sur le pont tribord. Les lumières latérales du navire éclairaient la surface de l'eau. Elles illuminaient le visage défait de Hughes.

Frederick reprit son monologue.

— Cependant, je dois admettre que j'ai toujours grandement apprécié les eaux chaudes d'Isla de Roatàn.

Bien sûr, il avait dû corrompre les instances locales afin d'acquérir quelques pierres rares, et le droit de mouillage dans son port de prédilection.

— Tu y es déjà allé ? Non ? Oh, c'est une belle petite île ! Elle se trouve à l'est de La Ceiba, poursuivit-il en faisant signe à Rutger, qui s'empressa de vider un seau d'eau de mer sur le visage tuméfié de Cory.

Le jeune homme serra les dents, et un cri de douleur lui échappa alors que le sel mordait ses plaies ouvertes.

— De toute façon, je préfère largement mouiller près de Roatàn qu'ici, à Muchilena. Trop sauvage à mon goût. Bon, c'est déjà moyennement amusant de t'interroger, mais franchement, ton silence obstiné commence à m'ennuyer.

En inspectant ses ongles, Frederick nota mentalement de penser à faire revenir cette adorable manucure lors de leur prochaine visite à Roatàn. Les talents de la jolie Maria dépassaient de loin ses strictes compétences professionnelles et elle avait de très jolis seins.

Il replongea un instant dans le souvenir de leur dernière rencontre. S'enorgueillit de la rapide réaction de sa verge. Après tout, il avait soixante-cinq ans. Il attribuait sa virilité à sa descendance allemande, combinée au soin qu'il mettait à garder une excellente condition physique.

Hughes releva la tête, plissa les yeux pour le distinguer à travers ses mèches de cheveux mouillés et ses paupières gonflées.

— Bien. Te revoilà parmi nous. Nous allons reprendre en commençant par ce que nous savons déjà. D'accord ?

Il se leva, approcha de Hughes en évitant les mares de sang qui auraient pu salir ses chaussures Bateau blanches.

— Derek Styles m'a volé quelque chose. Quelque chose que je convoite depuis des années, et que j'ai eu toutes les peines du monde à acquérir. Connais-tu la légende des diamants de Tupacka ?

L'homme brisé cligna des yeux.

— J'imagine que non. Dans ce cas, permets-moi de combler cette lacune. La légende raconte qu'à son arrivée au Honduras, un conquistador espagnol est tombé amoureux de la grande prêtresse Tupacka. Sa beauté le ravit tant qu'il fit fabriquer un collier de diamants pour lui offrir en cadeau de mariage. Une fois mariés, le conquistador leva l'ancre pour emmener sa jeune épouse en Espagne, chez lui. Tu m'écoutes ?

Le menton d'Hughes roula sur sa poitrine. Ses mains étaient attachées dans son dos. Frederick fit signe à Rutger qui, une fois de plus, vida un seau d'eau salée sur le garçon blessé. La douleur lui bloqua la respiration.

— Comme cela arrivait souvent lors de ces longs et pénibles voyages, reprit Frederick, satisfait de constater que son public s'était réveillé, une énorme tempête s'abattit sur eux avant qu'ils aient dépassé les falaises. Leur vaisseau a sombré dans la mer. Tout fut perdu. Le seul objet de valeur que l'on ait retrouvé est ce collier que la prêtresse portait encore quand son corps s'est échoué sur la plage.

Il sourit.

— C'est d'un romantisme tragique, n'est-ce pas ? Et il est absolument miraculeux que l'on ait retrouvé les diamants qui ont été transmis de génération en génération, jusqu'à être offerts au Musée National. Un beau jour, j'ai enfin découvert le moyen de me les procurer.

Il se dirigea droit vers Hughes. Colla son visage au sien.

— Je tiens à les récupérer. Styles me les a volés. Et ils ont atterri entre tes mains, sans que je sache comment. Si tu veux voir se lever le jour, tu vas devoir me dire où ils sont.

Devant le silence et l'inertie de son petit passeur, Frederick décida de changer de stratégie.

— Rutger... tu as été très patient. Maintenant, il est temps de jouer avec ton couteau. Peut-être notre jeune ami trouvera-t-il ta lame plus convaincante que tes poings.

— Non. Non, je vous en supplie… ne le laissez pas me tailler. Je… vais… vous dire. Vous dire…

Frederick sourit, ravi qu'ils aient enfin réussi à le faire abdiquer.

— Un moment, Rutger. Nous devons écouter ce jeune homme. Fais bien attention à ce que tu vas me raconter, dit-il alors que la colère avait chassé tout humour de sa voix. Ta vie en dépend.


— Que dois-je faire de lui ? demanda Rutger, une heure plus tard.

Frederick leva les yeux de son verre de porto.

— Qu'il quitte le yacht. Emmène-le à Peña Blanca.

Il y possédait une vaste exploitation agricole, près du village. S'il se rendait de moins en moins à l'estancia, il l'appréciait toujours autant, pour deux raisons majeures. Elle se trouvait près de la frontière du Guatemala, ce qui serait utile s'il devait un jour fuir les autorités honduriennes. Mais elle était également située à proximité du site archéologique d'El Puente Mayan, et il aimait beaucoup les ruines mayas.

Par ailleurs, la forêt nationale – dense au point d'être impénétrable par endroits – entourait l'estancia à l'ouest, la protégeant comme une forteresse. Sa situation géographique, sur le versant sud de Montaña de la Crita, offrait une vue panoramique d'une valeur tant esthétique que stratégique.

— Préviens les hommes qu'un invité-surprise arrive.

Frederick n'ignorait pas que dans cet état Hughes n'offrirait aucune résistance. Il n'était même pas certain qu'il survive au voyage. Dans l'idéal, il devait le garder en vie tant qu'il ne s'était pas assuré d'avoir retrouvé les diamants.

— Et la marchandise ? demanda Rutger avec diplomatie. Voulez-vous que j'aille personnellement la récupérer à Las Vegas ?

— Oui. Non. Attends. À bien y réfléchir, j'ai une meilleure idée.

Pourquoi risquer que Rutger se fasse coincer, et se voie confisquer son passeport ? Ce dernier figurait sur de trop nombreuses listes rouges du gouvernement américain. Ces extrémistes radicaux avaient tué le plaisir de prendre l'avion.

— Hughes est responsable de tout ça. On va le laisser s'en charger.


Quand Cory revint à lui, il était face contre terre, allongé sur de la terre battue. Il roula péniblement de côté et se plaça sur le dos. Il se trouvait à l'intérieur d'un bâtiment. Doté de hautes fenêtres. Il faisait chaud, humide et sombre.

Il n'avait pas souvenir d'avoir quitté le yacht de Nader. Il ne se rappelait que la souffrance. L'intensité de la douleur actuelle l'informa que Nader avait finalement donné le feu vert à Rutger et à son bistouri. Ses mains étaient ligotées devant lui. Des élancements et des sensations de brûlure partaient de sa main gauche. En baissant les yeux, il s'aperçut qu'un épais bandage la recouvrait.

*Pour arrêter les saignements.*

Alors il se souvint. Tout en s'efforçant de respirer, d'éviter l'accès de panique, il se souvint de ce qu'il leur avait avoué dès que la lune s'était reflétée sur la lame de Rutger. Il se remémora ce que Rutger lui avait fait. Pourquoi sa main était pansée.

Sa main.

*Oh, non, pas ça.*

— Abbie, murmura-t-il dans le silence troublé par le vent et les mouvements de la créature qui

142

partageait le sol de ce sordide taudis avec lui. Abbie, je suis désolé.

Des larmes chaudes et salées se perdaient dans ses cheveux et lui piquaient la peau dès qu'elles rencontraient une plaie. Il n'avait jamais eu l'intention de la mêler à tout ça, mais sa stupidité et sa faiblesse avaient entraîné Abbie dans sa chute.

*Avait-il eu le choix ?*

*Quel choix ?* Il était toujours en vie uniquement parce qu'il avait caché les pierres précieuses de Tupacka en lieu sûr. Nader ne pouvait pas se permettre de le tuer. Pas avant d'avoir récupéré ses diamants.

Dans un accès de prudence, il avait expédié le collier de diamants aux États-Unis. Pas chez Abbie. Non. Il voulait à tout prix éviter qu'elle se retrouve prise entre Nader et lui.

Mais quand Rutger avait brandi sa lame, Cory avait lâché le morceau. Et à présent, Abbie était autant en danger que lui.

— Je suis désolé. Excuse-moi. Je suis désolé, sanglotait-il, et pour la première fois de sa misérable existence, il pria. Dieu, je vous en prie. Faites qu'il ne lui arrive rien. Qu'ils ne lui fassent pas de mal, à elle aussi.


*Las Vegas*

Abbie se redressa sur sa chaise. Elle consulta l'horloge de la cuisine. Il était cinq heures du matin. Elle s'était assoupie. Comment avait-elle réussi à dormir ?

Elle avait plutôt l'impression d'avoir fermé les écoutilles. Elle se leva brutalement, et vida le café préparé par Sam. Elle ne souhaitait rien garder qui lui rappelle sa présence. Les mains tremblantes, elle prépara une nouvelle cafetière. Ensuite, elle se déshabilla et se glissa sous la douche, en réglant l'eau sur la température la plus chaude possible. Elle avait besoin de se laver de son odeur comme de celle du sexe. Elle pleura encore.

Puis sa colère prit le dessus.

Enveloppée dans sa serviette de toilette, elle entra en trombe dans sa chambre, arracha les draps du lit et les jeta dans le lave-linge. Pendant que la machine à laver s'emplissait d'eau, elle resta immobile, le regard perdu sur le mur de la buanderie, tourmentée par des images qui s'entrechoquaient dans sa tête.

*Sam qui l'embrassait.*

*Sam qui l'interrogeait.*

*Sam posant sa bouche sur ses seins.*

*Qui la prévenait qu'elle risquait la prison.*

*Qui lui susurrait qu'elle était délicieuse.*

Assez.

Elle ferma la machine d'un coup sec et quitta la pièce exiguë.

La trahison de Sam n'était pas son plus gros souci. Cory était prisonnier d'un monde impitoyable qui lui était complètement étranger et elle n'avait aucune idée de comment lui venir en aide.

À ce stade, elle ne savait même plus ce qu'elle devait penser.

De la drogue ? Des émeraudes volées ? Cela ne lui ressemblait pas. Ça ne collait pas.

Oui, elle savait que Cory avait du mal à s'en sortir. Qu'il était trop fier pour lui demander de l'aide, trop fier pour l'accepter quand elle lui en offrait.

Elle but son café, le revit enfant. Les larmes lui montèrent aux yeux. Il était si beau, petit. Si minuscule. Si vulnérable. Et avait connu trop de souffrance pour son jeune âge. Leur père l'avait maltraité, avait abusé de lui. *Et pourquoi possédez-vous un tel système de sécurité ? Vous devez avoir quelque chose à cacher*, avait demandé Sam.

Quand on avait eu une enfance comme la sienne, on avait besoin de savoir qu'il existait quelque part un endroit sûr où se réfugier. Des portes fermées à clé n'étaient pas suffisantes.

Ce soir, elles n'avaient pas pu la protéger.

*Enfin, Cory, que t'est-il arrivé ?*

Oui, Abbie se sentait responsable de lui. Et oui, il la décevait. Mais par-dessus tout, elle l'aimait. Elle devait trouver le moyen de lui prêter main-forte.

Elle se rendit dans la deuxième chambre qui faisait office de bureau, considéra longuement l'ordinateur puis le mit en route.

— S'il vous plaît, s'il vous plaît, murmura-t-elle en s'asseyant. (Impatiente, elle attendit que sa boîte de réception s'ouvre.) S'il vous plaît, faites qu'il y ait un mail de Cory.

Elle devait à tout prix trouver un moyen de le joindre, et le supplier de tout lui confier.

Le cœur battant, elle patienta pendant que l'ordinateur chargeait une dizaine de nouveaux messages. Des soldes dans une boutique en ligne. Quelques spams que son filtre n'avait pas arrêtés. Son nouveau relevé bancaire.

Un message de Crystal lui demandant si ses sous-vêtements avaient fait de l'effet.

L'humiliation lui serra la gorge au souvenir de Sam la dévêtant, et de sa soudaine audace. Elle avait été tellement idiote. Elle avait vraiment cru... ce qu'elle avait pensé ne comptait plus. Sam Lang s'était servi d'elle. Voilà tout.

Elle attendit que le dernier message se charge, ennuyée par la longueur de l'opération. Il devait provenir de Fran. Fran suivait les mêmes cours de comptabilité qu'Abbie à l'université, et elle la priait régulièrement mais en vain de cesser d'envoyer des images à caractère humoristique. Fran demeurait persuadée qu'Abbie avait droit à la dernière blague du Net.

Elle était sur le point de se déconnecter quand le message apparut sur l'écran.

Il ne provenait pas de Fran. Elle ne reconnut pas l'adresse de l'expéditeur mais l'objet la fit pâlir instantanément.

Il ne comportait que deux mots : Cory Hughes. Les informations d'envoi lui indiquèrent qu'il avait été envoyé trois heures plus tôt.

Elle l'ouvrit le plus vite possible. Lut le message.

Sans pouvoir y croire.

Épouvantée.

Le souffle court, elle le parcourut une nouvelle fois.

Espérant de tout cœur faire erreur. Avoir mal compris. Se réveiller et se rendre compte que ce n'était qu'un mauvais rêve.

Mais le bruit des aiguilles qui trottaient sur la pendule murale et résonnaient dans le silence la contraignit à admettre qu'elle ne dormait pas. Dans sa gorge, une boule lui rappela qu'elle était vivante.

À contrecœur, pétrifiée, elle ouvrit la pièce jointe. Quand elle reconnut celui qui était représenté sur la photographie, et comprit ce qu'on lui avait fait, la réalité s'imposa dans toute son horreur.

Elle se leva d'un bond, chancela, puis courut à la salle de bains bien que ses jambes aient du mal à la porter.

Elle s'écroula à quatre pattes.

Et elle vomit violemment dans la cuvette des toilettes.

Quand elle réussit à respirer, quand les crampes cessèrent, elle se releva, les jambes tremblantes. Elle observa son reflet dans le miroir.

Elle était pâle. Ses yeux écarquillés renvoyaient toute la monstruosité de la photographie.

Elle avait le même air effaré de terreur et de douleur que Cory. Sur l'image, il semblait la fixer de ses yeux perdus dans un visage meurtri, boursouflé au point qu'elle ne l'avait pas immédiatement reconnu.

Devant lui, sur la table, se trouvait un journal espagnol. La date du jour avait été placée en évidence. C'était pour lui prouver qu'il était toujours en vie, comprit-elle soudain.

Le restant du papier était imprégné de sang.

À côté de la date, la main gauche de Cory posée doigts écartés. Trois doigts et un pouce. À la place de son petit doigt, une tache de sang s'étalait sur le papier journal.

L'auriculaire reposait à côté. Détaché. Vidé de son sang. Sans vie.

Comme Cory finirait par se vider de son sang si elle ne suivait pas leurs instructions à la lettre.

# 11

Ils lui accordaient quinze heures, et il lui en manquait déjà trois. Si Abbie voulait revoir son frère vivant, elle devait aller chercher un collier de diamants à une boîte postale de Las Vegas où Cory l'avait expédié, et le livrer en personne à San Pedro Sula, au Honduras.

*Quinze heures.* Au-delà de ce délai, à chaque heure qui s'écoulerait, Cory perdrait un autre doigt.

Son ventre se serra. Elle déglutit pour repousser la nausée qui menaçait. Elle devait se montrer forte. Non seulement elle avait besoin de se ressaisir, mais si elle flanchait, Cory mourrait.

Elle imprima le mail contenant les instructions. Elle les relut à plusieurs reprises même si elles étaient on ne peut plus claires. Puis elle arpenta la pièce, poussée par l'adrénaline et l'angoisse, alors que les pensées se bousculaient dans sa tête.

Elle devait réfléchir… trouver une solution… un plan d'action qui leur permette à l'un comme à l'autre de sauver leur peau.

Si Sam avait raison, si Cory était impliqué dans les trafics de cet homme, Frederick Nader, alors il semblait logique que ce soit Nader qui le garde en otage.

Elle relut le mail à la recherche d'un indice. Mais ne trouva rien.

D'après les indications, quand elle arriverait à San Pedro Sula, une voiture l'attendrait. Le chauffeur porterait une pancarte à son nom. Il la mènerait ensuite auprès de Cory. Là, elle donnerait les diamants, et ils seraient libres de partir.

Bien. Ils devaient s'imaginer qu'elle était idiote ou trop effrayée pour ne pas savoir qu'une fois la marchandise livrée, ils les tueraient.

Mourir. Morts. Assassinés. Elle pouvait compter le nombre de fois où elle avait employé ces termes sur les doigts d'une seule main. À présent, elle avait la sensation d'être plongée dans un thriller, ou dans un cauchemar. Cherchant en vain à ne pas se noyer.

Le temps passait – il était près de 6 h 30 – mais elle reprit place derrière son ordinateur et chercha une agence de voyages sur Google. Elle trouva un vol de onze heures, de Las Vegas à San Pedro Sula, qui décollait à 10 h 55.

Elle devait prendre cet avion. Qu'adviendrait-il ensuite ?

Elle avait beau retourner les faits dans tous les sens, elle ne trouvait aucun moyen de s'assurer qu'ils en ressortiraient vivants.

Elle avait besoin d'aide. Mais le mail était clair sur ce point. Elle ne devait pas contacter la police. Elle devait se rendre seule au Honduras. Toutefois, elle avait besoin de renfort.

Dans son entourage, personne n'était en mesure de l'assister.

Soudain, elle releva la tête.

Elle connaissait quelqu'un. Quelqu'un qui avait tout intérêt à l'aider. Pas pour elle. Pas pour son frère. Mais pour les diamants volés. Et pour Frederick Nader.

Alors tout devint clair. Elle sut avec précision ce qu'elle devait faire. Elle allait se servir de Sam Lang comme il s'était servi d'elle. Impitoyablement. Sans vergogne.

Ça peut marcher, se dit-elle en y réfléchissant plus longuement.

Ça allait marcher.

Cela la mènerait certainement en prison, mais elle se soucierait plus tard des conséquences. La seule chose qui importait était de retrouver Cory.

Pour la première fois depuis le début de ce cauchemar, son cœur ne battait plus de désespoir et de peur. Elle se rua dans sa chambre pour y prendre son sac à main, et son téléphone portable.

Disparu, comprit-elle après avoir cherché partout.

Sam. Il avait dû le confisquer.

Elle allait donc devoir se servir de la ligne fixe. Si Sam n'avait pas hésité à coucher avec elle pour lui soutirer l'information dont il avait besoin, il était probable qu'il n'avait eu aucun remords à mettre son téléphone sur écoute.

— Salaud.

Comme elle n'y pouvait rien, elle décrocha l'appareil et composa le numéro.

— Mais il est... six heures du matin, marmonna Crystal à la quatrième sonnerie. J'espère que tu appelles pour m'annoncer une bonne nouvelle.

— Crystal, c'est moi. Ne pose pas de questions. Dès que je raccroche, ouvre ta boîte mail.

— Qu'est-ce... ?

— Je t'en prie. Fais-le.

Abbie raccrocha.

Sam et ses camarades devaient également avoir accès à ses mails. Elle alla sur Yahoo et ouvrit rapidement un nouveau compte d'utilisateur sous un nom que Crystal reconnaîtrait. Son nom de prostituée : Jiggles Larue. C'était un jeu qu'elles avaient inventé un soir, après avoir vidé une bouteille de vin dans une ambiance particulièrement détendue. Le pseudonyme et le nouveau compte n'allaient pas arrêter Sam et ses acolytes du FBI, mais ils leur feraient perdre du temps. Quand ils l'auraient découvert, ainsi que les instructions qu'Abbie envoyait à Crystal, ils ne pourraient plus l'arrêter. Elle serait sur le point de libérer Cory ou… elle refusa de penser à ce qui arriverait si elle échouait.

Ses doigts volaient sur le clavier. Elle rédigea à l'intention de Crystal le résumé des derniers événements, ajoutant des instructions sur ce que son amie devait faire dès que la Poste ouvrirait ses portes, à 8 heures. Elle termina par une mise en garde : Crystal devait veiller à ne pas être suivie.

Elle envoya le message, et attendit quelques longues minutes avant de recevoir la réponse. « Tu peux compter sur moi. Sois prudente. »

*Heureusement que j'ai Crystal.*

« Toi aussi », répondit-elle.

Ensuite, elle répondit aux ravisseurs de Cory en choisissant soigneusement ses mots. Quand elle appuya sur « Envoyer », elle crut que son cœur allait exploser dans sa poitrine. Elle espérait que le temps jouerait en sa faveur, et qu'elle retrouverait Cory avant qu'il ne lui arrive malheur.

Elle respira profondément, se rendit en toute hâte dans sa chambre, et ouvrit son coffre-fort pour en sortir son passeport. Elle se félicita de l'avoir fait renouveler l'année précédente, même si elle n'avait pas quitté les États-Unis depuis sa lune de miel, avec Don.

Ensuite, elle prépara un bagage léger, contenant une tenue de rechange et quelques affaires de toilette. Puis elle attendit que Sam revienne. S'il avait placé son téléphone sur écoute comme elle le pensait, il n'allait plus tarder.

Quelques minutes plus tard, un 4 × 4 noir s'arrêta devant chez elle et Sam en descendit. Au moins, elle pouvait compter sur lui dans ce domaine… tant qu'elle n'exigeait pas de connaître la vérité.

— Est-ce maintenant que je dois dire « comment se fait-il que vous ayez mis tant de temps à venir » ? demanda Abbie en ouvrant la porte.

Elle avait mentalement répété sa réplique. Elle préférait éviter de bredouiller, et de lui montrer à quel point il lui était pénible de le revoir si rapidement après… enfin, si rapidement. Elle le fit entrer, et il se dirigea vers le salon.

— Vous n'avez pas vraiment l'intention d'aller au Honduras.

Ce n'était pas une question. C'était une affirmation. Et également la confirmation qu'elle avait vu juste au sujet de la surveillance.

— Pourquoi ? Parce qu'il faudrait être folle pour croire que vous n'essayeriez pas de m'arrêter ? Je suis peut-être crédule, mais je ne suis pas stupide pour autant. Tout comme vous qui passez pour un homme franc et direct alors que vous êtes tout le contraire.

Il serra les dents. Sa pique avait atteint sa cible.

— Cory est retenu en otage, annonça-t-elle sans préambule.

S'il était surpris d'apprendre que Cory avait été enlevé, il n'en montra rien.

Elle se rendit dans son bureau, sachant qu'il allait la suivre. Elle avait également planifié le moment où elle lui tendit la photographie imprimée en tâchant de ne pas la regarder.

— J'ai reçu ça par mail. Mais vos pirates vous ont peut-être transmis toutes ces informations, si vous surveillez ma messagerie comme ma ligne téléphonique.

Le silence et l'air lugubre de Sam quand il posa les yeux sur la photo révélèrent qu'il la découvrait pour la première fois. Cela signifiait qu'il n'avait pas encore accès à ses mails. Il lui restait donc une légère marge de manœuvre avant que lui et le FBI ne piratent son compte et n'interceptent les messages qu'elle échangeait avec Crystal.

— C'est typique de Nader, dit-il d'un air funeste. Ou pour être précis, c'est l'œuvre de son bras droit, Rutger Smith.

— Il veut un collier, expliqua Abbie. Celui que dans son mail il appelle les diamants de Tupacka. Il affirme que Cory les lui a volés et qu'il tient à les récupérer.

— J'ai besoin de voir ce mail.

— Impossible. Je l'ai effacé. (Sam ne devait pas découvrir dans quel endroit étaient cachés les diamants, même si, avec l'aide de la volonté divine et de Crystal, ils ne se trouvaient plus dans la boîte postale de Cory.) Je n'ai pas le temps de me livrer à vos petits jeux. Cory, non plus, n'a pas de temps à perdre. Alors voilà ce qu'on va faire.

Abbie ignora le regard noir de Sam, et rassembla son courage :

— Je ne sais pas pourquoi Cory a eu les diamants en sa possession. Tout ce que je sais, c'est qu'il les a envoyés aux États-Unis par la Poste il y a quelques jours.

Il plissa les yeux, inquiet.

— Chez vous ?

— Non, pas chez moi. Il a expédié le collier dans une boîte postale, à Las Vegas, pour les mettre en sécurité.

Le regard de Sam survola la photo.

— Il a volé Nader, et il savait que si Nader lui tombait dessus, il était foutu. Alors il a expédié les diamants aux États-Unis pour s'en servir de monnaie d'échange et contraindre Nader à le garder en vie.

C'était également la conclusion à laquelle Abbie était arrivée, même si elle refusait de voir son frère comme un voleur.

— Tant que Nader n'a pas les diamants en sa possession, Cory lui est plus utile vivant.

— Et Nader prend ses précautions en vous demandant de les livrer au lieu de venir les chercher lui-même.

Abbie était du même avis.

— Est-ce que Nader sait où sont les diamants ?

— Il le savait.

Elle frémit en repensant aux méthodes qu'il avait employées pour faire parler Cory.

— Mais plus maintenant, ajouta-t-elle.

Elle s'aperçut que Sam venait de comprendre ce qu'elle avait fait.

— Le coup de fil à Crystal. Vous lui avez demandé de les déplacer.

— L'assurance de rester en vie, expliqua-t-elle. Je leur ai fait savoir que j'avais les diamants désormais. Que je leur ai trouvé une nouvelle cachette et que s'ils tuaient Cory avant mon arrivée au Honduras, ils ne les reverraient jamais.

Pour la première fois depuis qu'elle le connaissait, Sam Lang parut ébranlé.

— Vous n'imaginez à quel genre d'ordure vous avez affaire.

Son regard tomba sur la photo de Cory, et un frisson d'effroi la parcourut.

— Si, je le sais.

— Dans ce cas, vous ne devez pas ignorer que vous venez de signer votre arrêt de mort.

Peut-être. Probablement. Oui. Elle en était consciente. Sauf que Sam était son as dans cette main.

— Tout ce que je sais, c'est que je veux retrouver mon frère.

— Vous n'irez pas au Honduras, ordonna-t-il.

Chacun de ses mots était chargé de colère.

— Parce que vous allez me poursuivre en justice ? Vous allez me jeter derrière les barreaux ? le défia-t-elle, d'une voix pleine d'un courage qu'elle n'avait pas vraiment.

» Très bien. Arrêtez-moi. Mais vous n'obtiendrez pas ce que vous voulez.

Cory était de la bagatelle à ses yeux. Abbie l'avait compris. Sam était là pour remporter le gros lot.

— Vous croyez qu'ils vont y aller doucement avec vous parce que vous êtes une femme ?

Devant son silence obstiné, il agita la photo devant ses yeux.

— Regardez cette photo. Regardez-la ! ordonna-t-il alors qu'elle détournait la tête. Ces gars ne rigolent pas. Si vous allez là-bas, votre mort sera aussi certaine que celle de Cory. S'il est toujours en vie, Nader a dû poster l'un de ses hommes à votre domicile. Il se pourrait que l'on nous observe en ce moment même, et qu'on attende que vous vous rendiez à la Poste pour récupérer le collier.

— Alors j'ai bien fait d'envoyer Crystal à ma place, répondit-elle avec défiance. Vous croyez que je n'ai pas peur ? Bon, je vous le dis clairement, je suis morte de trouille. Je sais à quoi je m'attaque.

— Alors prouvez-le. Dites-moi où sont les diamants, Abbie. Je ne vous promets rien, mais si vous faites ça pour moi, je ferai tout ce qui est en mon pouvoir pour vous ramener votre frère.

— Oh, ça, j'y compte bien, dit-elle lentement. Sauf que c'est vous qui allez m'aider à sauver Cory. Une fois qu'il sera en sécurité, vous aurez ces fichus diamants.

Il lui lança un regard furieux. Soupira.

— Aux dernières nouvelles, vous n'êtes pas en position de marchander.

— C'est là que vous faites erreur. D'après moi, si le FBI s'intéresse à Cory c'est uniquement pour atteindre Nader. Après tout, mon frère est… quel mot avez-vous employé ? Un passeur de petite envergure ? Un petit passeur ? Ce n'est pas Cory que vous voulez. Ce n'est pas moi non plus. Vous voulez Nader. Vous voulez les diamants. Et nous savons tous deux que je suis votre meilleure chance de mettre la main dessus, tout comme vous êtes ma meilleure chance de sauver Cory.

Il était furieux.

— Je vous le répète. Vous ne savez pas à qui vous avez affaire. Rien ne peut arrêter Nader.

— Ouais. Un comportement qui vous est familier.

Elle s'en voulait de mal dissimuler sa tristesse. Et elle refusait de croire que Sam regrettait ce qu'il lui avait fait.

— C'est de la vie de mon frère dont nous parlons. J'aurais cru que vous seriez ravi de vous servir de moi une fois de plus, ajouta-t-elle pour le plaisir de le voir mal à l'aise. Je suis votre meilleure chance d'attraper cet escroc, et de sauver le monde. C'est bien ce que font les gars à casquette blanche, non ? Vous sauvez le monde. Sans vous demander qui en paie les frais ? Sans vous inquiéter d'abuser des autres pour arriver à vos fins ?

Elle avait les larmes aux yeux. Elle cligna des paupières pour les retenir.

— Abbie…

— Non.

Elle leva la main, et recula de quelques pas quand il s'avança vers elle.

— Non, ce n'est rien. C'est comme ça que ça marche. J'ai fini par le comprendre. Je n'ai été qu'un… comment dites-vous ? Un accident. Rien de personnel.

Un lourd silence s'installa entre eux. Elle l'avait à sa merci. Il le savait aussi bien qu'elle. Malgré tout, elle regrettait qu'il ne soit pas l'homme qu'elle avait cru rencontrer.

— Qu'est-ce qui me garantit que vous avez bien les diamants ?

À ce moment-là, son ordinateur émit un signal l'informant de la réception d'un nouveau message. Merci Crystal. Pile au bon moment.

— Une image vaut toutes les paroles du monde, dit-elle avant d'ouvrir son mail.

Comme elle le lui avait demandé, Crystal avait pris son appareil photo avec elle, et ouvert la boîte grâce au code que Cory avait transmis à Nader. Ensuite, elle avait photographié le collier avant de l'envoyer à Abbie, accompagné d'un journal certifiant la date du jour.

— La vache, murmura Abbie en découvrant le collier pour la première fois.

L'agencement des diamants – une centaine de pierres – composait une forme élaborée partant d'un tour de cou pour se déployer en éventail, et retomber comme une cape de pierres précieuses et d'or.

Elle aurait presque pu comprendre pourquoi un homme était prêt à tuer pour ce bijou.

— Dites-moi ce que Crystal en a fait.

La voix de Sam la stupéfia. Elle se détourna de l'écran puis lança l'impression de l'image.

— Ce serait faire entrave à mes projets, vous ne croyez pas ? Tant que je ne vous dis pas où il est caché, j'ai ce qu'on appelle au poker une main, Sam.

Sans la quitter des yeux, Sam décrocha le téléphone de son ceinturon et appuya sur une seule touche.

— Vous avez la fille ? demanda-t-il sans préambule.

Il écouta, puis raccrocha sans un mot.

— On dirait que votre amie a disparu.

Abbie s'empara de la feuille fraîchement imprimée. Elle la secoua doucement pour en faire sécher l'encre, et remercia silencieusement Crystal d'être aussi futée.

— Ouais, ça lui arrive de temps en temps.

« Pendant quatre heures, avait précisé Abbie à Crystal dans son mail. Disparais de la circulation pendant quatre heures. Passé ce délai, mon avion aura décollé. Et si quelqu'un vient te trouver, fais l'andouille. »

— Vous avez monté une petite équipe de soldats, on dirait ? Vous avez impliqué votre amie dans ce foutoir ?

Son accusation la blessa. Mais elle commençait à avoir l'habitude que Sam Lang lui fasse de la peine.

— C'est la différence entre vous et moi. Je ne mettrais jamais l'un de mes proches en danger. Vous n'allez pas la poursuivre en justice. Vous vous moquez autant de ce qui arrive à Cory qu'à Crystal. Tout ce qui vous importe, ce sont Nader et les diamants.

À sa réaction, elle comprit qu'elle avait touché le point sensible.

— Je peux vous offrir les deux. Vous conduire directement à la porte de Nader. Si vous poursuivez Crystal quand tout sera terminé, j'affirmerai sous serment que je l'ai menacée et contrainte de m'aider. Et vous pouvez me croire, je sais me montrer convaincante. Vous en savez long sur la façon de convaincre les autres, n'est-ce pas, Sam ?

Elle s'empara de son sac à dos. Son coup de bluff ne l'atteindrait pas.

— Avec ou sans vous, je pars secourir mon frère. Fermez la porte à clé en sortant. J'ai un avion à prendre.

Ce ne fut qu'une fois assise à sa place dans l'avion, son sac à dos posé à ses pieds, qu'Abbie s'autorisa à penser à tout ce que son plan avait de terriblement dangereux. Mais quand le steward vint lui apprendre qu'elle avait été surclassée en première, elle sut que sa stratégie avait été la bonne.

Elle se pencha dans l'allée pour apercevoir la cabine des premières classes. Sam Lang la regardait durement, et attendait qu'elle le rejoigne.

# 12

Fou de rage. Sam était franchement, extrêmement, royalement, fou de rage.

Quand Abbie Hughes surgit dans l'allée des premières classes, la tête droite, sûre d'elle et parfaite dans son chandail jaune et son jean, il fit tout son possible pour ne pas éclater de colère. Qu'avait-il envie de faire par-dessus tout : la jeter hors de ce maudit avion, ou la jeter sur un lit ? La première solution lui épargnerait de nombreux ennuis. La seconde le plongerait plus profondément dans le chaos.

Il ne comprenait pas. Il ne comprenait rien à sa réaction face à cette femme – son sang-froid qu'elle poussait jusqu'à l'extrême limite.

Une partie de lui aurait voulu la punir. Une autre partie souhaitait la protéger. Mais cent pour cent de son être la désirait.

Alors oui, il était fou de rage de constater qu'elle le décontenançait à ce point. Il n'avait certainement pas besoin d'un nouveau joueur dans cette course visant à faire tomber Nader. L'affaire n'aurait jamais dû prendre cette tournure. Sam avait approché Abbie dans le simple but de récolter des renseignements, et pourtant elle avait réussi à retourner la situation au point de devenir un élément clé de l'équipe. De son équipe. Utiliser Abbie comme appât pour pousser Nader à sortir de son repaire n'avait jamais fait partie du plan.

Il était clair que son implication allait multiplier les complications. Son petit manège l'avait propulsée au beau milieu d'une mystification qui pourrait aboutir à sa mort.

C'était le point essentiel, en fin de compte. Ce qui le rongeait. Il ne voulait pas qu'il lui arrive quelque chose. Quand elle s'arrêta à sa hauteur, il leva une main pour désigner la place à côté du hublot. L'épuisement, qui n'était pas visible sur son visage au petit matin, était désormais manifeste. Des cernes violacés assombrissaient ses yeux. Sa peau mate semblait plus pâle.

Il revit les teintes de sa peau, dans l'obscurité de la chambre. Ressentit sa douceur. Son goût délicieux. Son odeur, et celle du sexe. Dès qu'il la regardait, lui revenait irrémédiablement le souvenir de ses jambes élancées enroulées autour de lui, de ses cheveux soyeux entre ses doigts.

Ce qu'il avait éprouvé en elle.

L'épaule d'Abbie l'effleura quand elle se glissa dans le fauteuil rembourré et spacieux. Ce léger contact déclencha une réaction physique immédiate. Son corps entier se tendit involontairement, et s'inclina vers elle. Comme la tête chercheuse d'un missile.

Un seul contact. Elle l'avait à peine frôlé, et il bavait comme un clébard.

Erreur. L'emmener au lit avait été une très, très grosse erreur. Si seulement… zut. Inutile de revenir sur ce qui était fait. Le passé était le passé. Les sentiments d'Abbie Hughes étaient le cadet de ses soucis tant l'enjeu actuel était important. Il avait un travail à mener à bien. Que cela lui plaise ou non, elle allait l'aider et lui faciliter la tâche.

Il attacha sa ceinture. Ferma les yeux. Reprit ses esprits.

— Vous savez, il y a une chose qui m'ennuie, dit-elle.

162

Il grommela, se frotta le visage d'une main.

— Une chose ? Vous foncez droit vers un nid de serpents et une chose vous ennuie ? Il y a une bonne centaine de choses qui devraient vous flanquer une peur bleue.

— Que vient faire le FBI dans une affaire de trafic international de stupéfiants ? Demanda-t-elle, ignorant sa réplique sarcastique. N'est-ce pas le rôle de l'agence internationale de lutte antidrogue ? Et d'ailleurs, que vient faire le FBI dans une affaire de vol de pierres précieuses ? Je ne savais pas que vous traversiez les frontières.

Ouais. Elle était futée. Malgré ses réticences, il admirait son intelligence. Même s'il débattait toujours pour déterminer son implication exacte dans les sales affaires de son frère, il l'admirait pour diverses raisons, et il avait du mal à s'y faire.

— Et pourquoi, s'il s'agit d'une enquête fédérale, est-ce que vous et votre petite équipe ne prenez pas un avion du gouvernement ? poursuivit-elle en désignant Savage et Colter qu'il était difficile de ne pas remarquer puisqu'ils étaient assis dans la rangée voisine.

Sam pouvait continuer à lui mentir, trouver des explications, mais en fin de compte, cela ne présentait plus aucun intérêt.

— Nous ne sommes pas du FBI.

Elle ouvrit la bouche. La referma. Secoua la tête. Comme si elle avait renoncé à attendre une quelconque honnêteté de sa part.

— Alors qui êtes-vous ? Attendez. Peu importe. Ne vous donnez pas la peine de m'expliquer.

Elle tourna la tête vers le hublot alors que l'avion s'élançait sur la piste.

— De toute façon, ce n'est qu'un mensonge de plus.

Il lutta contre l'envie de s'expliquer. De lui faire comprendre que ce qui s'était passé entre eux n'avait rien à voir avec son enquête. C'était arrivé, point. Il n'avait pas eu l'intention d'aller aussi loin. Et n'avait pas été capable de s'arrêter quand il était encore temps.

— Écoutez, il vaut mieux que vous ignoriez tout ce qui se joue dans cette affaire, préféra-t-il répondre.

Elle sembla mi-amusée, mi-dégoûtée.

— Vous ne croyez pas que c'est un peu tard pour se soucier de ce que je sais ou non ?

Il était un peu tard pour se soucier de nombreuses choses. Comme de savoir s'il pourrait coincer Nader sans impliquer Abbie.

— De mon point de vue, vous n'êtes qu'un ennemi parmi tant d'autres dans cette affaire, ajouta-t-elle face au silence de Sam. Mais vous savez quoi ? Ça m'est égal. Tout ce qui compte pour moi, c'est que Cory n'y laisse pas sa peau.

— En mettant votre propre vie en danger ? Quel plan formidable.

Elle respira profondément, et détourna le regard.

— Mon seul plan, c'est de débarquer à San Pedro Sula et de monter dans une voiture avec un homme qui doit me conduire à mon frère. C'est pour ça que j'ai besoin de vous. Vous êtes celui qui veut Nader. Je vous laisse trouver le meilleur moyen de vous servir de moi pour l'attraper. Je ferai ce que vous voudrez pour y parvenir.

Il l'examina longuement. En plus d'être intelligente, elle était loyale au point de devenir déraisonnable. Elle était consciente du danger et pourtant elle fonçait. Elle s'embarquait tête baissée dans une mission insensée destinée à sauver son frère qui n'avait rien d'un ange.

— Il n'en vaut pas la peine, vous savez. Il n'en vaut pas la peine.

Elle tourna vivement la tête et lui lança un regard noir, empli de feu et de fureur.

164

— Diriez-vous la même chose de votre sœur ?

Sam se figea sur place.

— Que connaissez-vous de ma sœur ?

— Plus que vous n'en savez sur mon frère, alors n'essayez pas de me dire ce qu'il vaut. Vous faites erreur. Tout comme vous vous êtes trompé sur mon compte.

Elle l'avait blessé, s'aperçut-elle. Elle aurait aimé s'en réjouir, le prendre comme un juste retour des choses. Mais elle n'était pas ce genre de personne. Et ne le serait jamais.

— Je suis désolée pour votre sœur, dit-elle en constatant qu'il s'enfonçait dans le silence. J'ai lu un article sur Internet. Je n'avais pas fait le lien avant, enfin, jusqu'à récemment.

Il garda le silence. À tel point qu'elle finit par comprendre.

— C'est pour elle que vous faites ça ?

C'était logique. Il n'était pas du FBI. Il n'agissait pas pour le compte de l'armée.

— Nader a causé sa mort.

Quand il finit par se tourner vers elle, son visage n'exprimait aucune émotion.

— Comme je vous l'ai dit, il est préférable que vous ne connaissiez pas tous les enjeux de cette affaire.

Puis il cala sa tête contre le dossier, et ferma les yeux.

Fin de la discussion.


Le vol allant de Las Vegas à Houston dura trois longues heures. Même en première classe, où il y avait plus d'espace, elle étouffait assise si près de Sam. Pas seulement car sa large carrure prenait de la place, mais à cause de la force de sa présence. Et parce que le souvenir de son corps nu et avide d'elle lui revenait sans cesse.

Le moindre de ses mouvements amplifiait l'effet qu'il lui faisait. Leurs cuisses qui se touchaient par accident. Son parfum à base de sauge et de santal, très discret mais si provocant dès qu'il tournait la tête, ou changeait de position.

La promiscuité la rendait folle. Abbie mourait d'impatience de débarquer à Houston. Elle avait prévu de profiter d'un peu de solitude durant l'escale de quarante-cinq minutes, avant le décollage de leur avion pour San Pedro Sula.

Elle avait besoin de se ressaisir. De rassembler ses pensées. Aussi, dès que l'avion atterrit et que les voyants s'éteignirent, elle se leva précipitamment, passa devant Sam – qui n'était pas du FBI – et se dirigea le plus rapidement possible vers la sortie.

Elle passait son sac sur son dos quand une main forte lui saisit le bras, et l'arrêta à l'entrée de la passerelle.

— N'allez pas trop vite. Nous devons trouver un endroit tranquille pour faire le point.

Elle n'avait plus qu'à dire adieu à son envie de solitude, et à sa récente décision de n'exprimer que de l'indifférence. Il tenait son coude d'une main ferme, mais sans lui faire mal. Et comme au moment où leurs épaules s'étaient touchées, ses sens devinrent électriques.

Toujours aussi choquée par sa propre réaction, elle accéléra le pas pour suivre les deux hommes qui les avaient rejoints.

— Wyatt Savage, l'informa Sam en désignant du menton l'homme qui se tenait à sa gauche, alors que l'équipe traversait le terminal à vive allure.

Savage, comme Sam, était de forte corpulence. Mais si Sam avait des muscles fins malgré une carrure athlétique, Savage était imposant comme un ours. Dans le monde du football, Sam avait plutôt le physique d'un défenseur, tandis que Savage était charpenté comme un attaquant. Et, derrière son regard doux, devaient se cacher des secrets qu'il était préférable de ne pas connaître.

— Madame, fit Savage avec un léger accent du Sud qu'elle aurait trouvé charmant s'il n'avait pas su, après l'avoir vue dans son kimono court, qu'elle avait passé une partie de la nuit avec Sam.

— Luke Colter.

Sam indiqua d'un geste l'autre homme qui sourit spontanément, en soulevant un Stetson imaginaire qui lui irait à merveille s'il en portait un.

— Tout le monde m'appelle Doc. Doc Holliday. Si vous avez des petites peaux mortes au ras des ongles, une crise cardiaque ou l'envie de faire un Stud à cinq cartes, venez me voir, d'accord ?

Grand et longiligne, Colter était plutôt bâti comme un joueur de basket-ball. Il avait des yeux bleus de dragueur et le sourire facile, mais la proximité de Sam Lang ne jouait pas en sa faveur.

— Où est passé le beau gosse ? demanda Abbie.

Doc ricana.

— La demoiselle a repéré Reed.

— Il est très occupé en ce moment. Il cherche votre amie, l'informa Sam en l'entraînant vers un coin tranquille, près de leur porte d'embarcation.

Abbie ralentit le pas.

— J'ai besoin d'aller aux toilettes.

— Dans une minute.

Sam l'entraîna vers des sièges libres un peu à l'écart. Les trois hommes s'installèrent en demi-cercle autour d'elle, formant une barrière efficace entre elle et les quelques voyageurs qui attendaient dans le terminal.

Abbie se sentait rarement intimidée. C'était l'un des avantages de sa grande taille. Mais ces trois hommes auraient fait passer un sumo pour un veau. Cet effet ne provenait pas uniquement de leur taille. Il venait de leur présence. Entre l'accent prononcé de Savage, sa lente élocution, et le sourire facile de Doc, les deux hommes s'imposaient immédiatement comme des personnages hors du commun.

Leur vivacité se ressentait dans leur façon de se tenir, et ils étaient dotés d'une conscience instinctive de tout ce qui les entourait. Cette attitude les distinguait de la masse. Pas exactement comme des prédateurs, mais… ils restaient vigilants. Ce fut le terme qu'elle décida de retenir. Et efficaces. Ils avaient l'air d'être efficaces.

— Des militaires ? demanda-t-elle en passant le cercle en revue.

Sam avait appartenu à l'armée. Peut-être qu'il en faisait toujours partie. Elle préférait de loin cette idée à celle d'une quête destinée à se venger d'un cartel de la drogue.

— Vous êtes de l'armée ? reprit-elle.

— Vous savez quoi ? Cette fille me plaît bien. Elle joue franc-jeu, déclara Doc en adressant un signe de tête à Sam.

— Elle est bien obligée, si elle veut en sortir vivante, rétorqua Sam d'un ton neutre.

Un téléphone sonna. Comme Abbie n'avait pas eu la chance de récupérer le sien, elle fut la seule à ne pas chercher son portable dans ses poches.

— Yo, répondit Savage avant de se lever pour s'éloigner du groupe, la tête baissée.

— Comment vais-je communiquer avec vous sans mon téléphone ? demanda Abbie.

— Sans puce adaptée, votre téléphone ne fonctionnerait de toute façon pas hors des États-Unis.

Par conséquent, elle ne disposait d'aucun moyen de communication. Sam attira son attention.

— Dites-moi ce que vous savez sur Nader.

— Je vous ai déjà tout dit. Je ne sais rien. Je n'avais jamais entendu son nom avant que vous me parliez de lui.

Pour la première fois, Abbie le sentit hésiter. Comme s'il commençait à la croire, bien qu'il n'en ait, à l'évidence, pas la moindre envie.

— Bon, très bien. Pour aller plus vite, je vais vous résumer l'essentiel, dit Sam si bas qu'Abbie dut se pencher vers lui pour l'entendre. Nader possède une douzaine d'entreprises légales dans différentes parties de l'Europe. Il a placé de l'argent dans tous les domaines, dans des centrales électriques, dans l'immobilier, le café, la restauration rapide et les boissons alcoolisées. Rien que des investissements juteux.

» Mais ça ne lui suffisait pas, continua Sam. Il a décidé de s'inventer une vie de gentleman mafieux. Ses affaires légales l'ennuyaient alors il a commencé à tremper dans des histoires moins réglementaires, il y a plusieurs années. À présent, c'est un acteur majeur dans tous les commerces illégaux. Il vend aussi bien des armes aux terroristes que de la drogue dans le monde entier. Son réseau a de quoi rivaliser avec Al-Qaida en termes de sophistication et de capital, bien que sa portée soit moins forte. Mais il y a une faille. Il délègue la plupart du temps, mais il aime également s'occuper personnellement de certaines de ses affaires. Évidemment, il ne fait jamais le sale boulot lui-même. Il laisse ça à Rutger Smith.

— Smith est le tueur à gages personnel de Nader, précisa Doc, en plaçant son attaché-case sur ses genoux.

Il l'ouvrit et en sortit une photo.

— Il est important que vous sachiez à quoi il ressemble.

Il lui tendit un cliché qui avait été pris à l'insu de Smith.

— Je ne vois pas comment ce type pourrait passer inaperçu.

Abbie se félicita d'avoir parlé d'une voix assurée parce qu'en vérité, en découvrant le portrait de Smith, elle avait failli avaler sa langue.

C'était un format extra-large. Rutger Smith était grand et gros, chauve et effrayant. Une cicatrice en forme de croissant de lune courait du coin de son œil gauche à sa bouche. Oui, il faisait peur. Mais ses yeux étaient encore plus impressionnants que sa corpulence. Ils semblaient... Sans âme.

— Deux mètres pour cent cinquante kilos de pure méchanceté, l'informa Colter. Il porte toujours un couteau sur lui, et adore s'en servir. Il respecte autant la vie humaine que les cafards. Mais tuer n'est pas sa spécialité. Découper, taillader, trancher, voilà ce qui l'amuse par-dessus tout.

Abbie ferma les yeux, pensa à Cory, à ce que Rutger Smith lui avait fait subir.

Doc glissa une autre image sur celle de Smith. Cet homme devait approcher des soixante-dix ans. Des cheveux blancs fins, peignés vers l'arrière de façon à dégager un visage uniformément bronzé. Soigné, distingué, il s'entretenait physiquement. Il aurait pu être médecin, avocat ou PDG d'une entreprise du CAC 40. Il était vêtu en blanc de la tête aux pieds, et des diamants brillaient à son annulaire, tandis qu'une chaîne en or pendait à son cou. Il avait des yeux de serpent.

— Frederick Nader ? devina-t-elle.

Sam acquiesça.

— Comme je l'ai dit, sa pire faiblesse est ce qu'il considère comme une force. Il se voit comme un général dirigeant son armée depuis le front. Il ne peut s'empêcher d'intervenir dès qu'une grosse affaire est sur le point d'être conclue.

— Et quand quelqu'un lui dérobe ce qui, pour lui, lui revient de plein droit, il le prend pour une attaque personnelle, ajouta Doc.

— Comme les diamants de Tupacka, conclut Abbie d'une voix calme.

— Ouais, comme les diamants, confirma Sam.

— Son amour pour les cigares – entre autres choses – le conduit à se rendre régulièrement au Honduras. Le marché du cigare y est particulièrement développé, intervint Doc. Il aime ancrer son yacht, le *Seennymphe*, au large d'Isla de Roatàn. En plus de son addiction pour le *maduro habano*, il est obsédé par les filles de ce pays.

Abbie leva les yeux de la photo, impressionnée par tous ces nombreux détails.

— Pas le FBI. Pas l'armée. Mais un organisme qui a accès à toutes ces informations. Qui êtes-vous donc ?

— Nous sommes du côté des gentils, répondit Doc avec un sourire convaincant. Difficile de nous croire, je le sais, mais il est préférable de s'arrêter à cette réponse.

En bref, *vous ne saurez rien de plus sur nous*. Abbie était contrainte d'accepter.

Savage les rejoignit en fermant le clapet de son téléphone.

— C'était Mendoza. Il nous retrouve à l'aéroport avec une voiture et le matériel.

— Mendoza ? Il y a d'autres hommes dans votre équipe ?

— Oh, trésor. Si vous saviez, dit Doc avec un clin d'œil.

— Ouais, si seulement.

Elle ravala une envie surprenante de lui sourire. Doc était mignon, et il avait un joli sourire, mais il était taillé dans la même étoffe que Sam. Elle pouvait autant se fier à l'un qu'à l'autre.

— Nous voudrions vous équiper, dit Sam.

— M'équiper ?

— D'après les instructions, vous devez arriver seule. Vous allez donc devoir descendre seule de l'avion. L'homme de Nader n'a aucun moyen de savoir que nous vous accompagnons, mais nous devons tout de même rester discrets. Malgré tout, nous devrions pouvoir vous suivre.

— Oh, je vois. Mais non. Je n'ai pas envie de porter un appareil.

Cependant, elle allait bien être obligée de leur obéir, comprit-elle alors. Tout comme elle réalisa soudain que si elle fonçait droit vers un monde qui dépassait son entendement, pour ces hommes, cela relevait de la pure routine.

Elle assimila alors les conséquences concrètes et réelles de sa décision de sauver Cory. C'était une chose de se rendre coûte que coûte au Honduras, mais c'était tout autre chose d'affronter l'évidence : une fois sur place, elle serait seule. Elle abandonnerait la relative sécurité que lui offraient Lang, Colter et Savage pour monter à bord d'une voiture conduite par un terroriste. Un terroriste qui avait battu et brutalisé son frère et qui n'hésiterait pas à les assassiner, au moindre faux pas.

# 13

— Comment ça marche ? demanda Abbie dès qu'elle reprit ses esprits.

De son attaché-case, Doc sortit un cordon court à l'extrémité duquel était attaché un disque de la taille d'un petit bouton.

— Vous allez glisser ça à l'intérieur de la bretelle de votre soutien-gorge. Le micro sera coincé sur votre peau.

Oui, songea-t-elle à nouveau. Ils devaient avoir certains contacts pour disposer aussi facilement de ce type d'équipement sophistiqué.

Elle posa un regard méfiant sur l'appareil.

— Ça, c'est un véritable émetteur ?

— Ça fonctionne avec les ondes radio, poursuivit Doc en lui montrant le décodeur. Tant que nous restons à quelques kilomètres, nous pouvons entendre tout ce qui est dit autour de vous dans un périmètre de trois mètres.

— Est-ce que je pourrai vous entendre ?

Sam secoua la tête.

— Si c'était possible, nous vous poserions un écouteur mais ce serait trop risqué. Ils le remarqueraient tout de suite.

— Qu'est-ce qui empêchera les hommes de Nader de trouver ça ? demanda-t-elle comme Colter lui tendait l'appareil.

Elle avait lu suffisamment de polars pour savoir que la technologie permettait de dépister ces micros filaires.

— La même chose qui les empêchera de détecter ça, dit-il en montrant une puce carrée – deux fois plus grosse qu'un timbre-poste classique. Un transmetteur GPS.

Même Sam parut surpris par sa petite taille.

— Nate a dû payer cher pour ce petit chef-d'œuvre.

— Le dernier né des dispositifs de pistage du monde, et le plus petit de tous. La société anglaise qui le produit a demandé à Nate de le tester en situation.

— De le tester en situation ? C'est expérimental ? demanda Abbie, qui n'apprécia pas cette précision.

— Ne vous en faites pas, la rassura Doc en appuyant ses paroles d'un sourire. Nous l'avons utilisé sur le terrain la semaine dernière. Il fait des merveilles.

— Où est l'antenne ? demanda Sam en examinant la puce.

— Elle est interne, dit Doc avant de poursuivre à l'intention d'Abbie : J'aimerais que vous le glissiez dans votre chaussure, en le calant sous la semelle, juste sous la voûte plantaire. Le pied a moins d'appui à cet endroit.

Abbie acquiesça.

— Nous allons suivre chacun de vos pas, d'accord ? Et nous avons des télécommandes pour agir sur le GPS et le micro, expliqua Doc. Une fois que vous aurez rejoint l'homme de main de Nader, nous les éteindrons, le temps qu'il vous fouille, et nous les rallumerons ensuite, soit quand nous aurons une confirmation visuelle que vous ne risquez plus rien, soit après un laps de temps raisonnable. À partir de là nous n'aurons plus qu'à rester en retrait jusqu'à ce que vous nous conduisiez à Nader.

Comme à plusieurs reprises depuis qu'elle avait pris la décision de mettre sa vie en péril, Abbie rassembla son courage pour surmonter un atroce sentiment d'effroi. Elle réalisait tardivement ce qu'elle s'apprêtait à faire. Elle s'était fixé un but sans être réellement consciente de ce qui allait lui arriver.

— Et ensuite ? demanda-t-elle en dissimulant ses tremblements.

— Ensuite, vous devez nous faire confiance. Nous savons ce que nous avons à faire, affirma Sam avec conviction. Nous allons vous sortir de là.

Faire confiance. Ce mot avait une fâcheuse tendance à revenir. Elle devait faire confiance à Sam Lang. Comme elle l'avait déjà fait, une fois. Avec le résultat heureux que cela avait eu.

Sam sembla deviner son appréhension.

— Vous pouvez encore abandonner, vous savez. Il suffit de le demander.

Elle croisa le regard de Sam, s'attarda dans ses yeux bruns. Comprit qu'il préférerait qu'elle ne soit pas là.

— Je ne laisse pas tomber.

Il soutint longuement son regard, et finit par acquiescer.

— Nader n'a aucune patience, reprit-il, en prenant acte de sa décision. Il exigera que vous lui révéliez l'information qui l'intéresse. Et vous allez le faire. Sans résister. Sans hésiter. On ne joue pas au héros, vous comprenez ? Vous lui direz immédiatement où vous avez caché les diamants.

— Est-ce que ça ne revient pas à signer mon propre arrêt de mort ?

Doc secoua la tête.

— Il ne tuera pas la poule aux œufs d'or tant qu'il n'aura pas eu confirmation de la véracité de l'information. Tant que vous aurez de la valeur à ses yeux, vous resterez en vie. Il a bien conscience qu'en vous tuant avant de tenir les diamants entre ses mains, s'il découvre que vous lui avez menti, il retournera à la case départ.

— Tout comme il n'ignore pas que s'il assassine Cory, intervint Savage, anticipant la question suivante, il perd votre coopération.

— Vous savez, dit Sam, retrouvant l'écoute attentive d'Abbie, nous allons le faire tomber sans lui laisser l'occasion de faire le mauvais choix.

— Et comment, exactement, comptez-vous vous y prendre ?

— C'est notre boulot, rétorqua Sam avec une assurance sans appel. Nous renversons la situation afin d'atteindre nos objectifs.

En effet, se dit Abbie. Ils renversent les situations. Quelques jours auparavant, elle était étudiante et croupière de black-jack. La vie était simple, prévisible, et monotone. Désormais, elle filait aveuglément en direction du quartier général d'un terroriste international dans le but de sauver son frère. Elle avait l'impression d'être devenue le personnage d'un jeu vidéo.

— Vous pouvez aller aux toilettes, maintenant, dit Sam. Et vous devriez faire vite.

Elle contempla Sam, l'équipement, et approuva d'un signe de tête. Elle se leva, surprise de constater que ses jambes lui répondaient, et se dirigea vers les toilettes pour dames.

Un câble fin comme du fil de couture et un timbre-poste allaient constituer sa première et unique ligne de défense au cas où les événements tournaient mal. Il était presque assuré que les choses tournent mal.

Un autre point s'imposa avec certitude, quand elle s'enferma dans la cabine des toilettes, enleva son pull et son soutien-gorge, et entreprit de glisser le fil dans la bretelle.

Qu'elle ait des sentiments pour Sam Lang, qu'il se soit servi d'elle, qu'il lui ait menti n'avait pas d'importance. Elle devait laisser ça de côté. Pour elle, pour

Cory. Leur existence dépendait de cet homme et de ses « associés », à défaut d'un meilleur terme.

La seule chose qui comptait pour Abbie était de retrouver son frère, et de quitter le Honduras avec lui.

*Aéroport international de La Mesa*
*San Pedro Sula, Honduras*

— Elle va bien s'en tirer.

Doc tenta de rassurer Sam à 10 h 04 quand Abbie descendit seule de l'avion, à l'aéroport de San Pedro Sula.

— Elle est intelligente et forte. Elle saura garder la tête froide.

Sam prit une profonde inspiration, s'agrippa aux accoudoirs de son siège en cuir, et s'appliqua à résister à l'inexplicable panique qui l'envahit en voyant Abbie passer la porte, et disparaître.

Avec pour seule protection, son sac à dos.

Oui, ils avaient tout passé en revue. Autant que possible. Dans les moindres détails. Elle ne courrait aucun risque. Ferait exactement ce qu'ils lui ordonnaient. Compterait sur eux pour savoir comment et quand passer à l'attaque. Elle connaissait la marche à suivre.

Toutefois, les mauvais pressentiments s'accumulaient.

Sans comprendre comment, son état d'esprit avait changé. Si au début, Sam doutait de son innocence, il avait progressivement eu envie d'y croire. Puis il avait franchi la dernière étape.

Désormais, il la croyait.

Et, maudit soit-il, il avait toujours autant envie d'elle.

Il se leva d'un bond, ignora les regards surpris de Savage et Doc, et s'élança à sa suite. Il la rattrapa juste avant qu'elle ne quitte la passerelle.

Quand il lui saisit le bras, elle se retourna aussi vivement que si elle avait reçu une balle. En constatant que c'était lui, elle s'affaissa contre le mur, et reprit lentement son souffle.

— Vous m'avez fait une peur bleue.

— J'ai changé d'avis. Vous n'y allez pas.

Déconcertée, elle fronça les sourcils.

— De quoi parlez-vous ? Nous sommes arrivés. Nader m'attend.

Il la tint par les épaules.

— C'est trop dangereux.

Après s'être remise de l'effet que lui procura le contact de ses mains, elle sembla perplexe.

— Oui, je l'avais bien compris. J'en ai pleinement conscience. Mais cela a toujours été dangereux. Alors je ne… je ne comprends pas.

Elle le scruta du regard, profondément décontenancée.

— Que se passe-t-il ? Pourquoi est-ce que, subitement, les risques que je prends vous préoccupent ? À vos yeux, je ne suis qu'une menteuse et une vo…

— Arrêtez ! Je me suis trompé, d'accord ! s'exclama-t-il.

Stupéfaite, elle cligna des yeux sans parvenir à prononcer un mot.

— Je me suis trompé sur vous, répéta-t-il, plus sûr de lui depuis qu'il avait cessé de nier ce que son instinct martelait : elle n'avait rien à se reprocher. J'ai fait erreur à votre sujet. Je ne vais pas aggraver la situation en vous laissant à la merci d'un meurtrier pourri.

Si elle resta sur ses gardes, la stupéfaction se changea lentement en un sentiment plus doux. Ce n'était pas de la confiance, car elle n'était pas encore prête à franchir ce cap.

— D'où vient ce revirement ?

Oui. C'était la question à un million de dollars. Une question à laquelle Sam était dans l'incapacité de répondre, bien qu'il ait autant de besoin de comprendre qu'elle.

— De tout ce que vous voudrez. Peu importe. L'essentiel est que je refuse de vous laisser y aller.

Elle planta ses yeux dans les siens, secoua fermement la tête.

— C'est mon frère. Je ne peux pas ne pas le faire.

Alors, tout lui revint. Le visage de son père. Abattu, vaincu. La voix de son père quand il lui avait supplié d'arrêter Nader.

*Tu ne peux pas ne rien faire.*

— De votre côté, suivez votre plan. Et soyez là à temps, affirma-t-elle avec une paisible conviction qui scella leur destin.

À regret, il lâcha ses épaules tout en refrénant l'envie de la reconduire dans l'avion, où elle serait en sécurité. Il avait compris qu'il avait perdu la bataille. C'était sans mal, puisqu'ils menaient des combats similaires.

Quand il posa la main sur sa joue, le regard d'Abbie s'assombrit. Et quand ses doigts furent irrémédiablement attirés par sa bouche, elle prit un air interrogateur. Il se pencha vers elle. Appuya son front contre le sien.

Les doigts d'Abbie s'enroulèrent autour de son poignet. S'accrochèrent.

— Il suffit d'arriver à temps, répéta-t-elle dans un souffle.

— Comptez sur moi.

Puis il l'embrassa.

Un baiser puissant et féroce. Exigeant et désespéré. Totalement irréfléchi.

Quand il recula, elle plongea ses yeux dans les siens. Stupéfaite. Subjuguée. Dans l'attente d'une explication.

— Soyez prudente, dit-il en prenant conscience de sa propre brusquerie. Soyez plus que prudente.

La gorge serrée, elle acquiesça. Dans ses yeux, il lut un mélange douloureux de détermination, d'appréhension, et de déchirement. Puis elle lui tourna le dos, et disparut dans le terminal.

Le cœur d'Abbie battait trois fois plus fort quand elle s'éloigna de Sam.

Elle était terrifiée.

Elle était angoissée.

Mais surtout, elle était bouleversée.

*Je me suis trompé sur vous.*

Insuffisant. Trop tard. Voilà ce qu'elle aurait dû dire. Trop tard. Trop tard. Trop tard.

Qu'il aille au diable.

Au diable, lui et ses baisers.

Au diable, sa façon de la regarder comme… comme il l'avait regardée le soir où ils avaient fini dans son lit.

Et au diable, sa propre réaction. Elle avait envie de le croire. De nouveau.

Elle rassembla son courage, et le chassa de ses pensées. Elle réceptionna ses affaires dans le terminal bondé de monde. Elle n'était pas là pour elle, ni pour Sam. Elle était là pour Cory. Elle devait garder la tête froide.

Oh, non.

Elle s'arrêta net en apercevant la pancarte sur laquelle son nom avait été écrit à la main. Elle était tenue par une main grassouillette.

Elle y était. Elle avait atteint le point de non-retour.

Quand elle reconnut l'homme qui brandissait le panneau, elle se souhaita bon courage.

Nader n'avait pas envoyé un simple chauffeur à sa rencontre. Il avait dépêché Rutger Smith.

La peur lui scia les genoux. Elle repoussa le sentiment de dégoût qui montait en elle, pour laisser s'épanouir toute sa rage. Chaque atome de son être passa de la condition de proie à celle de prédateur.

C'était le monstre qui avait brutalisé son frère. S'il lui inspirait de la crainte, il lui donnait surtout envie de lui faire payer les souffrances de Cory. Mais d'abord, elle devait voir son frère. Arriver jusqu'à lui. La seule façon d'y parvenir était de continuer à marcher, la tête droite.

Il ne l'avait pas encore vue. Le terminal était rempli de voyageurs, même à 22 heures, dans cette partie du monde où la chaleur et l'humidité imprégnaient le bâtiment mal aéré. Elle baissa les yeux, et parla à voix basse.

— J'ai repéré mon chauffeur, informa-t-elle Doc, sachant que Sam et lui étaient à l'écoute.

Elle était bien consciente que si elle ajoutait que Nader avait pris Smith pour émissaire, Sam débarquerait sans tarder.

Elle tenait à éviter cela.

— Ne vous éloignez pas, hein ? Restez... près de moi.


Lutter ou s'enfuir. Elle avait lu des articles sur l'instinct de survie, sur l'hésitation naturelle qui pouvait survenir dans une situation menaçante. Pour la première fois, elle en saisissait pleinement le sens. Quand son regard croisa celui de Rutger Smith, il lui fallut rassembler tout son courage pour continuer à mettre un pied devant l'autre.

La photographie était fidèle à l'homme. Son regard, quand il s'arrêta sur elle, n'exprima rien qui s'apparente à un sentiment humain.

— Je suis Abbie Hughes, dit-elle en s'arrêtant à plus d'un mètre de lui.

Smith la jaugea avec froideur et distance, au point qu'elle eut des frissons glacés malgré la chaleur de la nuit tropicale.

— Mon employeur vous attend.

— Mon frère, dit-elle quand il se mit en route pour traverser le terminal. J'ai besoin de savoir. Où est-il ? Comment va-t-il ?

Smith s'arrêta. Il plongea ses yeux sans âme dans les siens.

— Je vous recommande de vous contenter de m'accompagner. Je suis là pour vous conduire à destination, pas pour répondre aux questions. Vous aurez des réponses en temps voulu.

— J'ai besoin de lui parler, insista-t-elle en suivant les recommandations de Sam.

Elle n'irait nulle part tant qu'elle n'aurait pas la preuve que Cory était vivant.

Impatient, Smith la considéra avec dédain, montrant pour la première fois un semblant d'émotion. Abbie savait qu'elle l'avait à sa merci. Si elle ne coopérait pas, Nader ne pourrait jamais recouvrer ses diamants. Tant qu'ils se trouvaient dans l'enceinte de l'aéroport, elle était en sécurité. Il ne prendrait pas le risque de se faire remarquer en l'emmenant de force.

Sans ajouter un mot, il sortit un téléphone de la poche de son pantalon de costume.

— *Ponga el gringo*, dit-il après un long moment. Puis il lui tendit l'appareil.

Le cœur battant, elle s'en empara à deux mains.

— Cory ?

Silence. Puis un faible et hésitant :

— Abbie ?

Les larmes montèrent aux yeux de la jeune femme.

— Cory. Mon bébé. Oui, c'est moi. C'est Abbie.

Elle l'entendit bouger.

— Non... ne viens pas.

— Cory...

Smith lui arracha le téléphone des mains.

— Satisfaite ?

Non, elle n'était pas satisfaite. Mais au moins savait-elle que son frère était toujours en vie. Vivant, blessé, et terrifié. Terrifié comme le petit garçon qui se cachait dans le placard.

Smith lui tourna le dos et se dirigea vers la sortie.

Tremblante, Abbie était partagée entre le soulagement, la colère et la peur. N'ayant pas le choix, elle remit son sac sur son épaule, et le suivit.

Douce comme un agneau qu'on emmène à l'abattoir, songea-t-elle, le cœur serré, alors qu'ils atteignaient la sortie.

# 14

— Elle est bouleversée, commenta Sam en écoutant avec Doc et Savage la voix d'Abbie dans le récepteur.

— Elle va bien, dit ce dernier en le regardant longuement.

Doc se contenta de hausser un sourcil.

Sam savait qu'ils avaient pu entendre la conversation d'Abbie et du chauffeur de Nader dans le brouhaha du terminal bondé. De la même façon, les deux hommes avaient eu la primeur de sa conversation avec Abbie sur la passerelle.

Ni Doc ni Savage n'en avaient parlé. Sam n'était pas dupe ; ils avaient leurs opinions. Il n'ignorait pas ses surnoms : l'homme tranquille ; l'homme de glace. Froid sous les bombes. Professionnel en toutes occasions. Jamais ils ne l'avaient vu agir autrement que guidé par une efficacité dénuée d'affect. En conséquence, ils étaient soit choqués par son comportement face à Abbie, soit inquiets des conséquences que ses sentiments pourraient avoir sur le déroulement de l'opération. Dans un cas comme dans l'autre, ce qu'ils pensaient les poussait à taire leurs commentaires. Mais il ne laisserait pas l'émotion prendre le dessus.

À la minute où Abbie avait quitté la passerelle, les trois hommes étaient passés à l'action. Ils avaient saisi leurs sacs de voyage dans le compartiment à bagages, avant de quitter précipitamment l'avion. Une fois dans le terminal, ils étaient partis dans la direction opposée à celle de réception des valises. Sam ne pouvait courir le risque d'être repéré par l'homme de main de Nader. Il avait trop souvent croisé la route de ses tueurs à gage, et jamais pour prendre le thé et grignoter des biscuits.

— Appelle Mendoza, dit Sam, impatient d'établir la connexion qui lui permettrait de suivre Abbie.

— Il attend dans la zone de stationnement de courte durée, l'informa Savage après une brève conversation téléphonique. Un vieux modèle de 4 × 4. Gris. Avec des plaques d'immatriculation locales.

Mendoza connaissait bien son boulot. Ils devaient se fondre dans la masse, être le plus discrets possible. Un modèle récent ou tape-à-l'œil aurait autant détonné qu'un smoking dans un relais routier.

— Il se passe quelque chose ? demanda Sam en filant vers la sortie.

Doc écoutait Abbie grâce à un casque. Il secoua la tête.

— Des bruits de circulation. Ils sont dehors. Ça ne papote pas beaucoup. Attends.

Il s'arrêta. Leva la main. Et d'un geste rapide, coupa l'appareil de pistage.

— Il vient de lui demander de tendre les bras sur le côté.

Cela signifiait qu'il la passait au détecteur pour vérifier la présence d'un mouchard. Et probablement qu'il la fouillait minutieusement. Sam serra les dents, et préféra éviter d'imaginer les mains de cette ordure posées sur elle. Pour couronner le tout, ils ne pouvaient plus suivre leur conversation. Pour l'instant, elle était livrée à elle-même.

Le regard dur, fixé devant lui, il traversa le parking en cherchant Mendoza. Raphael le remarqua avant lui. Portière ouverte, il se tenait debout, devant un 4 × 4 qui ressemblait davantage à un gros char ayant fait la guerre.

Comme toujours, Mendoza avait l'air tout droit sorti d'une séance de photos de mode. Ses épais cheveux noirs étaient coupés en brosse. Ses yeux noirs – signe de ses origines colombiennes, tout comme sa peau mate – pétillaient d'intelligence sous l'éclairage de secours. Il était remonté, prêt à l'attaque. Il n'était pas aussi grand que Gabe Jones ou Sam, mais en fin de compte, Raphael « l'enfant de chœur » Mendoza était l'un des soldats les plus combatifs que Sam ait jamais vu.

— Jolie bagnole, fit Doc en souriant à Mendoza.

— Un peu dans ton genre, Holliday, rétorqua Mendoza, amusé. Elle ne paie pas de mine, mais c'est une dure à cuire.

— Comment ça va ?

Il se tourna vers Sam, et lui tendit la main pour l'accueillir.

Sam lui offrit une poigne de fer.

— Merci de te joindre à nous.

— Hé, nous sommes toujours une équipe. Ça ne changera jamais.

Le sourire de Mendoza s'évanouit, et il dit simplement :

— Je suis désolé.

Sam et Raphael se revoyaient pour la première fois depuis la mort de Terri.

Sam acquiesça d'un geste.

— Nous allons coincer cet enculé, ajouta Mendoza et, alors que le silence devenait trop lourd, il changea de sujet : Reed n'est pas là ?

— Pas cette fois, expliqua Sam. Il nous fallait quelqu'un sur place, à Las Vegas.

Sam n'avait pas été entièrement franc avec Abbie. Il n'avait pas tout dit des activités de Reed. Celui-ci suivait bien les traces de Crystal Debrowski, à la recherche d'un indice sur l'endroit où elle avait caché les diamants. Et il devait également demeurer à Las Vegas, dans l'hypothèse où Nader envoie l'un de ses hommes réceptionner le collier. Mais il avait également pour mission de protéger le père de Sam. Si Nader ordonnait à ses laquais de s'en prendre à sa famille, il leur faudrait d'abord affronter Reed.

— Vous allez avoir besoin de ça, dit Mendoza en leur tendant des téléphones portables dès qu'ils montèrent dans le véhicule.

Sam s'installa sur le siège passager. Savage et Doc prirent place à l'arrière.

— J'ai mémorisé tous nos numéros dans chaque appareil.

— Tu nous as apporté d'autres jouets ? demanda Savage en rangeant son téléphone.

Mendoza leur offrit son plus beau sourire.

— Tous vos joujoux préférés, et quelques surprises.

En clair, Raphael s'était procuré un pistolet Kimber Tactical Pro 1911 pour Sam, ainsi qu'un H&K MP-5K. Il le soupçonnait d'avoir ajouté un fusil M-16 ou deux. Comme ses surprises le prouvaient, Mendoza savait préparer un assaut et aucun des hommes présents dans le 4 × 4 ne doutait de ses talents.

Sam ne prendrait aucun risque. Ni ne ferait aucun prisonnier.

Il était prêt à tuer pour arriver à ses fins.


*El Nuevo Porvenir*
*À 20 km au nord de Peña Blanca, Honduras*


Un sourire se dessina lentement sur le visage de Desmond Fox quand il reposa le téléphone et se rallongea nu, sur son lit.

Tout était parfait. L'ironie était parfaite. L'exécution serait parfaite. Nader ne comprendrait jamais ce qui allait lui tomber dessus, car il ignorait que Desmond avait connaissance de sa propriété de Peña Blanca. De la même façon, le salopard allemand était loin de se douter qu'un des hommes de Desmond avait infiltré la petite troupe chargée de la surveillance du malheureux passeur de Nader. Celui qui détenait la clé menant aux diamants de Tupacka.

Les passeurs et les taupes. Desmond aimait les heureuses associations d'idées, et se plut à imaginer les animaux se mêlant aux hommes pour faire le sale boulot. Cette idée le fit rire. Tout comme le massacre que ses hommes s'apprêtaient à perpétrer à Peña Blanca.

— Je connais ce rire, *mi amore*.

Juanita, une beauté à la chevelure noire et à la poitrine alléchante, vint se placer à quatre pattes au-dessus de lui. Son corps nu le chevaucha, sa peau dorée et ses courbes généreuses unissant leur chaleur pour son plus grand plaisir.

Belle. Elle avait à peine vingt ans, mais elle était d'une grande sagesse. Si délicieusement dévergondée. Évidemment, Desmond l'avait bien éduquée. À cinquante ans, il savait enseigner aux femmes les meilleures façons de le combler. Il caressa affectueusement ses cheveux, puis serra une mèche dans son poing. En tirant lentement, il l'attira vers lui jusqu'à ce que leurs bouches se rencontrent. Son haleine, un mélange de sangria et de sexe, se fondit dans sa bouche.

— Et que sais-tu de mon rire ? demanda-t-il en guidant sa tête vers son sexe tendu.

— Ce rire veut dire que quelqu'un va mourir, ronronna-t-elle en passant délicatement ses lèvres sur l'extrémité de sa verge.

Elle l'enserra, le taquina, le lécha.

— Une des choses que j'aime le plus en toi, joli chaton, c'est que tu es aussi impitoyable et assoiffée de sang que moi.

— Une des choses ?

Son sourire se fit coquet et faussement effarouché quand elle rapprocha ses deux seins généreux pour emprisonner sa queue.

— L'une des nombreuses choses, répondit-il tendrement, avant de lâcher ses cheveux. Continue comme ça, ma chérie.

Ensuite il s'allongea, laissant Juanita accomplir des merveilles et lui faire une large démonstration de ses talents.

Plus tard, quand elle se fut endormie, sa main experte reposant sur son torse, la tête contre son épaule, il se félicita de savoir choisir les femmes comme les meilleures stratégies.

Il prit une cigarette, son briquet serti de diamants, et aspira longuement la première bouffée. Un nuage de fumée traversa la chambre sombre. Il s'accorda un moment de détente. La récompense approchait.

Nader avait commis une erreur en s'invitant au Honduras. Le snobinard allemand était entré sur le territoire de Fox. L'Amérique centrale lui appartenait. Il était né au Honduras, et il tirait toutes les ficelles de cette partie du monde. Rien n'échappait ni à son radar ni à son réseau.

Pour cette raison, en ce moment même, ses mercenaires étaient sur le point d'effectuer une petite visite de l'estancia de Nader.

L'infraction commise par ce dernier était intolérable, et il n'allait pas tarder à le comprendre. Tout comme il comprendrait le sort que réservait Desmond Fox à ceux qui abîmaient ses biens. Juan Montoya, l'un de ses meilleurs soldats, était mort. Mort parce que Rutger Smith l'avait intercepté avant qu'il ne parvienne à rejoindre le passeur en fuite de Nader.

Smith avait découpé Montoya en tranches. Il l'avait laissé se vider de son sang dans une sombre contre-allée, où l'on n'avait retrouvé son corps que plusieurs jours plus tard.

Non. Le meurtre de Montoya ne resterait pas impuni.

Et Fox allait s'assurer que Nader ne revoie jamais les diamants de Tupacka. Il avait beau être un voleur, entre autres choses, il n'en demeurait pas moins patriote. Les diamants de Tupacka appartenaient au Honduras, pas à Nader.

Ses contacts dispersés sur le terrain l'avaient informé de l'arrivée de l'Américaine, la sœur du passeur de Nader, et son ticket pour récupérer le collier.

Nader avait envoyé Smith la chercher personnellement à l'aéroport de Peña Blanca. Smith était la cerise sur le gâteau. Si tout se passait comme prévu, quand Smith retrouverait Nader, celui-ci serait en petits morceaux.

Il consulta sa Rolex. La phase numéro un avait dû débuter.


L'adrénaline. La drogue de toutes les merveilles. Quelqu'un devait absolument trouver le moyen de la synthétiser sous forme de cachets, songea Abbie en s'asseyant calmement à l'arrière de la Lincoln Town noire, avec Rutger Smith au volant.

Il n'avait pas prononcé un seul mot depuis qu'elle était montée dans le véhicule et qu'elle avait fermé la porte. Les gaz d'échappement saturaient l'air du parking par vagues épaisses et étouffantes. Seuls le bruit du moteur et une fine pluie qui devenait plus forte à mesure qu'ils avançaient brisaient le silence.

Elle n'avait pas dormi depuis plus de vingt-quatre heures, mais elle était sur les nerfs. Le désespoir, l'appréhension, la peur combattaient en elle tandis que la Lincoln traversait les rues animées même à cette heure de la nuit.

Au cœur de la ville, ils avaient dépassé une charrette tirée par des ânes, des dizaines de véhicules vétustes, et avaient été doublés par de minuscules taxis blancs dans lesquels s'entassaient les passagers. Si Abbie avait été d'humeur plus gaie, les fast-foods à l'américaine qui parsemaient la route mal éclairée l'auraient fait sourire. La pizza semblait être un plat populaire dans ce pays.

Doc avait vu juste en prévoyant qu'elle serait fouillée. Il avait cherché un micro en la scannant des pieds à la tête à l'aide d'un appareil évoquant une brosse plate, après l'avoir palpée méticuleusement. Si elle s'était sentie humiliée, ses gestes n'avaient rien eu d'intime. Il s'agissait d'une inspection purement professionnelle.

Se remémorer ce moment suffisait à la faire frémir d'horreur.

Et pourtant, tout s'était déroulé deux heures plus tôt, avant de filer par l'autoroute 71, et de s'éloigner de la ville.

Elle avait envie que tout soit fini. Elle avait également atteint les limites du silence forcé.

— C'est encore loin ?

Cette question s'adressait autant à elle-même, qu'à Sam, qu'à son équipe. Au moins, elle savait qu'eux l'écoutaient, qu'ils étaient toujours avec elle.

Elle comptait même sur eux de tout son cœur. Sa vie était en jeu.


— Elle vient de lui demander si c'est encore loin, dit Doc, répétant les dernières paroles d'Abbie, et qui étaient ses premiers mots depuis qu'ils avaient réactivé le GPS et le micro deux longues heures plus tôt.

Sam tourna rapidement la tête vers Doc, assis à l'arrière, et poussa un soupir de soulagement, le premier qui lui apporta un réel bien-être depuis des siècles.

192

— Et ?

— Pas de réponse, pour l'instant, répondit Doc en secouant la tête.

Sam détourna le regard des vieux essuie-glaces qui couinaient en luttant contre le déluge. Une pluie chaude et tropicale battait impitoyablement le pare-brise. Sa respiration. Le bruissement de ses vêtements. C'était tout ce que Doc avait pu entendre depuis qu'ils étaient partis. Ils étaient, au propre comme au figuré, dans le noir. Sans savoir si Abbie avait été droguée, blessée ou pire. Chaque cellule du corps de Sam avait envie de crier à Mendoza de mettre les gaz, de se placer à hauteur du véhicule pour distinguer ce qui se passait à l'intérieur.

Mais depuis des heures, il prenait sur lui. À grand-peine.

Ça ne l'aidait pas particulièrement d'être parvenu à déterminer l'endroit où ils se rendaient. En se basant sur la route qu'empruntait le chauffeur, il avait pu se faire une idée assez précise de leur destination.

— Ils doivent avoir passé La Entrada, dit Sam en allumant la lumière pour consulter la carte. Ils ne devraient plus tarder à quitter l'autoroute.

— Ils viennent de sortir, confirma Savage qui surveillait le GPS. Ils vont vers le nord. Un chemin de terre, d'après ce que je lis. Tu avais raison. On dirait qu'il l'emmène à l'estancia de Nader, à Peña Blanca.

Nader avait très peu de secrets pour Sam. Il connaissait particulièrement bien ses activités et ses propriétés.

— Nous tablons sur moins de dix secondes à partir de l'entrée du chemin. Éteins les phares à deux, compris ?

Mendoza cessa de fredonner ses petites chansons qui lui avaient valu le surnom d'« enfant de chœur », et grommela.

— Avancer à l'aveuglette, c'est mon truc.

Au cours du trajet, Sam avait expliqué son plan d'attaque aux MCB, afin que chacun sache à quoi s'en tenir. La propriété de Nader comportait pour principaux bâtiments un petit ranch en pisé et une remise. Il n'y passait que peu de temps. L'habitation était spartiate, presque rustique. Trop inconfortable pour que Nader tolère d'y séjourner. Toutefois, la situation géographique était idéale si l'on voulait, par exemple, cacher quelque chose ou quelqu'un sans craindre d'être pris. À l'écart de tout, l'estancia était appuyée contre un flanc particulièrement abrupt de la chaîne de la Montaña de la Crita qui permettait de se protéger au nord. Depuis un poste d'observation, il devait être aisé de repérer tout ce qui arrivait du sud.

Le 4 × 4 fut ballotté en tous sens. Mendoza suivait la Lincoln. Il tourna pour prendre un chemin couvert d'ornières et traverser des zones boueuses.

— Ils se sont arrêtés, annonça Doc en tendant l'oreille pour distinguer leurs voix malgré la pluie battante et les rugissements du moteur qui luttait pour avancer.

Il leva une main pour demander le silence et se concentrer sur le récepteur.

— Allume le speaker.

Sam pestait contre leur véhicule qui n'allait pas assez vite, pendant que Mendoza le poussait à fond sur le chemin hostile et glissant. Les roues dérapaient dans les ornières profondes qui risquaient d'endommager le châssis même si Mendoza manœuvrait avec habileté pour les sortir de cette mauvaise passe.

— Que se passe-t-il ? demanda Abbie d'une petite voix fluette qui ne lui ressemblait pas.

— Vous vouliez voir votre frère ? Vous allez voir votre frère, dit Smith. Sortez de la voiture.

— Non, dit-elle avec bravoure. Vous m'amenez Cory.

Silence.

Sam retint son souffle.

— Écoute, pouffiasse, railla le chauffeur d'une voix impatiente et énervée. C'est pas toi qui décides. Tu fais ce que je te dis, OK ? Et n'oublie pas que si ton frère sans couille respire encore, c'est parce que mon boss a besoin de toi. Tu veux voir ton frère ? Tu me dis où sont les diamants.

— Pour que vous puissiez nous tuer dès que je vous l'aurai dit ? Non. Ça ne va pas se passer de cette façon, dit-elle d'une voix plus assurée.

L'audace avec laquelle elle l'affrontait rendit Sam fou.

— Voilà comment ça va se passer. Vous allez chercher Cory, vous le ramenez à la voiture, et ensuite vous nous reconduisez à l'aéroport. Je ne vous donnerai aucune information avant cela.

*Putain, Abbie, mollo*, jura intérieurement Sam. Il lui avait demandé de leur faire confiance. De s'en tenir à leurs consignes, en n'oubliant pas qu'ils seraient toujours à proximité.

Le chauffeur semblait avoir atteint ses limites.

Une portière de voiture s'ouvrit, puis se referma en claquant.

Il entendit Abbie pousser un cri de surprise, se débattre et donner des coups.

Il ferma les yeux en entendant des bris de verre voler en éclats et se répercuter dans le récepteur.

— Merde, murmura Doc. On dirait qu'il a donné un coup de poing dans la vitre.

Ils entendirent le déclic d'une poignée que l'on soulève pour ouvrir brusquement la portière.

— Dehors, ordonna le chauffeur.

Silence. Puis des bruits de lutte.

— Marche, commanda l'homme.

Savage se tourna vers l'arrière du 4 × 4 et souleva une bâche pour préparer les armes.

Sam perçut un son étouffé.

Abbie poussa un cri.

L'ordure l'avait frappée.

Sam l'entendit tomber à terre.

*C'est un homme mort*, se promit Sam. Qui qu'il soit, il allait mourir.

— Relève-toi.

Un nouveau cri. Sam imagina sans mal que l'homme l'avait soulevée violemment.

— Marche, exigea la brute.

Puis, plus aucun mot. Rien que le bruit de sa respiration difficile. De la pluie dans les arbres. Des semelles qui crissaient sur le sol. Ils montaient une colline, comprit Sam en remarquant que sa respiration était de plus en plus saccadée.

— Tu pourrais te magner, putain ! gronda-t-il alors que Mendoza, Doc et Savage installaient des chargeurs neufs sur les fusils.

Sam accepta le Kimber que Savage lui tendit, tout en offrant le Glock à Mendoza. Ensuite, ce fut le tour des carabines, de deux M-16 et de quatre chargeurs de trente balles supplémentaires pour chacun. Une fois armés, ils enfilèrent leur gilet en Kevlar. À l'image de Sam, et de Mendoza qui parvenait à manœuvrer la voiture sur une route périlleuse avec la dextérité d'un pilote de Formule 1, chacun savait ce qu'il avait à faire.

— Allez, Abbie, murmura Doc en enfilant son gilet pare-balles, avant de le fermer à l'aide des Velcro. Raconte-nous ce qui se passe.

Ce fut la voix du chauffeur qui résonna dans le haut-parleur.

— Attends ici, ordonna-t-il à Abbie, de sa voix bourrue rendue plus rauque par la transmission. Si tu tentes de t'enfuir, ton frère est mort, compris ?

Quelques longues secondes passèrent douloureusement. Sam attendait, en alerte.

— Il est... à environ vingt mètres, devant moi, mur- mura enfin Abbie, en s'appliquant à ne pas être entendue.

» C'est Smith, ajouta-t-elle d'une voix terriblement lasse. Le chauffeur est Rutger Smith, répéta-t-elle en articulant.

Les quatre hommes pestèrent. Sam serra les dents, jura en accusant l'idiotie mais aussi la bravoure dont Abbie faisait preuve. Elle aurait dû les informer immédiatement de l'identité de l'homme qui la tenait à sa merci. Sam serait intervenu avant qu'ils aient pu sortir de l'aéroport.

Elle s'en était doutée, et avait préféré garder le silence.

— Il fait très noir, souffla-t-elle. Il a une lampe de poche. Il crie des noms. Personne ne lui répond, poursuivit-elle avec une angoisse croissante. C'est... bizarre. Il se passe quelque chose. Je vais monter.

— Putain, non ! hurla Sam conscient qu'elle ne pouvait pas l'entendre, et que même si c'était le cas, elle ne l'écouterait pas.

Elle était de plus en plus essoufflée. Elle grimpait la colline en courant, haletante.

— Oh, mon Dieu, gémit-elle d'une voix bouleversée.

Elle poussa un cri de douleur suraigu. Un appel désespéré.

— Oh, mon Dieu, quelle horreur !

Puis elle hurla. Hurla à pleins poumons. Et hurla jusqu'à ce que l'écho de ses cris dans les oreilles de Sam étouffe tout. Tout sauf le besoin de la rejoindre au plus vite.

# 15

Trempée jusqu'aux os, Abbie chancelait. Elle escalada tant bien que mal la colline dans la nuit, se guidant à la lumière de sa lampe de poche. Elle se tenait à dix mètres de Smith quand il s'immobilisa, puis disparut dans un trou noir. Elle identifia la porte ouverte d'un petit abri. À son tour, elle se figea sur place. Entre la pluie et l'obscurité totale de la forêt, elle ne voyait pas à un mètre.

Essoufflée, elle attendit. Un claquement cinglant, pareil au bruit d'un interrupteur, s'éleva dans la nuit. La colline s'éclaira et la lumière révéla une scène digne d'un film d'horreur.

— Mon dieu.

Le souffle coupé, elle entendit un rugissement, plus animal qu'humain, et s'aperçut qu'il provenait de sa propre bouche. Elle était incapable de s'arrêter de crier.

— Oh, mon Dieu. Oh, mon Dieu, quelle horreur !

Du sang. Tout ce sang.

Des corps partout.

Puis elle hurla. Et continua de hurler, incapable de détourner la tête du sang et de l'atrocité du carnage.

— Ferme-la ! grogna Smith en sortant de la bâtisse.

Il bondit sur elle et la gifla avec force.

Le coup fut si violent que sa tête pivota. Elle trébucha, puis tomba. Elle heurta quelque chose de mou, de chaud et de mouillé. Un corps.

Chaud. Encore chaud. Le corps était encore chaud.

Horrifiée, elle s'enfuit, les mains gluantes de sang, de pluie et de boue. Elle se releva, tenta de rester droite sur ses deux jambes malgré ses tremblements. Elle vacilla quand elle sentit son propre sang dégouliner. Elle retrouva l'équilibre, la joue en feu à l'endroit où Smith l'avait frappée. Elle prit conscience des élancements produits par le choc. De ses cheveux moites qui lui collaient au visage.

Une fascination morbide la poussait à contempler les corps criblés de balles étendus dans la boue, dans l'herbe mouillée.

C'était un bain de sang.

Un massacre.

Ils avaient tenté de s'enfuir.

D'échapper à cet enfer.

Elle posa une main tremblante sur sa bouche. Sentit le goût du sang mêlé à la boue et eut la nausée. Elle tomba à genoux, et vomit violemment. Quand elle reprit son souffle, elle vit Smith glisser son pied sous le torse d'un homme qui était étalé face contre terre. L'arrière de son crâne avait disparu.

Il sembla le reconnaître, puis passa au cadavre suivant. À chaque homme qu'il découvrait, son visage s'assombrissait, sa fureur grandissait, alors que la pluie plaquait son costume trempé contre son grand corps massif.

— Cory.

Enfin, sa conscience vainquit l'horreur. Se relevant d'un bond, elle fut prise de vertiges, mais garda l'équilibre. Mon Dieu, elle devait le retrouver.

— Cory !

Luttant pour dominer sa répulsion, la terreur et la nausée, elle chercha son frère.

Elle s'effondra devant un corps en rassemblant son courage pour le retourner quand elle entendit Smith parler en espagnol.

— ¿ *Quién hizo esto ?*

Surprise, elle se retourna vivement. Elle crut qu'il s'adressait à elle. Mais elle l'aperçut, agenouillé près d'un corps. Puis ce corps bougea. Elle se précipita vers eux.

— ¿ *Quién hizo esto ?* répéta Smith avec impatience.

La pluie ruisselait de son crâne sur l'homme allongé.

Abbie n'avait pas pratiqué l'espagnol depuis long-temps mais elle avait compris la question. Il voulait savoir qui avait fait ça.

— *Fox*, articula l'homme dans un bruit de gargouillis. *Fox… sus hombres. Em… emboscada.*

Fox ? Un renard ? Pourquoi l'homme répondait-il en anglais ? Elle avait dû mal entendre. Ou il délirait. Puis elle comprit qu'il ne s'agissait pas d'un animal mais d'un certain Fox. Les hommes de Fox les avaient pris en embuscade.

— ¿ *Dónde está la mula ? ¿ Dónde está Hughes ?* gronda Smith.

Le cœur d'Abbie s'emballa violemment. Elle retint son souffle, et attendit. L'homme blessé leva une main ensanglantée, et agrippa la chemise de Smith.

— *Ayúdeme.*

Aidez-moi.

Smith repoussa la main de l'homme et l'empoigna par le col.

— ¿ *Dónde está Hughes ?*

L'homme étouffa, pris de convulsions, puis son corps se détendit brusquement.

Smith proféra des jurons, planta son regard der-rière elle, et attrapa férocement sa chevelure.

— Espèce de salope ! On t'avait dit de venir seule.

Abbie poussa un cri de douleur quand il la força à se relever en la tirant par les cheveux. Il la serra contre lui, et son avant-bras massif s'enroula autour de sa gorge en l'étranglant.

La pointe d'un couteau s'enfonça douloureusement dans ses côtes. La boucle du ceinturon de Smith la blessa quand il se plaqua contre son dos.

Elle ouvrit la bouche pour mieux respirer, et sentit l'odeur de la laine mouillée, du sang et de la mort alors qu'elle enfonçait ses ongles dans son bras pour tenter désespérément de desserrer son emprise. Sa tête se tourna d'elle-même. Un bruit résonna dans ses oreilles. Elle vit un homme émerger du rideau formé par la pluie battante et les ombres de la forêt. Elle se demanda s'il s'agissait d'une hallucination.

— Lâche-la, Smith.

C'était Savage. Un fusil à la main. Doc et Mendoza surgirent à ses côtés, lourdement armés. Sam ne devait donc pas se trouver loin.

*Merci, mon Dieu.*

Mais le soulagement fut de courte durée. Smith changea de position, et un couteau remplaça son avant-bras. La lame froide et coupante dansait sur sa gorge.

— Reculez, ordonna-t-il d'une voix si glaciale qu'elle frissonna dans ses vêtements chauds et humides. Ou je la tue.

Sam approchait en catimini. Silencieux, d'un pas assuré malgré la densité de la forêt tropicale et le sol glissant, il maintenait sa torche braquée sur la cabane qui apparaissait dans son champ de vision. Rapide, il progressait vers le sommet de la colline, et vers Abbie.

La pluie ruisselait sur son visage, imbibait ses vêtements. La boue se collait par paquets aux semelles de ses bottes. Son M-16 n'était pas fait pour des tirs embusqués. Mais le tir qu'il préparait n'exigeait pas de précision à moins de deux mille mètres. À trente mètres, il était confiant.

L'humidité était telle qu'il avait l'impression de se noyer, mais il se rapprochait sous le couvert des arbres. Enfin, il repéra Smith dans une position relativement accessible. Accessible, s'il n'y avait pas eu Abbie.

L'animal la tenait. Il l'avait placée en bouclier entre lui et les gars qui avançaient. Ils se figèrent, dans l'attente du prochain mouvement de Smith.

— C'est bien, les gars. On y va doucement.

Les yeux rivés sur la cible, Sam ignora la pluie. Il ignora les cadavres dispersés sur le sol trempé. Ignora sa respiration. Ignora la terreur et le sang qui recouvraient le visage d'Abbie.

Il fit lentement glisser le fusil de son épaule, et s'agenouilla. Il cala le canon contre un tronc d'arbre, et enroula la lanière autour de son bras pour stabiliser l'arme. Son regard plongea dans le viseur à vision nocturne. Durant sa course dans les bois, l'eau avait recouvert la lunette. Le cœur battant sous l'effet de l'adrénaline, il dégagea rapidement, prudemment, l'ourlet de son tee-shirt coincé dans son gilet et essuya la lentille.

Puis il se remit en position, coinça le chien contre son épaule, et posa fermement le canon. Il ne voyait que sa cible.

L'exercice lui était familier.

La pluie n'existait pas.

Les corps n'existaient pas.

La vie d'Abbie n'entrait pas en ligne de compte.

Seul le tir comptait.

Il ne faisait plus qu'un avec son souffle.

Un avec son habileté.

Il inspira.

Expira. Tira. Contint le mouvement de recul de l'arme.

Avant d'entendre le coup de feu, et le cri d'Abbie, il vit la tête de Smith exploser, son cerveau gicler de son visage.

Savage et Doc se ruèrent vers Abbie alors que Smith s'effondrait, et qu'elle tombait en avant. Elle se retrouva à quatre pattes, la tête baissée entre ses bras tendus.

Mendoza fonça sur Smith, en le gardant en joue.

Sam baissa son arme, respira profondément. Alors il s'autorisa à penser à ce qui aurait pu arriver s'il avait manqué son coup. S'il avait tiré un millimètre à gauche.

Abbie serait morte, et Smith en vie.

Il surgit entre les arbres. Apparut précisément devant elle. Il tendit son fusil à Savage, et tomba à genoux face à Abbie.

— Ça va ? demanda-t-il doucement.

Elle ne répondit pas.

— Abbie, murmura-t-il en dégageant les cheveux qui lui cachaient le visage. Smith est mort.

Alors elle bougea. Un signe discret signifiant qu'elle était bien consciente.

Puis elle se mit à trembler.

*Au diable...*

Il la prit dans ses bras. Effleura de ses doigts le sang, la boue, et toute l'horreur qui la recouvrait. Et il la garda dans ses bras pendant qu'elle s'effondrait.

— Si on ne fait pas de points de suture, vous aurez une vilaine cicatrice, expliqua Doc à Abbie.

Sam avait entendu ses paroles en approchant de l'abri de jardin où ils l'avaient mise en sécurité.

— Désolé, mais pour l'instant, nous allons devoir faire avec les moyens du bord.

À la lumière de la Maglite de Doc, Sam examina la longue balafre d'Abbie qui courait de son épaule au milieu de son bras. Le couteau de Smith l'avait sérieusement entaillé au moment où il s'était effondré. La blessure semblait profonde, et pourtant Sam

204

se réjouissait que la lame n'ait atteint aucun organe vital. Et il se réjouit doublement quand Doc lui apprit que l'essentiel du sang qui tachait ses vêtements n'était pas le sien.

— Je vais nettoyer tout ça, d'accord ? Il faudra attendre qu'on retourne au 4 × 4 pour la décoration. C'est là que j'ai laissé mon kit de secours.

Il allait falloir faire vite. La pluie s'était calmée mais ce qu'il restait de la route serait bientôt inondé. Ils n'auraient alors plus aucune issue et seraient condamnés à demeurer là, coincés parmi une douzaine de cadavres criblés de balles, dont aucun n'était Cory Hughes.

— Non, dit Sam quand Abbie leva vers lui des yeux interrogateurs. Il n'est pas là.

Sam avait cherché partout. C'était la bonne nouvelle. Cory ne se trouvait pas parmi les morts. À moins que Mendoza et Savage, qui avaient élargi le périmètre des recherches, ne découvrent quelque chose. La mauvaise nouvelle était que Cory Hughes n'était nulle part.

— Vous croyez qu'il était détenu ici ?

Abbie se retint de grimacer quand Doc tamponna son bras à l'aide d'un coton imbibé d'alcool.

— Désolé, dit Doc. Ça risque de piquer mais avec cette humidité, il faut éviter tout risque d'infection.

— Ça va.

Elle attendait une réponse de Sam.

*Coriace*, pensa Sam. Elle était plus coriace qu'elle n'en donnait l'impression. Plus coriace que la femme qui s'était effondrée dans ses bras quelques minutes plus tôt.

Elle avait des tas de raisons de perdre pied. Smith l'avait violemment frappée. La commissure de ses lèvres était entaillée et boursouflée. Sa joue commençait à virer au violet. Elle avait été projetée dans un massacre sanglant, sans savoir si son frère faisait partie des cadavres, et Smith l'avait menacée d'un couteau sur la gorge.

Alors oui, elle avait eu un moment de vide. Mais cela n'avait pas duré. À présent, malgré son retrait, elle reprenait des forces. Ou faisait tout son possible pour y arriver.

— On a retenu quelqu'un en otage ici, affirma Sam.

Dans la remise, il avait trouvé de nombreux indices dont il valait mieux ne rien dire à Abbie.

— Donc… ceux qui ont fait ça… vous croyez qu'ils l'ont emmené ?

— Tout semble l'indiquer, répondit Sam en s'accroupissant devant elle. Abbie… il pleuvait si fort que nous avons mal entendu vos échanges avec Smith. A-t-il dit quelque chose de particulier ? Un détail qui puisse nous aider à savoir qui a fait ça ?

— Il y a bien eu quelque chose, dit-elle comme si ce souvenir venait de refaire surface. Un homme… l'un des hommes… il était encore vivant. Smith lui a demandé qui avait fait ça. Il a prononcé le nom de Fox. Que les hommes de Fox les avaient pris en embuscade.

L'air grave, Doc leva la tête vers Sam.

— On aurait dû se douter qu'il viendrait se mêler de ça.

Le regard d'Abbie passait de Doc à Sam.

— Vous savez qui est ce Fox ?

— Ouais, confirma Sam. Nous le connaissons. Lui et Nader baignent dans le même cloaque.

— Ils travaillent ensemble ?

— Pas vraiment. Desmond Fox et Frederick Nader se haïssent. Fox est furieux depuis que Nader a décidé de se lancer dans la vente d'armes en Amérique centrale, il y a quelques années. Le Honduras est le territoire de Fox. Il est né ici. Il considère Nader comme un intrus et une menace.

— Qui veut parier que Fox est au courant pour le collier ? suggéra Doc.

— Je dirais même que Fox veut le collier, parce qu'il sait que ça mettrait Nader hors de lui, précisa Sam après un moment de réflexion. Mais la question est : comment a-t-il appris l'existence de Cory ?

— J'en ai un vivant par ici ! cria Mendoza depuis l'arrière de l'abri.

— Tenez ça, demanda Doc en confiant la compresse à Abbie avant de se diriger vers Mendoza.

Abbie s'apprêta à se relever.

— Non !

Sam l'arrêta d'une main sur l'épaule.

— Ce n'est pas la peine que vous assistiez à ça.

Dans ses yeux, il vit qu'elle avait envie de protester, mais elle se laissa finalement choir sur une marche.

— Pour une fois, je vais vous écouter.

— Il y a une première fois à tout, dit-il avant de recevoir le sourire qu'il espérait.

— Oui, bon, mais ne vous y habituez pas trop vite.

— Je n'y comptais pas, dit-il avant de s'éloigner.

— Sam.

La voix d'Abbie l'arrêta net. Il se retourna.

Elle le regardait, et son pauvre visage meurtri avait l'air infiniment triste.

— Merci. Merci pour... euh. Juste merci.

Il savait pour quoi elle tenait à le remercier.

— Je vous l'ai dit. C'est mon boulot. Mais je vous en prie.


— Pour qui travailles-tu ?

Ils parlaient tous espagnol, mais seul Mendoza maîtrisait le dialecte local. Il se chargeait de poser les questions tandis que les autres membres de l'équipe encerclaient l'homme blessé.

Savage braquait sa Maglite sur le torse de l'homme afin de permettre à Doc de s'occuper de lui. Le sang s'écoulait de plusieurs plaies. Des tirs d'armes automatiques. C'était un miracle que le mercenaire soit encore en vie, et Sam était convaincu qu'ils avaient face à eux un soldat payé par l'ennemi.

— *Por favor. Por favor. ¡ Me tiene que ayudar !*

Sam lança un coup d'œil à Doc qui secoua la tête, d'une façon signifiant que rien ne pourrait sauver cet homme. Il allait mourir. Même s'il ne l'avait pas encore compris.

— Dis-lui que nous allons l'aider. Mais d'abord, nous voulons des informations. Redemande-lui pour qui il travaille.

— *¿ Para quién trabaja ?*

L'homme haletait de douleur.

— *Fox. Desmond Fox.*

— Bingo, s'exclama Savage tandis que Doc épongeait le sang, se donnant du mal en vain.

Même s'il devinait la suite, Sam demanda à Mendoza de poursuivre.

— Essaie de voir ce qui s'est passé ici.

— *¿ Qué pasó aquí ?*

— *Fueron mandados para...*

Le mercenaire se tut, sa respiration se fit sifflante, puis il reprit :

— *... emboscar a los hombres... de Nader y capturar... el americano.*

— Apparemment, Fox a envoyé des hommes capturer Hughes et massacrer la garde de Nader.

— Ce qui signifie que Fox connaissait le lieu de détention de Hughes, conclut Savage avant de demander comment Fox savait où Nader retenait Hughes en otage.

— *¿ Cómo supo Fox que el americano estuvo acá ?*

Les yeux de l'homme roulèrent en arrière. Sa respiration était de plus en plus difficile.

— *Me... infiltré en la guardia... hace meses. Para espiar. Para... informar.*

Mendoza consulta Sam du regard.

— Il dit que Fox l'a envoyé infiltrer l'équipe de défense de Nader il y a plusieurs mois.

— Nous sommes donc en présence d'un espion, conclut Savage. Quoi qu'on en dise, une taupe reste une saloperie.

Une main ensanglantée se dressa, et agrippa le tee-shirt de Doc.

— *Por favor... por favor. Me muero.*

Mendoza n'eut pas besoin de traduire. L'homme suppliait qu'on l'empêche de mourir. Mais sa vie ne tenait plus qu'à un fil.

— Nous devons savoir où est Hughes à présent, dit Sam, craignant que l'homme ne succombe trop rapidement.

Mendoza lui transmit la question.

— *Por favor... me va a matar si digo más,* répondit péniblement l'homme mourant.

— Ouais, dit Sam face à sa peur d'être abattu par Fox s'il parlait trop. Dis-lui bien que nous le tuerons d'abord, s'il ne nous révèle pas immédiatement ce que nous voulons savoir. Avant qu'il ne soit trop tard – pas seulement pour le mercenaire, mais pour Cory Hughes.


— Faut qu'on se magne.

Sam précéda les trois hommes et retourna auprès d'Abbie.

La peur semblait l'avoir peu à peu quittée. Sam la prit par le bras, en veillant à ne pas toucher sa blessure, et l'aida à se relever.

— Que s'est-il passé ? A-t-il pu vous dire quelque chose ?

Un téléphone retentit dans le sinistre silence.

— Pas moi, dit Mendoza. Pas vous non plus, les gars. J'ai réglé tous vos portables en mode vibreur.

La sonnerie reprit.

Savage se dirigea vers le cadavre de Smith. Il fouilla ses poches, et y découvrit un téléphone.

Il sonnait toujours.

— Vous voulez parier que c'est Nader qui réclame un rapport sur la situation ?

— Ne décroche pas, dit Sam. Et d'ailleurs, éteins-le. Que cette ordure mijote le temps qu'on décide de l'étape suivante.

— Qu'avez-vous découvert ? répéta Abbie en suivant Sam sur le flanc de la colline glissante, pour rejoindre la route.

Quatre lampes de poche éclairaient le chemin.

— Nous en parlerons dans la voiture. Il faut se dépêcher. Profiter de l'accalmie.

— Attendez, dit Abbie en s'arrêtant. On ne va pas le... laisser ici.

Sam gardait le regard rivé droit devant lui. Il ne s'arrêta pas.

— Il n'a pas tenu le coup.

Elle consulta Doc du regard, mais il ne lui prêta aucune attention. Elle comprit qu'ils préféraient qu'elle ignore les détails.

Ça ne la dérangeait pas. En vérité, elle n'avait pas réellement envie de savoir. Tout ce qui l'intéressait, c'était Cory.

Elle allait devoir attendre que Sam soit disposé à lui en parler, parce qu'ils marchaient tellement vite qu'elle dut se concentrer attentivement sur ses pieds.

Sam était un homme dur. Un homme dangereux. Lui comme les autres. Il suffisait de les regarder pour s'en rendre compte. Des fusils noirs à l'épaule, des pistolets à la ceinture. Les rayons de lumière et les ombres dansaient sur leurs visages de pierre. Leurs regards étaient dénués d'émotions, aussi impénétrables que la nuit.

210

Avaient-ils vu et fait des choses qui répugneraient la plupart des hommes ? Certainement. Abbie n'avait aucun doute sur ce point.

Étaient-ils du bon côté ? Elle aimait à le croire.

Tout ce qu'elle savait avec certitude, c'était que Rutger Smith avait été un assassin de première. Un ennemi de la pire espèce. Et que son sang et des morceaux de son cerveau étaient toujours collés dans ses cheveux.

Elle fut prise d'un haut-le-cœur et s'immobilisa. Malgré ses efforts pour lutter contre la nausée, elle n'y parvint pas. Elle se plia en deux, et vomit.

Silencieux, Sam lui maintint les cheveux en arrière, et attendit qu'elle se calme. Ensuite il l'accompagna jusqu'au bas de la pente.

# 16

*Au large des côtes d'Isla de Roatán*
*À bord du* Seennymphe

Frederick Nader inhala une longe bouffée de son *maduro habano* pour en savourer le goût riche et robuste, tout en admirant, depuis l'avant du *Seennymphe*, la côte illuminée de Roatán. Sa patience trouva sa limite quand il composa une fois de plus le numéro de Smith. L'eau tapait doucement contre la coque, et la fumée du cigare se mêlait à l'air iodé.

Une fois de plus, il tomba directement sur la messagerie de Smith.

D'un geste sec, il referma le clapet du téléphone.

Ses mains se crispèrent sur la rambarde.

Ce n'était pas normal. Il se passait quelque chose.

Il ne se leurrait pas. Personne ne pouvait compter sur l'entière loyauté d'autrui. Toutefois, il n'aurait pas cru Smith capable de trahison.

Tout d'abord, parce que Frederick le payait grassement. Mais aussi parce qu'il donnait à ce détraqué sadique de multiples occasions de s'amuser, sans lui demander de rendre des comptes. Frederick crut tout d'abord que Smith avait dû affronter une résistance inattendue qui l'avait retardé. Mais cette hypothèse n'était pas satisfaisante. Non seulement Smith était un adversaire brutal mais il était extrêmement compétent. Frederick ne voyait pas comment quiconque aurait pu prendre le dessus face à lui.

Peut-être l'explication se trouvait-elle dans les intempéries. Son radar de navigation avait détecté de fortes précipitations dans la région de Peña Blanca. Il était notoire que le réseau téléphonique n'était pas fiable au Honduras. Entreprendre de faire pression sur les organismes incompétents qui géraient les services de télécommunication était l'un des projets de Frederick. Il proposerait sa participation financière dans un avenir proche. Il était toujours préférable d'investir dans des domaines qui permettaient d'acquérir des privilèges et de s'enrichir.

Il huma la brise marine et la fumée du cigare, perçut l'écho lointain des notes sensuelles d'un morceau de salsa. Il songea à Carlota, l'adorable manucure si avenante, qui l'attendait dans la couchette du pont inférieur.

Demain il serait bien temps de se soucier de Smith. Inutile de ruminer ce soir. Cet homme avait été un fidèle serviteur.

Tout comme Carlota. Mais elle n'allait pas tarder à reprendre du service.


*La Entrada, Honduras*

Depuis l'arrière de la voiture, Abbie suivait du regard le chemin emprunté par Mendoza pour rejoindre une petite maison reculée. Mendoza était déjà dans la région depuis plusieurs mois, sur les traces de Nader. Il avait eu le temps de lier connaissance avec des gens du coin. L'argent était passé de main en main, aidant à se faire des amis.

À présent, grâce à ce travail préliminaire, ils allaient obtenir un refuge pour la nuit. La situation n'était pas désespérée.

Toutefois, ils durent patienter pendant que le moteur du 4 × 4 tournait. Comme l'air conditionné ne fonctionnait pas, le ventilateur ne brassait que de l'air chaud et moite, ce qui chargeait l'atmosphère en humidité au lieu de l'alléger. Mais cette vapeur restait préférable aux moustiques qui avaient jailli en masse dès que la pluie s'était arrêtée. De ce fait, ils ne pouvaient pas ouvrir les vitres et étouffaient dans l'obscurité. Abbie avait pu tenir le coup jusque-là uniquement grâce à l'adrénaline, mais l'effet stimulant s'estompait. Elle avait honte qu'ils prennent une pause à cause d'elle, même si les hommes avaient marmonné, entre eux, qu'ils ne pouvaient rien faire de plus avant le lendemain. Les routes étaient impraticables. La nuit était trop noire. La pluie reprendrait de plus belle avant l'aube. Ils ne pouvaient que chercher un endroit où se reposer quelques heures, se restaurer, avant de partir à la recherche de Cory.

Elle avait également honte d'avoir craqué devant Sam. Quel plus grand aveu de faiblesse que d'éclater en sanglots ? Elle se sentait misérable dans sa tenue mouillée et boueuse, souillée de sang et de morceaux de cervelle.

Elle préférait éviter d'y penser.

Elle était incapable d'y penser.

Alors elle préféra songer à Raphael Mendoza, que Doc lui avait présenté sous le nom de « Duc Gagnardt Jr. du Honduras », avec un sourire amusé. Elle ne pouvait qu'admirer le séduisant Sud-Américain. Il avait conduit d'une main extrêmement habile le vieux 4 × 4 sur la route glissante, en évitant miraculeusement toutes les aspérités de la chaussée, et sans cesser de chantonner.

Elle repensa à leur conversation, durant le trajet. Savage avait rejoint Mendoza à l'avant. Sam l'avait installée à l'arrière entre lui et Doc qui en avait profité pour panser convenablement son bras.

— Cory, rappela-t-elle à Sam en remarquant qu'il semblait plus concentré sur son bras blessé que sur la réponse qu'elle attendait. Avez-vous trouvé quelque chose sur Cory ?

Oh, oui. Ils avaient trouvé des tas de choses. Si elle s'était attendue à une réponse directe, elle dut d'abord en passer par des explications complexes.

— Comme je vous l'ai expliqué, commença Sam, Frederick Nader et Desmond Fox sont ennemis jurés. Apparemment, Fox était lui aussi à la recherche des diamants volés, mais Nader l'a évincé quand Smith a intercepté Cory.

Elle n'en avait rien dit, mais elle ne comprenait toujours pas comment Cory avait pu se retrouver mêlé à cette affaire. Mais cela n'avait désormais plus d'importance. Tout ce qui comptait, c'était de le retrouver.

— Fox avait une taupe infiltrée dans la milice de Nader, ajouta Sam.

— Et comment l'avez-vous appris ?

— Nous le savons parce que cet agent double se trouve être le survivant qui nous a parlé. Quand il a informé Fox que Nader séquestrait Cory à l'estancia, Fox a décidé d'enlever Cory et de supprimer autant d'hommes de Nader que possible.

— Rien de tel qu'un massacre pour montrer à quel point il est contrarié, avait ajouté Savage par-dessus son épaule.

— D'après leur plan, avait repris Doc tout en appliquant de la crème antibiotique sur sa plaie, un homme devait rester en retrait pour vous surprendre, avant de vous conduire à Fox, avec Cory.

— L'homme avec lequel vous avez parlé ? avait-elle cru comprendre.

— Oui, cet homme-là, avait acquiescé Sam.

Et qui était mort à présent. Comme tant d'autres.

— Mais il n'avait pas prévu que l'un des hommes de Nader survive à l'assaut. Il a dû se mettre à faire les poches des cadavres. Et il a eu une petite surprise quand l'un des corps a bougé et lui a tiré dessus.

— En gros, nous ne savons toujours pas où est Cory.

— En fait, nous le savons.

La portière côté passager s'ouvrit brusquement, et le cœur d'Abbie bondit dans sa poitrine.

C'était Mendoza.

— Ils acceptent de nous héberger, annonça-t-il en prenant place derrière le volant avant de passer la première. Nous pouvons garer le 4 × 4 dans l'abri, à l'arrière de la maison.

— Hôtel luxueux typique du Honduras, avait ironisé Doc cinq minutes plus tard, après qu'ils eurent caché le 4 × 4 dans le hangar délabré et l'avaient recouvert d'une bâche par prudence. Ils avaient ensuite pris leurs sacs à dos contenant le strict nécessaire, et avaient rejoint la petite maison rustique.

— Vous croyez qu'ils passent quoi sur les chaînes de télé à la demande, ce soir ?

Mendoza sourit.

— On l'aime bien malgré son optimisme bancal.

Elle était trop exténuée et abrutie par les événements pour apprécier un quelconque trait d'humour. Elle eut à peine la force d'atteindre la porte d'entrée sans s'effondrer. Depuis le seuil de la maison, elle perçut une unique source de lumière. Une bougie, comprit-elle.

— *Señorita*, l'accueillit poliment une femme d'un certain âge.

Ses cheveux noirs étaient parsemés de gris, et relevés en un chignon sommaire. Elle indiqua l'arrière de la maison.

Abbie comprit qu'elle devait la suivre. Mais elle ne trouva pas la force de bouger.

— Tout va bien. Prenez la chambre. Nous allons dormir ici, proposa Sam en montrant le sol de ce qui faisait office de pièce à vivre et de salle à manger.

Abbie acquiesça.

Mais elle resta figée sur place.

Les gars entreprirent de se répartir le sol carrelé tout en feignant de ne pas remarquer son immobilisme.

— Vous préférez que je dorme devant votre porte ? demanda gentiment Sam.

Des larmes emplirent les yeux d'Abbie.

— Allez, venez, dit-il en lui prenant le bras. Allons inspecter cette chambre.

Elle bougea uniquement parce qu'il l'entraîna vers la chambre. Si elle avait une certaine conscience de l'instant, en vérité, tout son être revivait la scène : Smith posant un couteau sur sa gorge, le soudain coup de feu, l'explosion de sang...

— Hé...

La voix de Sam la rappela à la réalité. Elle cligna des yeux. S'aperçut qu'ils étaient entrés dans une petite chambre éclairée d'une bougie.

— Arrêtez de repenser à ça, dit-il en baissant les yeux vers elle, avec bienveillance.

— Mais comment... faites-vous ? s'entendit-elle demander. Comment faites-vous pour supporter tout ce sang, cette horreur, et le...

— Il ne faut pas y penser. C'est comme ça qu'on s'en sort.

Elle respira profondément. Acquiesça.

— Et Cory ? Comment allons-nous le retrouver ?

— Nous savons où il est. Je vous l'ai dit, vous vous rappelez ?

Oui, elle s'en souvenait. L'homme mourant qui agissait pour Fox le leur avait confié.

— Que va-t-il se passer maintenant ?

218

— Pour l'instant, vous allez vous reposer. Nous parlerons de Cory et nous élaborerons un plan d'attaque demain matin.

Demain matin. Il y aurait donc un autre jour, un matin. Elle avait toujours tenu ce fait pour acquis, avant de contempler le bain de sang dans la forêt de Peña Blanca.

— Allez, insista Sam. Il faut vous laver.

*Arrête d'y penser.*

*Arrête d'y penser.*

Plus facile à dire qu'à faire, songea-t-elle. Elle concentra toute son attention sur une chose, le bruit de leurs pieds traînant sur le carrelage d'un petit couloir, puis entrant dans une salle de bains rustique. La promesse de trouver de l'eau propre et du savon réussit à éveiller son intérêt.

— Vous savez comment ça marche ? demanda-t-elle, perplexe devant ce qui devait faire office de douche.

Son savoir-faire, face à une installation si rudimentaire, lui permit de mieux connaître cet homme. Cela répondait aux questions qu'elle se posait sur les endroits où il avait pu aller, sur les expériences qu'il avait pu vivre. Toutefois, elle rejeta cette pensée.

Elle n'avait pas envie de savoir. Pas envie de connaître les détails, l'histoire, ou quoi que ce soit sur Sam puisqu'elle ne le reverrait plus.

— Ça va aller, maintenant ? demanda-t-il.

*Elle ne le reverrait plus.*

Elle prit une longue inspiration. Fit oui de la tête.

Sans rien dire, il sortit et referma la porte derrière lui.

*N'y pense plus.*


Moins de quatre cents mètres derrière la petite hacienda se trouvait un petit ruisseau, avait précisé leur hôtesse. Pas si petit que ça. Il coulait, et grondait, gonflé par les récentes précipitations. Cerné par l'obscurité, Sam pénétra dans l'eau et s'arrêta à l'endroit le plus profond pour nettoyer la boue, la crasse et l'odeur nauséabonde de mort qu'ils avaient apportées avec eux.

Il avait déjà fait sa toilette dans des lieux plus hostiles. Comme tous les gars, il se réjouissait de ne pas avoir à dormir dans les odeurs fétides.

De la même façon, il était heureux que Señorita Garcia ait offert sa salle de bains à Abbie, afin qu'elle puisse se purifier du cauchemar qu'elle venait de vivre.

— Il faudra sûrement changer son pansement après sa douche, dit Doc quand il revint à l'hacienda.

Il réunit le matériel nécessaire.

— Si tu rentres comme ça, dit Mendoza en souriant, alors qu'il enfilait un pantalon de camouflage propre, tu as des chances d'avoir besoin de ta trousse de secours en ressortant, Holliday.

Doc sourit en baissant les yeux.

— J'allais mettre un pantalon, rassura-t-il ses compagnons.

Savage ricana en se séchant à l'aide d'un tee-shirt propre.

— Je vais m'en occuper, déclara Sam en boutonnant son pantalon. (Il s'empara de la lotion antibiotique et des pansements.) Allez vous coucher, les gars.

Il s'éloigna, non sans avoir remarqué les regards curieux des hommes. Il préféra éviter de leur dire d'aller se faire foutre. Qu'il veillait uniquement à préserver leur chance d'accéder à Nader.

Mais entre eux, il n'y avait jamais eu d'hypocrisie. Ça n'allait pas commencer ce soir.

Alors il préféra se mentir à lui-même. Il eut tout le mal du monde à se convaincre que sa seule motivation était d'ordre pragmatique.

— Entrez, répondit Abbie après l'avoir entendu frapper à la porte.

Il prit une profonde inspiration avant d'ouvrir, et entra.

Alors son cœur s'emballa, une fois de plus. Comme chaque fois qu'il pensait à Tina. Comme s'il était en cire et qu'il fondait au soleil.

Elle portait un tee-shirt blanc. À manches courtes. Trop grand pour elle. Elle était assise, en appui contre le rebord du lit étroit plaqué contre un mur. Ses jambes étaient ramenées sur sa poitrine, ses bras enroulés autour de ses mollets, son front reposait sur ses genoux. Ses cheveux mouillés retombaient en avant, et cachaient son visage et une partie de ses jambes.

— Ce... conseil que vous m'avez donné, dit-elle en levant la tête vers lui. Ça ne marche pas très bien.

Elle semblait fragile et tellement belle qu'il dut faire un effort pour ne pas oublier de respirer.

En effet, il put constater que ce conseil n'était d'aucune efficacité.

Abbie tenta de sourire, mais finit par tourner la tête.

— Je... je n'arrive pas à faire sortir ces hommes de mon esprit. Leurs yeux.

Sam comprenait ce qu'elle voulait dire. Les yeux sans vie. Sans âme. Obsédants. Rapidement, il avait appris à ne jamais les regarder.

— Voyons comment va ce bras, offrit-il, conscient qu'aucune parole ne saurait chasser de telles images.

Seul le temps le pourrait. Le temps et la distance.

Il prit place à côté d'elle, sur le lit, la pria de se pencher vers lui d'un signe du menton. Après une légère hésitation, elle se rapprocha.

— Vous devriez peut-être... euh...

Un autre mouvement, mais à l'intention de ses hanches. Ses très belles hanches, à peine couvertes d'une toute petite culotte rose, particulièrement voyante.

— Oh, fit-elle en rougissant lorsqu'elle s'aperçut que son tee-shirt avait dû remonter quand elle s'était glissée vers lui.

Au moins, il avait réussi à détourner ses pensées des corps sans vie. Tout le contraire de lui. Il se sentait bien vivant, et sa verge était prête à attester de cette constatation.

Gênée, elle tira sur son tee-shirt. Recouvrit ses hanches. Et le haut de ses cuisses.

Sa queue restait plus que présente, et il se sentit minable. Le moment était mal choisi.

L'air sombre, il prit son bras entre ses doigts, et tira sur le pansement mouillé.

— Comment va ce bras ?

— Ça va, dit-elle pendant qu'il examinait le travail d'orfèvre de Doc.

— Aucune douleur ?

Stoïque, elle secoua la tête.

— Bien.

Cette vilaine plaie devait lui faire horriblement mal. Tout comme l'hématome qui recouvrait sa joue.

Mais il la laissa affirmer sa force. Et l'admira.

— Il y a des strips qui se sont détendus sous la douche, dit-il avant d'entreprendre de les remplacer.

Avec la conscience aiguë de se tenir tout près d'elle. De tous les contrastes qui les opposaient. Elle avait la peau douce, lisse. Il avait les mains rêches, des cicatrices sur les doigts. Et ses gestes n'étaient pas aussi assurés qu'il l'aurait voulu.

Soudain, il regretta de ne pas avoir pris le temps d'enfiler une chemise et des sous-vêtements sous son pantalon kaki. Et il ne fut que plus conscient de la délicatesse de la situation quand elle changea de position. Elle ne portait rien sous ce tee-shirt doux. Rien d'autre que ses seins nus et sa peau satinée.

L'heure était largement venue de prendre congé.

Il mit en place le dernier morceau d'adhésif sur son bras.

— C'est bon, dit-il d'une voix enrouée dont il espérait de tout cœur qu'elle reconnaisse l'intonation.

Quand leurs regards se croisèrent, il constata qu'elle avait correctement interprété ses tonalités rauques.

Ce serait si simple. Si facile de l'allonger, de faire glisser sa culotte rose sur ses hanches fines, et de chasser la réalité. Pour elle. Pour lui. Pour quelques minutes précieuses qui apaiseraient ces douloureuses pulsations qui lui traversaient le bas-ventre. Pour aider Abbie à oublier les cadavres aux grands yeux vides, et les hommes qui avaient voulu la tuer.

Si facile. Et une très mauvaise idée. *Dégage de là tout de suite, Lang. File.*

— Je vais vous laisser vous reposer, dit-il avant de se raidir quand elle posa une main sur son bras pour le retenir.

— Non… s'il vous plaît, ne partez pas.

Sa douce main glissa sur son torse, et le caressa légèrement.

Il fut sur le point de s'embraser, et ravala péniblement une boule de la taille d'une pierre. Il tint bon. À grand-peine.

— Ce n'est pas une bonne idée, Abbie.

— Et alors, c'est important ? lança-t-elle avec colère.

Il l'avait mérité. Un soir qui semblait remonter à des années plus tôt, à Las Vegas, il l'avait laissée croire qu'elle ne comptait pas à ses yeux.

— Oui, c'est important, dit-il avec un profond sentiment de culpabilité.

Elle plongea ses yeux expressifs dans les siens. Elle ne le croyait pas. Elle ne lui faisait pas confiance.

Mais elle en avait envie. Oui, comprit-il, rasséréné par cette révélation. Si, après tout ce qu'il lui avait fait, elle voulait toujours le voir comme un homme bon, alors il lui devait au moins une explication.

Sa décision fut irréversible.

— Nader a tué ma sœur, confia-t-il en s'ouvrant au flot d'émotions qu'il avait tant cherché à étouffer.

Sans lui laisser le temps d'exprimer sa surprise, ou se laisser une chance de faire marche arrière, il continua.

— Il m'en voulait. Il m'en voulait de le traquer, de chercher à le faire tomber. Que je veuille à tout prix faire cesser ses sales affaires dans ce pays. Comme il n'a pas réussi à m'atteindre, il s'en est pris à quelqu'un d'autre. À Terri. Il a piégé sa voiture. Ma sœur et mon beau-frère sont morts.

— Je suis désolé, poursuivit-il alors que des larmes roulaient sur les joues d'Abbie. Je suis désolé de m'être servi de vous. Désolé de vous avoir accusée. Désolé de ne pas vous avoir crue. Et par-dessus tout, je regrette de vous avoir laissée me manipuler et me convaincre que je devais vous amener ici.

— Nous… nous faisons toutes sortes de choses… par amour, dit-elle avec douceur.

Oui. Elle aimait son frère. Il aimait sa sœur. Ils étaient tous deux là pour les mêmes raisons.

— Quand tout sera terminé, dit-il en se levant de mauvaise grâce, si vous me reposez la question… si vous m'invitez encore dans votre lit… demandez-vous d'abord si c'est bien ce que vous voulez.

Puis, avant de se perdre dans ses yeux débordants de désir, il la laissa seule.


*Las Vegas*


Johnny Reed détestait avoir à surveiller quelqu'un. C'était un exercice particulièrement ennuyeux. Il était garé devant l'immeuble où vivait Crystal Debrowski, dans une voiture de location trop exiguë, au beau milieu de la nuit. Depuis une heure, il avait dépassé le stade de l'ennui pour plonger dans un état comateux.

Quand son portable vibra, il accueillit l'appel avec soulagement. Il sortit son téléphone de sa poche, identifia un numéro étranger. Sam.

— Yo, répondit-il.

— Que se passe-t-il ?

Sam n'était pas du genre à se perdre en bavardage.

— Rien, même franchement rien du tout. Mais pour les bonnes nouvelles, je suis en contact permanent avec ton père.

Les chiens ne faisaient pas des chats, songea-t-il. Comme Sam, Tom Lang était austère, efficace, et doté d'un grand sens pratique.

— Tout est calme de ce côté-là.

Seul le silence, à l'autre bout de la ligne, exprima le soulagement de Sam.

— Et les diamants ? demanda Sam.

— À ton avis ? Je n'ai pas lâché la copine rigolote d'Abbie Hughes d'une semelle. Sans résultat.

Cela ne l'étonna pas. Il était autant là pour protéger Debrowski que pour la suivre.

— De la compagnie ?

— Si Nader la fait suivre, le type est vraiment doué. Et comme je suis bien meilleur, je dirais que non. Aucune compagnie. Je doute vraiment que Nader ait pu identifier Crystal Debrowski comme une complice du tour de force d'Abbie.

— Mieux vaut prévenir que guérir.

— Comme tu dis. Il fait beau chez vous ?

— C'est la mousson, grommela Sam.

— Je pensais plutôt à Nader. Que se passe-t-il avec lui ?

Sam lui résuma les derniers événements.

— La vache ! s'exclama-t-il.

— Fais gaffe à toi, l'avertit Sam.

— Bien reçu. Pareil pour toi, OK ?

— À plus tard, dit Sam avant de raccrocher.

Johnny se passa une main sur le visage, le regard perdu dans le vague, et regretta de toutes ses forces de ne pas être au Honduras, où ses compétences ne seraient pas de trop. Il y serait certainement plus utile qu'ici.

— Il y a des jours avec, et des jours sans, murmura-t-il en jetant un coup d'œil vers le troisième étage du bâtiment, quatrième fenêtre en partant de la droite.

Pour s'occuper, et éviter de s'assoupir, il imagina Crystal Debrowski, ses cheveux roux en pétard, ses seins nus. Et il se demanda si une fée malicieuse dans son genre portait autre chose qu'une baguette magique pendant son sommeil.

Cette question lui permit de rester éveillé plusieurs heures.

# 17

*Le camp de Fox, El Nuevo Porvenir*
*Lever du soleil*

Cory était malade.

Si malade qu'il rêvait de mourir.

Si malade qu'il perdait fréquemment conscience, tant Smith l'avait torturé. Quand était-ce ? Quelques jours plus tôt ? Une semaine ? Un an, lui semblait-il.

Il ignorait où il se trouvait.

Il savait seulement qu'on l'avait déplacé. Il se souvenait des coups de feu. Nombreux. Et ensuite... plus rien.

Il roula sur le dos en geignant. Sur la paille sale et malodorante étalée par terre. Sur des morceaux de briques.

Oui, il était à l'intérieur d'un bâtiment. Avec des rats. Il ne parvenait pas à les distinguer dans l'obscurité, mais il sentait leur odeur. Et pouvait les entendre.

Les petites saloperies étaient là, à l'affût. Tapies dans les coins. Grimpant sur les murs. Elles attendaient qu'il meure. Ces vacheries voulaient le bouffer.

— Saloperies ! hurla-t-il à pleins poumons, avant de rugir de douleur tant chaque partie de son corps lui faisait mal.

Il se crispa, se roula en boule pour protéger sa poitrine parce qu'il avait de nouveau six ans, et que son père le battait.

— Non, supplia-t-il, des larmes emplissant ses yeux. Papa, non... je serai sage... c'est... promis. Ne... me... frappe pas. Non...

Il se cogna la main. Hurla quand la douleur transperça l'extrémité de son bras, pour remonter jusqu'à son épaule, s'enfoncer sous son crâne.

Abbie.

Il voulait Abbie.

— Non... non, gémit-il, haletant, malgré sa gorge à vif. Ne viens pas ici. Ne... ne les laisse pas te prendre, toi aussi...

Un rayon de lumière le tira de sa torpeur. Un violent jet d'eau le réveilla totalement.

— Debout, gringo.

Cory étouffa, et lutta pour reprendre son souffle. Il lécha ses lèvres sèches, et les quelques gouttes d'eau qui parsemaient le contour de sa bouche. L'eau coulait sur ses joues. Rafraîchissant sa peau brûlante de fièvre. De l'air pur, chaud et doux, emplit ses poumons.

— Mange. Bois.

Il plissa les yeux malgré la sensation de brûlure, et vit un homme déposer une tasse et un bol en bois sur la paille, avant de les pousser vers lui.

— Ta sœur, elle va bientôt venir, non ? Tu dois rester en vie jusque-là.

L'homme claqua la porte, et la lumière disparut.

Le noir complet.

Et l'odeur de la nourriture. L'odeur de l'eau.

Le crissement des griffes des rats qui approchaient.

Abbie.

Abbie allait venir ? Ici ?

Non. Oh, non. Surtout pas. Abbie ne devait pas venir dans cet enfer.

Mais il ne pouvait rien faire pour l'en empêcher.

Alors il devait l'aider.

Ce qui voulait dire qu'il devait manger.

À tâtons, il chercha le bol sur la paille, et envoya promener un rat du plat de la main.

Ensuite, il plaça le bol sous son menton, en le coinçant avec son poignet, et porta la nourriture à sa bouche à l'aide des doigts de sa main valide.

Il mangea tout.

But son eau. Puis, en glissant sur le sol, il se recula jusqu'au mur faisant face à la porte.

Et il attendit. Il attendit une idée, n'importe laquelle. Il attendit que son estomac rejette la bouillie qu'ils lui avaient donnée.

Il attendit qu'ils reviennent.

Et il supplia le ciel de trouver un moyen d'aider Abbie... puis il pleura. Tout simplement parce qu'il était incapable de se retenir.

*La Entrada, Honduras*

— Tu as pris contact avec Reed ?

Sam leva le nez de son petit déjeuner et acquiesça d'un signe de tête.

— Hier soir, répondit-il à Savage.

— Que se passe-t-il à la maison ?

— Si Nader a envoyé des hommes à Las Vegas, Reed n'a repéré personne.

C'était l'information frustrante. Mais savoir que tout le monde allait bien à Rancho Royale le soulageait.

— Et les diamants ? demanda Mendoza.

— L'amie d'Abbie est aussi discrète que son ombre. Reed n'a rien réussi à obtenir d'elle et pourtant il n'a pas l'air de la lâcher d'une semelle.

Ils se turent. Sam sentit qu'ils lui cachaient quelque chose.

— Tu sais que nous tenons Nader à présent, déclara enfin Savage pendant que les hommes mangeaient leurs œufs brouillés et les tortillas que Señorita García avait préparés pour eux ; ils récompensaient généreusement son hospitalité.

— Nous n'avons pas besoin de Cory Hughes pour en finir avec lui.

Sam s'était attendu à cette remarque. Il but une longue gorgée de café, conscient que Savage avait raison. Il savait également que Mendoza et Doc étaient d'accord avec lui.

Ils n'avaient plus besoin de Cory Hughes. Un instant plus tôt, Mendoza avait trouvé le numéro de portable de Nader dans le répertoire du téléphone de Smith. Il avait ensuite passé un discret coup de fil à son contact du centre local de la CIA/NSA, et Casper le gentil fantôme avait triangulé l'endroit où se trouvait Nader. L'escroc était sur son yacht, qui était amarré au large de la côte sud d'Isla de Roatán.

— Plus nous attendons, ajouta Mendoza, en tirant sur sa médaille de saint Christophe sous le tee-shirt noir qu'il venait d'enfiler, et plus Nader a de chances de partir à la recherche de Smith. Il va se poser des questions.

— Ça ne m'étonnerait pas qu'il ait déjà envoyé quelqu'un à Peña Blanca, poursuivit Doc, la bouche pleine.

Sam ne dit rien. C'était peine perdue. Aucun argument ne changerait l'évidence. Ils avaient raison. Plus ils retardaient le moment d'approcher Nader, plus ils risquaient de le manquer.

— Il faut laisser tomber le frangin, insista Savage. Nous n'avons plus le temps de nous occuper de Cory Hughes. Demande à Mendoza de reconduire Abbie à San Pedro Sula et de la mettre dans un avion. Il nous rejoindra plus tard.

— Nous avons conclu un marché.

Toutes les têtes se tournèrent vers Abbie.

— Nous avons conclu un marché, répéta-t-elle, en posant un regard accusateur sur Sam.

L'air penaud, Doc, Savage, et Mendoza s'emparèrent de quelques tortillas avant de se lever.

— On va charger la voiture, les informa Mendoza. On vous attend dehors.

Puis, tels des rats désertant le navire, ils sortirent. Suivis de près par Señorita García qui était occupée à la cuisine mais qui, ayant senti la tension envahir la pièce, préféra déguerpir.

Le silence s'installa lourdement.

— Ils ont raison, dit Sam en préparant une assiette pour la jeune femme. Nous perdrons Nader si nous continuons à repousser le moment de passer à l'action.

Elle ignora la nourriture.

— Et Cory mourra si nous n'allons pas le chercher tout de suite.

Sam n'avait pas voulu en arriver là. Nader était la seule raison de sa présence au Honduras. Son unique objectif était d'anéantir l'homme qui avait détruit son père. S'assurer que Nader ne l'atteindrait plus.

Il pensa à Cory Hughes. À Savage, Doc et Mendoza qui risquaient leur vie sans hésitation pour faire tomber Nader.

Un fort sentiment de culpabilité l'oppressa, et ne fit que croître quand il croisa le regard d'Abbie.

Elle secoua la tête, comme si elle n'arrivait pas à y croire.

— Espèce de salaud... Vous... vous osez parler de confiance. D'erreurs. Vous... avez joué la carte de l'honneur hier soir, comme si c'était une façon de vous faire pardonner d'avoir profité de moi. Vous osez dire que je ne vous laisse pas indifférente. Vous m'avez poussée à croire...

Elle s'interrompit brusquement, et ravala ses larmes.

— Écoutez, je suis désolée. Je suis navrée pour votre sœur. Je suis navrée qu'elle soit morte. Mais vous ne pouvez plus rien y faire. Par contre, vous pouvez aider Cory. Il est toujours en vie, lui. Je vous en prie.

Elle s'étrangla en prononçant ces mots, puis reprit :

— Je vous en prie... comportez-vous comme l'homme que vous voulez être pour moi. Aidez-moi.

Sam la considéra longuement, froidement.

— J'ai vraiment dû vous décevoir si vous me croyez incapable de tenir parole.

Elle exprima un tel soulagement qu'il eut presque moins de mal à faire fi de la raison, et de l'opinion des MCB.

— Mangez, ordonna-t-il d'un ton bourru. Vous avez besoin de reprendre des forces. Soyez prête à partir dans dix minutes.

Il sortit en sachant qu'il allait demander à ses frères de repousser leurs limites.

Il savait que pour lui, ils étaient prêts à tout. Mais il était également conscient que s'il leur arrivait quoi que ce soit, ou si Nader s'en sortait, le poids de la responsabilité reposerait sur ses épaules.


*Près d'El Nuevo Porvenir, et du camp de Desmond Fox*


— Fils de pute, jura Mendoza en passant la marche arrière tandis que les roues du 4 × 4 s'enfonçaient de plus en plus profondément dans la boue.

— Attends, dit Savage en ouvrant sa portière, avant de poser les pieds dans la gadoue. Putain. On est dedans jusqu'au cou. Ça ne risque pas de décoller.

Ils étaient tous mécontents. Tous les MCB en voulaient à Sam, et jugeaient insensé de perdre du temps à secourir Cory Hughes. De son côté, Sam savait qu'il compromettait leurs vies mais aussi leurs chances de serrer Nader.

Pour sa part, Abbie était rongée par la crainte d'arriver trop tard.

Seul Doc s'efforçait d'apporter une touche de légèreté au chaos ambiant.

— Putain de boue, Batman. Où est la Batmobile quand on en a le plus besoin ?

— Je vous avais dit que la route serait impraticable, marmonna Savage.

— Ouais, bah, depuis quand t'arrive-t-il d'avoir raison ? demanda Sam en sortant du 4 × 4 avant de claquer la portière derrière lui.

Il inspecta les roues, qui étaient complètement embourbées.

— Tout le monde sort. Abbie, prenez le volant. Quand je vous donnerai le signal, mettez la gomme.

— Go ! cria Sam quand tout le monde fut en place contre l'arrière du 4 × 4, déterminés à avoir raison de la boue à la force de leurs bras.

Elle accéléra à fond.

Le 4 × 4 sursauta, dérapa et, sous un flot de jurons et de grommellements, se dégagea du bourbier.

Abbie freina, emmena le véhicule au milieu de la route, et attendit que les gars la rejoignent.

Ce fut à cet instant que Sam sentit une odeur d'essence.

Et que le moteur rendit l'âme.

— Fils de pute, pesta Savage en s'agenouillant pour inspecter le châssis.

— Il y a un trou dans le réservoir. Ça a dû heurter une pierre quand on l'a poussé. Nous n'avons plus d'essence, les amis.

Abbie descendit du véhicule, l'air désespéré, le visage tuméfié.

Tous ses sentiments se reflétaient dans ses grands yeux bruns.

*C'est tout ? Tout ça pour ça ?*

Les mains sur les hanches, les yeux plissés, Sam scruta la campagne sous le soleil matinal, conscient de l'inquiétude d'Abbie.

Ils se trouvaient au beau milieu de nulle part. Il remarqua une petite ferme à environ quatre cents mètres au sud.

— J'ai besoin des jumelles.

Mendoza les prit dans le coffre du 4 × 4, et les lui tendit.

— Donnez-moi tout votre argent liquide, ordonna Sam après avoir repéré ce qu'il cherchait.

— Ça m'ennuie d'avoir à te le dire, mais il n'y a pas assez de lempiras au Honduras pour te sortir de ce pétrin, grommela Savage.

— Je pensais plutôt à du marchandage, dit Sam après qu'ils eurent rassemblé tout leur argent. Mendoza, viens avec moi. Vous autres, vous allez m'attendre ici.

Et ils partirent à travers champs.


— Les chevaux, ce n'est pas mon truc, bafouillait Savage, une heure plus tard.

Son regard passait de Sam à la monture au poil hirsute qui mâchouillait de l'herbe dans un fossé.

— Ni en Afghanistan ni en Argentine, et encore moins dans ce fichu bled du Honduras.

— Alors l'heure est venue d'élargir tes horizons, déclara Doc en montant avec aisance en selle.

S'il n'avait pas eu suffisamment d'argent liquide pour remplacer le réservoir, Sam avait pu leur offrir la jouissance de six chevaux. Ils n'avaient rien de chevaux de course, mais ils étaient robustes. Ils leur permettraient d'atteindre El Nuevo Porvenir, où la taupe de Fox leur avait avoué que Cory Hughes était retenu en otage.

Selon la taupe, Hughes était dans un sale état. Sam n'avait pas révélé cette information à Abbie, qui le prenait de court avec sa détermination stoïque à faire ce qui devait être fait. Malgré sa nervosité, elle monta en selle sans un mot.

Abbie ne devait pas s'inquiéter davantage pour l'état physique de Cory. Cela serait inutile. Tout comme les grognements de Savage ne servaient à rien, sauf, peut-être, à amuser Doc et Mendoza.

— Allez, Papa Ours !

Mendoza non plus ne se gênait pas pour se moquer de la nervosité de Savage.

— C'est comme monter une femme bien en chair. Ah, c'est vrai, ça doit faire tellement longtemps que tu as oublié à quel point c'est bon.

— Va te faire foutre, grommela Savage en hissant maladroitement son grand corps sur la selle. J'espère que ces canassons vont vous envoyer valser tous les deux sur votre petit crâne obtus.

Sam leur lança un regard facile à interpréter.

— Il faut admettre que voir Savage souffrir pour piloter quelque chose est plutôt satisfaisant, objecta Doc.

— Je serai satisfait quand nous aurons terminé notre boulot, dit Sam en vérifiant pour la deuxième fois l'attache qui retenait les munitions et les armes aux sacoches. Allons-y. On va filer, entrer en force, récupérer Cory, et s'occuper de Nader.

Cela aurait pu être la photographie de couverture d'une brochure touristique du Honduras. Un beau soleil brillait dans le ciel limpide. La forêt tropicale, verdoyante et luxuriante, bordait les flancs en pente douce des collines à l'herbe épaisse. L'air embaumait le soleil, les fleurs et les parfums révélés par les fortes pluies.

Le long de cet interminable champ de verdure, cinq cavaliers avançaient, leurs silhouettes dominant les ruines de ce qui avait été un temple sacré maya. Ils cheminaient à un rythme assuré. Leurs ponchos rayés contrastaient violemment avec les bleus et les verts vifs de la nature. Ils chevauchaient avec aisance, la tête penchée en avant. Leurs chapeaux de paille à large bord protégeaient leurs yeux du soleil.

Oui, se dit Abbie, cette image aurait pu être tout droit tirée d'un guide sur la vie rurale dans la province de Copán – d'après ce qu'annonçait le panneau qu'ils venaient de dépasser. Si toutefois elle n'en avait pas fait partie. Si, sous ces ponchos, Sam, Doc, Mendoza et Savage ne dissimulaient pas assez d'armes pour fomenter un coup d'État. Avec les chevaux, Sam avait réussi à obtenir des ponchos et des chapeaux de paille. Aucun de ces accessoires n'aurait eu sa place dans un catalogue de vêtements pour hommes. Les ponchos étaient usés, sales, troués, et les chapeaux déformés s'effilochaient. Mais, comme Sam l'avait espéré, ces tenues, ajoutées à leurs moyens de locomotion, constituaient un camouflage inespéré pour ces quatre hommes imposants dans un pays où la taille moyenne n'excédait pas le mètre soixante-dix. S'ils venaient à croiser un autochtone, ils n'attireraient pas son attention.

Les ponchos et les chapeaux permettaient également de dissimuler le fait qu'Abbie était une femme – même si de son point de vue, accompagnée par un cortège d'hommes en rangs serrés, elle se sentait plus femme que jamais.

Elle n'oublierait jamais que Sam était allé à l'encontre des conseils et de la volonté de ses hommes. Ils risquaient tous leur vie pour Cory – un jeune homme qu'ils ne connaissaient pas, qui n'avait aucune importance à leurs yeux, et qu'ils méprisaient même franchement pour ses fonctions de passeur pour Nader. De plus, à cause de lui, ils devaient encore reporter leur mission première : atteindre Nader.

Comment pourrait-elle les remercier ? Même si elle en trouvait le moyen, elle était convaincue qu'ils n'accepteraient pas ses remerciements. Il y avait cependant une chose qu'elle pouvait faire. Jouer un rôle dans le sauvetage de Cory. Elle ne savait pas encore lequel, mais elle n'avait pas l'intention de rester à l'abri pendant qu'ils prendraient des risques pour elle.

— D'après ce qu'a dit la taupe, l'estancia doit être de l'autre côté de ce versant, estima Mendoza au bout d'une heure de balade. Je vais passer devant pour jeter un coup d'œil.

Il donna des coups de talons dans les flancs de son cheval, et gravit la colline au galop.

Cory se trouvait par-delà cette colline. Le rythme cardiaque d'Abbie s'accéléra à l'idée de le voir, de le mettre bientôt à l'abri.

— L'un des éléments en notre faveur, dit Sam, est que Fox ne pouvait pas deviner quand précisément arriverait Smith avec vous, à Peña Blanca. Cela nous a permis de gagner quelques heures. Il est loin de s'imaginer que son agent d'exécution ne viendra pas, ni seul ni avec vous. Et il ne s'attend pas à vous voir résister.

— Puisqu'il m'attend, pourquoi ne pas simplement lui donner ce qu'il veut ? demanda Abbie quand ils descendirent de cheval à la lisière de la forêt, pour attendre le retour de Mendoza.

Le regard de Sam répondit clairement à sa question.

— Parce que comme Nader, Fox a l'intention de nous tuer tous les deux, résuma Abbie.

— Que l'on donne un cigare à cette dame, lança Doc, plus stoïque qu'à son habitude, tout en remplissant un chargeur de balles, avant de le fixer à un terrifiant pistolet.

Ils se préparaient au combat. Plus tôt dans la matinée, quand Abbie les avait rejoints à côté du 4 × 4, avant de quitter la maison de Señorita García, ils étaient tous occupés à la même tâche. Elle avait alors remarqué qu'ils maniaient les armes avec des gestes précis et automatiques, vérifiaient à deux reprises les chargeurs, enfilaient leurs gilets de protection. Ils lui avaient alors renvoyé l'image froide et parlante de ce qu'ils étaient, de ce qu'ils étaient capables de faire.

— Vous avez déjà tiré avec un fusil ? lui avait demandé Sam.

Elle avait secoué la tête, et s'était sentie profondément candide, privilégiée et vulnérable. Aucun de ces sentiments ne lui avait plu.

— Montrez-moi.

Les hommes avaient haussé les sourcils, mais aucun d'eux n'avait bronché.

— J'apprends vite, s'était-elle défendue. Il suffit de me montrer.

— Elle pourrait s'en sortir avec un M-4, avait suggéré Mendoza en s'emparant d'une petite version du M-16 pour le tendre à Sam.

— Montre-lui comment viser et tirer.

Alors Sam lui avait enseigné les bases. Durant le court laps de temps dont ils avaient disposé, Sam lui avait appris l'essentiel.

— Pointer, viser, tirer. Ne jamais pointer cette petite bête sur quelque chose ou sur quelqu'un que ça vous ennuierait de voir mort.

Globalement, sa leçon s'était arrêtée là. Bien sûr, elle n'avait pu s'exercer qu'à « tirer à blanc », et n'avait aucune expérience des vraies balles.

Mais le moment était venu. Déguisée en autochtone déguisé en tueur, lui-même déguisé en quelqu'un qui n'était pas mort de trouille, alors que la dernière déclaration de Sam résonnait à ses oreilles : *Bienvenue dans le monde des armes à feu et des truands.*

# 18

Debout à côté de sa monture, Abbie regardait Mendoza revenir vers eux. Elle avait les mains moites d'avoir serré les rênes du cheval. En descendant de selle, il croisa le regard d'Abbie et, à son grand soulagement, il eut l'air compréhensif. Il savait avec quelle anxiété elle attendait des nouvelles. Il secoua la tête pour signifier qu'il n'avait vu aucune trace de Cory, avant de sortir une feuille de papier et un stylo de sa poche. Prenant appui sur la croupe du cheval, il déplia la feuille et se lança dans l'élaboration d'un croquis.

— Alors. Nous avons une petite estancia en bordure du village. J'imagine que Fox s'est arrangé pour faire expulser ceux qui vivaient ici.

» Le bâtiment principal se trouve ici, continua-t-il en dessinant un carré au milieu de la page.

Une légère brise en soulevait les coins, et Abbie tendit la main pour les maintenir à plat.

— J'ai repéré une seule entrée mais il doit y avoir une issue arrière. Un gardien est posté devant la porte de devant.

— Armé ? demanda Sam.

— Il a un AK.

Sam fronça les sourcils.

— C'est le seul garde ?

— Pour la maison, confirma Mendoza. Mais il y a une annexe ici. Elle pourrait renfermer le puits, servir à entreposer les outils, ou je ne sais quoi d'autre. Là, il y a quatre hommes en faction. Là, là, là et là, expliqua-t-il en griffonnant un signe aux quatre coins du bâtiment.

— Ça doit être ici qu'ils gardent Cory, conclut Sam.

Mendoza approuva d'un geste.

— C'est ce que je me suis dit. Autrement, il n'y aurait aucune raison de faire surveiller cette annexe par des hommes en armes.

— Il doit y en avoir d'autres postés sur la propriété, rappela Doc en examinant la carte. D'après la taupe, ils sont une vingtaine.

— La grange ? suggéra Savage.

Mendoza haussa les épaules.

— Possible. Ils pourraient aussi se trouver dans la maison. J'ai repéré trois patrouilles de surveillance sur le terrain. On dirait qu'ils sont placés de façon à servir de première ligne de défense.

— Pour se défendre contre quoi ? demanda Abbie, perplexe. D'après ce que Fox sait, je suis censée venir seule. Et en plus, je dois arriver avec l'un de ses hommes.

— Le comité d'accueil n'est pas pour vous, dit Sam. C'est pour Nader. Fox se prépare à voir Nader débarquer dès qu'il aura eu vent de l'embuscade de Peña Blanca.

— Il va mettre le paquet, ajouta Savage.

— Sauf qu'il ne s'attend pas à se retrouver face à Papa Ours, dit Doc en souriant à l'intention de Savage.

— Au fait, comment vont tes fesses ? Elles s'habituent à la selle ?

Savage adressa un doigt d'honneur à Doc, avec le sourire. Ils semblaient tous décidés à affronter le pire.

— Comment allons-nous faire pour tirer Cory de là ? demanda-t-elle.

Les regards se tournèrent vers Sam.

— J'ai bien vu ce que j'ai cru voir dans ton sac de friandises ? demanda-t-il à Mendoza.

— J'ai pas mal de jouets, Sam. Tu peux préciser ?

— Quelques obus de mortier bien placés pourraient créer une jolie diversion.

Mendoza sourit.

— Je savais que ça te plairait.

— Des mortiers ? demanda Abbie sans en croire ses oreilles. Attendez, je ne suis pas experte en obus, mais j'ai vu suffisamment d'images de tirs à la télé et dans les films pour savoir qu'il est impossible que ce genre de choses soit accroché à la selle d'un cheval.

— La petite dame est intelligente. Pas de mortiers, en effet, mais nous avons des simulateurs de mortiers, expliqua Mendoza en glissant la main sous la couverture pour en extraire une barre métallique noire.

Trois tubes cylindriques d'environ vingt centimètres de longueur, et trois centimètres de diamètre étaient soudés à la barre et dirigés vers le haut.

Sam reprit la parole pour expliquer la suite.

— Nous sommes moins nombreux et moins bien armés qu'eux, mais nous pouvons compter sur l'effet de surprise. Ils ne s'attendent pas à notre assaut. Ou pas si tôt. À l'heure qu'il est, juste après le petit déjeuner, ils sont repus et à moitié endormis. Un peu de fumée et quelques miroirs suffiront à les convaincre que quelqu'un largue des obus de mortier. Ils penseront que Nader est arrivé en force, prêt à tout, et qu'il est supérieur en armes.

— Plus que tout, ajouta Doc à l'intention d'Abbie, les mortiers ont l'avantage de semer la panique. On ne sait jamais d'où ils viennent ni sur quoi ils vont tomber.

Sam acquiesça.

— Si on parvient à les désorganiser et à semer la panique, certains vont même s'enfuir. C'est alors qu'on pourra se frayer un chemin jusqu'à votre frère. On le prend sous le bras et on s'en va.

— On s'en va où ? demanda Abbie sans réfléchir. Comment on fait pour sortir de là ? Cory est peut-être en trop mauvaise condition physique pour monter à cheval. Et même s'il ne l'est pas, ces types doivent avoir des voitures. Je me trompe peut-être mais je ne vois pas comment nous pourrions les semer sur nos canassons.

— On t'écoute, Raphael, dit Sam en se tournant vers Mendoza.

— Deux pick-up et un énorme 4 × 4 hors de prix sont garés devant l'hacienda. Ils ont dû servir à conduire Fox ici. L'un de ces véhicules va venir avec nous. Les deux autres seront malheureusement mis hors-service. S'il y en a d'autres dans la grange, nous n'aurons pas de mal à tirer dans les pneus.

— Et les chevaux ? Qu'en faisons-nous ?

Savage leva les yeux au ciel. Oui, Abbie savait qu'il était incongru de s'inquiéter pour ces animaux alors qu'un combat armé de taille allait se jouer dans quelques minutes, mais c'était plus fort qu'elle.

— On leur donne une tape sur le cul et on leur indique la direction de leur maison, répondit Doc avec sympathie. Ne vous en faites pas. Ils sauront retrouver leur auge. Ils seront de retour chez eux avant que ça pète dans tous les sens.

— Alors, voici comment je vois les choses, expliqua Sam en les ramenant au sujet principal. Abbie, vous allez vous positionner en haut de la crête et lancer les simulateurs à mon signal.

Mendoza lui donna des jumelles pour lui permettre de distinguer les gestes de Sam.

— Mendoza, Savage et moi nous nous chargeons de l'équipe de gardes postés à l'entrée. Doc, tu restes à l'arrière, sur la crête, avec Abbie et le M-249. La mitraillette, précisa-t-il à l'intention d'Abbie. Tire sur tout ce qui te déplaît.

Doc sourit.

— J'adore me trimbaler avec ce petit bijou au ceinturon.

— Ça serait sympa si on pouvait éviter de faire trop de bruit au début. On gagnerait un peu de temps avant d'atteindre le premier périmètre de soldats, suggéra-t-il en se tournant vers Mendoza pour demander : Tu n'aurais pas, à tout hasard... ?

— Des silencieux ? Tu crois vraiment que j'ai pu partir sans ? demanda Mendoza en plongeant la main sous la couverture pour en extraire une poignée de longs cylindres noirs.

— Et un dernier pour moi, ajouta-t-il après avoir fait la distribution, et fixé le silencieux à l'extrémité de son canon.

Sam s'adressa à Abbie.

— Nous allons vous laisser un M-4. Vous tirez seulement si on vous tire directement dessus, compris ?

Elle s'empara du fusil. Acquiesça. Comprit qu'il voulait éviter qu'elle touche l'un d'eux.

— Bien, déclara gravement Sam. Une fois que nous aurons fait tomber le premier cercle de surveillance, nous foncerons droit sur la remise. C'est là que j'aurai besoin des tirs de mortier.

Abbie fit un signe affirmatif.

— Cela devrait en mettre quelques-uns à terre. Je vais foncer droit vers la remise, abattre les quatre gardiens et prendre Cory. Mendoza, toi et Savage, vous irez dans la grange voir s'il reste des hommes, neutraliser les véhicules, et réquisitionner l'un des pick-up.

— Et s'ils sont fermés à clé ? demanda Abbie.

Mendoza sourit.

— C'est à cela que servent ces bouts de métal, dit-il en tapotant l'extrémité de son canon.

» Dès que Savage et Mendoza apparaîtront devant l'abri, dans le véhicule, précipitez-vous en bas de la colline. J'arriverai avec votre frère, je le ferai monter à bord, et on viendra vous chercher, vous et Doc avant de filer loin d'ici.

À l'entendre, tout semblait si simple. Si on mettait de côté le fait que les balles et les hommes étaient réels, bien entendu.

— Des questions ? demanda Sam en interrogeant chaque membre de l'équipe du regard. Bon, dit-il. Vérifions nos montres à présent, installons les simulateurs et que la fête commence. Doc...

— Je sais. Ma trousse de secours est prête.

Abbie avait bu chaque parole avec un courage résigné. Le plan d'attaque était net, rapide et exhaustif. Seule l'issue demeurait incertaine. Colter ne s'appelait pas Doc par hasard.

Il pourrait y avoir des blessés. Chacun d'entre eux s'exposait à être touché, peut-être même mortellement.

Ils en étaient conscients. Et pourtant, ils ne manifestaient aucune hésitation. Ils faisaient tout leur possible pour sauver Cory, alors qu'ils ne le connaissaient pas. Alors qu'il ne représentait rien pour eux. Et qu'ils n'avaient même pas envie de lui venir en aide.

*C'est notre boulot*, avait dit Sam.

Ces hommes... ces hommes qui intervenaient pour changer le cours des choses, ces hommes expérimentés, habiles, endurcis, allaient tous foncer tête baissée parce qu'elle le leur avait demandé.

— N'y pensez pas, conseilla Sam en l'observant longuement, alors qu'elle s'éloignait du groupe.

Ces hommes mettaient leur vie en danger à cause d'elle.

— Qu'est-ce que j'ai fait ? Je vous en demande trop, dit-elle en croisant son regard.

— Je fais ce que vous feriez à ma place, si je vous avais demandé la même chose.

La gorge serrée, elle tenta de retrouver son calme.

— Abbie, dit Sam en lui étreignant le bras. Ce n'est pas la première fois que nous délivrons un otage.

Elle s'en était rendu compte. Toutefois, cela ne lui facilitait pas la tâche.

— Soyez prudent, murmura-t-elle avec une profonde inquiétude.

Il se pencha vers elle, l'embrassa. Légèrement. Doucement.

— Prudence est mon deuxième prénom, promit-il alors que sa bouche frôlait la sienne. De plus, il y a des choses à régler entre nous. J'ai l'intention de m'en occuper juste après l'attaque.

Ce n'était jamais facile. Et cela n'avait rien d'un acte héroïque. C'était simplement nécessaire. Si un homme perdait la réalité de vue, celle qui consistait à « tuer ou être tué », il était fini. Sam était fermement décidé à préserver Abbie de la mort.

Mendoza se tenait à vingt mètres de lui, sur sa gauche, et Savage à sa droite. Ensemble, ils progressèrent lentement vers le cercle des gardes, à plat ventre dans l'herbe épaisse, leurs fusils calés dans la pliure du coude. Ils atteignirent leur cible et en deux minutes, sans avoir fait feu, trois âmes corrompues partaient à la rencontre du diable.

Trois en moins ; la route était encore longue.

Sam traîna le garde mort derrière un arbre, puis lui ôta son chapeau et sa cartouchière. Il glissa la cartouchière à son épaule, et mit son chapeau. En se déguisant en homme de Fox, il ne duperait personne très longtemps. Mais il avait besoin de peu de temps. Tout comme Savage et Mendoza qui l'avaient imité. Dans ce jeu, chaque fraction de seconde comptait. Chaque minuscule gain de temps. La réaction plus lente d'un gardien offrait une occasion précieuse de renverser la vapeur, en particulier quand on était moins nombreux que l'ennemi.

Le pépiement d'un moineau – le signal dont ils étaient convenus au préalable – se fit entendre à gauche, puis à droite. Sam sut alors que les MCB étaient prêts à passer à l'attaque. Il répondit en gazouillant, puis leva la main, le pouce dressé. Ce signal s'adressait à Abbie ; elle pouvait charger.

— Bien joué, souffla-t-il quand, dix secondes plus tard, elle lança le simulateur.

Un sifflement strident résonna dans le ciel, suivi d'une explosion qui retentit comme un tir de mortier et atteignit l'espace dégagé situé devant la remise. De la boue, des débris, des flammes de l'enfer et du soufre à réveiller les morts furent propulsés à trente mètres à la ronde. Un nuage de poussière se forma dans la zone.

Au même moment, Sam, Mendoza et Savage jaillirent de l'herbe haute. Ils s'élancèrent en courant comme s'ils avaient le feu aux fesses, tirant derrière eux comme s'ils étaient poursuivis. En espagnol, ils hurlaient que la propriété était attaquée : « ¡ Un ataque ! Socorro ! Rápido ! Somos atacados ! » Ils prièrent pour que personne, dans ce chaos, ne remarque qu'ils ne faisaient pas partie du clan du chacal.

À l'instant où la porte de l'hacienda s'ouvrait sur quatre hommes armés, prêts à rejoindre le gardien stupéfait qui était en faction sous le porche, Abbie lança le second faux tir de mortier.

Tout en se ruant discrètement vers la remise, Sam aperçut Mendoza et Savage qui rampaient sous les pick-up. S'ensuivirent les tirs saccadés des armes automatiques, ceux, reconnaissables entre mille, d'un M16 et d'un M-4. Les cinq gardes, pris par surprise, n'eurent pas le temps de poser le doigt sur la détente de leur AK.

Cinq autres hommes en moins. Tout se passait bien.

Sam courut vers la remise en braillant : « ¡ *Protéjense ! Tomen refugio !* » Mettez-vous à l'abri.

Les quatre soldats s'accroupirent, avant de s'apercevoir que Sam n'était pas des leurs. Ils levèrent leurs fusils.

Il tira à quatre reprises, et les quatre ennemis, insuffisamment entraînés, insuffisamment préparés, s'écroulèrent comme des pantins.

Il enjamba leurs corps et fonça vers la porte.

En bois. Vieille. Cadenassée.

— Écartez-vous de la porte ! cria-t-il en espérant que Cory l'entende.

De tout son poids, il donna un coup de pied dans le vantail. Le bois céda autour de la serrure. La porte s'enfonça et claqua contre le mur.

— Putain ! lança-t-il en bondissant quand un rat passa sur son pied, avant de se glisser dans l'ouverture.

La lumière du jour perça l'obscurité malodorante qui sentait la saleté, la peur et le désespoir.

Contre le mur du fond, un homme était allongé sur le dos, jambes écartées, la tête et les épaules de travers. Il avait levé la main pour se protéger du soleil. Son autre main, autour de laquelle était enroulé un bandage crasseux et taché de sang, reposait sur son ventre.

— Cory ? vérifia Sam.

Pas de réponse. Les rats s'enfuyaient pour se tapir dans les coins de la pièce.

— Je suis un ami de votre sœur.

Il réagit enfin. Il baissa la main, plissa les yeux pour tenter de distinguer Sam. Fiévreux, il avait les yeux injectés de sang.

— Abbie ? Abbie est là ?

— Oui. Venez. Il faut qu'on file. Vous pouvez marcher ?

Sam passa son fusil en bandoulière et s'agenouilla près de Cory pour l'aider à s'asseoir.

— Il faut qu'elle s'en aille ! supplia Cory. Ne les… ne les laissez pas la prendre, elle aussi !

— Personne ne lui fera de mal, mais nous devons partir tout de suite.

Sam saisit la main valide de Cory, glissa un bras autour de son épaule, et l'aida à se relever. Dehors, les tirs d'AK-47 et de la mitraillette de Doc faisaient rage comme une averse de grêle sur un toit de chaume. Si tout se passait comme prévu, Doc et Mendoza avaient déjà éliminé les quelques hommes en faction dans la grange, et neutralisé les véhicules présents à l'exception de celui qui n'allait pas tarder à apparaître pour emmener Sam et Cory.

Sam entendit un M-249 se rapprocher, et comprit que Doc gagnait du terrain.

— Allez, dit Sam en tenant Cory par la taille pour l'entraîner vers la sortie.

Il jeta un coup d'œil à l'extérieur. À gauche puis à droite. Quand il fut certain qu'aucun tir n'était donné dans leur direction, il appuya Cory contre l'encadrement de la porte.

— Ne bougez pas, ordonna-t-il avant de sortir pour avancer jusqu'à l'angle du mur de la remise.

*Merde.* Mendoza s'était mis à l'abri derrière un abreuvoir. Des rafales de balles tombaient dans l'eau, faisant jaillir des jets qui s'élevaient vers le ciel. Sam scruta les environs, repéra le tireur, le pointa en s'aidant de son viseur holographique, et fit feu. Un corps dégringola du toit de la grange, pour retomber sur le sol sec, inerte.

Mendoza se releva immédiatement, et l'arme plaquée sur la hanche, tira tout en se ruant vers le pick-up le plus proche. Il tenta d'ouvrir la portière, mais dut s'aider de son fusil pour pulvériser la vitre et déverrouiller la porte.

Il s'allongeait sur le siège quand la vitre du passager vola en éclats. Sam chercha le nouveau tireur du

248

regard. Il le trouva posté à une fenêtre de l'hacienda. Une balle, et l'homme s'écroula vers l'avant, rebondit sur le toit du porche et atterrit sur celui du 4 × 4.

— Allez, Mendoza, dit-il avec impatience, sachant qu'il tentait de démarrer le véhicule grâce aux fils de contact.

Parmi les coups de feu constants, le moteur démarra. Mission accomplie.

Le fusil dans le dos, Sam repartit dans l'autre sens, tête baissée. Il passa devant Cory, et contrôla l'autre mur. Arrivé à l'angle, il se retrouva nez à nez avec le canon d'un AK. Il se laissa tomber à terre, roula sur lui-même et tira. L'un des soldats de Fox s'écroula à son tour.

Toujours en roulant sur lui-même, il repartit vers l'abri. Il sentit une vague douleur se propager dans son bras. *Merde.* Il avait été touché. Une fois sous le porche, il inspecta sa blessure. Du sang s'échappait d'une plaie. Rien de grave.

Couvert par la mitraillette dynamique de Doc, il se mit à l'abri derrière la bâtisse. Là, il survola la propriété du regard, s'attarda sur la zone comprise entre la remise et la grange où Savage s'était accroupi, dans l'embrasure d'une porte, et visait des hommes que Sam ne pouvait pas voir.

Au même moment, Mendoza débola devant la grange. Son M-4 émergeait de la fenêtre passager, pour couvrir Savage qui, tout en reculant, dispersait des rafles tout autour de lui. Quand il eut rejoint Mendoza, il plongea dans la benne de la camionnette et arriva face contre terre. Il se redressa rapidement, et cala le canon de son M-16 sur les montants de la caisse pour vider tout le contenu de son chargeur sur la grange.

— Tenez-vous prêt, annonça Sam à Cory, sachant que le prochain arrêt du 4 × 4 serait pour eux.

Faisant crisser les pneus, et laissant une traînée de poussière derrière lui, Mendoza accéléra pour freiner sèchement devant la remise.

Sam lança son fusil à Savage, souleva Cory par les aisselles, et courut sur les trois mètres qui les séparaient de la camionnette. Des balles rebondissaient autour des pieds de Sam en soulevant de la poussière. Savage attrapa Cory et le hissa dans la benne du pick-up.

À son tour, Sam monta à l'arrière du véhicule, prit son M-16 des mains de Savage et s'allongea à côté de lui pour faire feu.

— Écrase la pédale ! hurla Savage à l'intention de Mendoza qui s'empressa de mettre le pied au plancher.

L'arrière du véhicule oscillant de droite à gauche, ils se dirigèrent à tombeau ouvert vers la sortie, à l'endroit où Doc et Abbie devaient les attendre.

Rugissant, le pick-up filait sur le chemin cabossé quand il heurta une ornière, ce qui projeta Sam contre le bord ouvert de la benne. Il chercha désespérément un point auquel se raccrocher, mais un autre trou dans la chaussée l'éjecta hors de la camionnette.

Il retomba lourdement à terre, et le choc manqua de l'assommer. Allongé sur le ventre, il avait du mal à respirer. Il s'efforçait de reprendre son souffle quand une ombre se dessina au-dessus de lui.

— *Hola, gringo.*

Suffoquant, incapable de bouger, Sam plissa les yeux en tournant la tête vers le soleil. S'il n'arriva pas à distinguer le visage de l'homme, l'extrémité dangereuse de son AK-47 ne lui échappa pas.

— *Y adios.*

C'était donc la fin.

Sam pensait à Abbie, à la culpabilité qui l'habiterait, quand l'homme épaula son fusil, visa…

Un coup de feu retentit.

Mais Sam était toujours en vie.

250

L'homme armé se tenait au-dessus de lui, le regard figé par l'horreur, alors qu'une tache d'un rouge vif s'étalait sur sa chemise.

L'AK lui tomba des mains. Il baissa les yeux sur son torse, considéra Sam avec stupeur. Lentement, il tomba à genoux, puis son visage heurta le sol.

Sam trouva la force de se redresser. Plissant les yeux, il regarda la silhouette avancer lentement vers lui dans un nuage de poussière, l'arme qui venait de lui sauver la vie à l'épaule.

Abbie.

Avant qu'il ait eu le temps de lui crier de se mettre à l'abri, le pick-up surgit. Se redressant vivement, il prit la main d'Abbie et s'élança vers le véhicule. Il ouvrit la portière avant et souleva Abbie pour la projeter à l'intérieur avant de la suivre sur la banquette tandis que Mendoza redémarrait en trombe.

Doc émergea de l'herbe haute moins de trente mètres plus loin. Après un nouvel arrêt, il rejoignit Savage et Cory à l'arrière. Il installa immédiatement son M-249 entre ses jambes, et tira dans leur sillage pour dissuader quiconque de les suivre.

Quand il se tourna une dernière fois vers la propriété dépeuplée, Sam aperçut Desmond Fox debout, les pieds écartés, un fusil à la main. Impuissant, il les regardait s'éloigner.

# 19

Arrivés et repartis en moins de quinze minutes. Quinze minutes qui avaient paru durer quinze heures. Ça donnait toujours cette impression quand les balles volaient en tous sens.

Mais les tirs avaient cessé. Pourtant, Sam gardait un œil vigilant dans le rétroviseur, au cas où Fox aurait envoyé quelqu'un à leurs trousses. Pour l'instant, il n'y avait rien à signaler, mais personne ne s'autorisait à respirer librement. Après ce qu'ils avaient vécu, l'adrénaline affluait encore dans leur organisme et chacun demeurait silencieux. À l'exception de Mendoza, qui emplissait l'habitacle de noms d'oiseau en espagnol chaque fois que la route l'obligeait à faire des prouesses. Le plus vite possible, ils devaient rejoindre la maison de Señorita García.

Le pick-up volé se frayait un chemin dans la boue, et passa devant l'épave de leur 4 × 4. La chaleur du Honduras avait suffisamment asséché les routes pour qu'ils ne craignent plus de s'embourber.

Assise à côté de Sam, Abbie se retournait régulièrement pour poser un regard inquiet sur son frère.

— Ça va aller, la rassura Sam. Il était conscient et en état de marcher quand je l'ai trouvé.

— Il vous a parlé ? demanda-t-elle avec une vive émotion.

— Oui, il sait que vous êtes là. Il m'a ordonné de vous emmener loin d'ici, répondit Sam.

Son visage s'illumina.

— Un bon point pour le petit, commenta Sam.

S'il avait toujours du mal à le voir à travers les yeux de sa sœur, il savait qu'elle avait besoin d'un peu de réconfort. Et dès qu'elle réaliserait qu'elle avait abattu un homme, elle aurait besoin de tout son soutien.

— Vous saignez, dit-elle avec stupeur quand elle remarqua sa blessure au bras.

— Ça m'arrive, répondit-il pour l'aider à se détendre. Ce n'est qu'une égratignure, rien de plus. Nous avons eu de la chance, ajouta-t-il aussitôt. Tout le monde est debout, et nous n'avons que quelques bleus et blessures superficielles à déplorer. Globalement, nous sommes tous en forme. Sauf peut-être Mendoza. Si tu ne respires pas, tu vas faire une attaque.

Pour seule réponse, Mendoza jura.

Les kilomètres défilaient. Ils ne ralentirent pas avant de débouler dans l'allée de Señorita García. Mendoza gara directement la voiture dans l'abri où ils avaient caché le 4 × 4 la veille au soir. Le moteur n'était pas encore éteint que Sam était déjà sorti, suivi de près par Mendoza, et tous deux s'empressaient de recouvrir le véhicule de la bâche.

Abbie se glissa à l'arrière pour aider Doc et Savage à faire descendre Cory.

— Il s'est évanoui, l'informa Doc en bondissant à terre. Nous allons le porter à l'intérieur. Je dois établir un bilan de son état de santé.

Inquiet pour Abbie, Sam la suivit du regard alors qu'elle les accompagnait dans la maison.

— Cette femme a des *cojones*, affirma Mendoza tout en achevant de camoufler le véhicule.

— Ouais, concéda Sam paisiblement. Cette femme a du cran.

Elle avait tué un homme pour lui sauver la vie. Et quand la réalité s'imposerait à elle, elle allait traverser un moment difficile.

— Tu devrais demander à Doc de s'occuper de ton bras, conseilla Mendoza en remarquant la blessure de Sam.

— Oui, tout à l'heure.

Doc avait à faire avec Cory Hughes. Abbie avait également besoin de rester près de son frère, avant que Sam ne les renvoie chez eux.

Les dents serrées, il s'assit à côté de Mendoza sur un seau retourné, et entreprit de démonter son M-16 pour le nettoyer.

Il avait tenu parole. Il avait sauvé son frère.

À présent, il avait une autre mission à accomplir.

Une mission qu'il ne pouvait plus se permettre de reporter. Par bonheur, il n'avait pas besoin de l'aide d'Abbie pour y parvenir. Il en avait terminé avec son fusil, et s'occupa de la mitraillette.

— Quand comptes-tu passer à l'action ? demanda Mendoza en dressant un rapide inventaire de l'artillerie restante.

— Le plus tôt sera le mieux. Nader ne doit plus tenir en place. Je veux arriver avant Fox.

Mendoza sourit.

— Ouais, Fox tient certainement Nader responsable de notre petit raid. Il doit être en rogne.

*Bienvenue au club*, songea Sam alors que le souvenir du sourire radieux de Terri s'imposait à lui.

— Je peux te laisser finir ? demanda-t-il.

— Je m'en occupe.

— Je vais parler à Hughes. On va voir ce qu'il peut nous apprendre d'intéressant sur Nader. Ensuite, on l'enverra loin d'ici, avec Abbie. Tu as des contacts dans le coin ?

— Je vais passer quelques coups de fil, dit Raphael. On va leur trouver un moyen de partir illico presto.

Illico presto.

C'était ce que Sam voulait. Qu'Abbie s'en aille. Loin de tout danger. Loin de ce pays. Et, tant que tout cela ne serait pas terminé, loin de ses pensées.

— Comment va-t-il ? demanda Sam en désignant Cory.

Doc s'empressa de nettoyer sa plaie, et Sam bondit.

— Ouille, la vache. Qu'est-ce que tu me mets ? De la laine de verre ? Et cesse immédiatement de ricaner.

Doc versa de l'alcool sur une compresse stérile qu'il passa sur la chair meurtrie.

— Ce n'est pas souvent que j'ai l'occasion de voir grimacer le grand Sam Lang. Laisse-moi savourer ce moment.

— Tu savoureras quand je ne serai plus devant toi. Contente-toi de désinfecter et de me coller un pansement.

— Ne me pousse pas à bâcler mon travail. Si on ne désinfecte pas, tu vas perdre ton bras et ensuite tu viendras me trouver avec une de tes grosses armes de mâle viril. J'ai presque terminé, alors serre les dents, dur à cuire.

Sam soupira en acceptant de se plier à la sagesse de Doc, et de lui accorder le temps nécessaire.

— Alors, comment se porte le gosse ? répéta Sam.

— Il va s'en remettre. Il souffre de malnutrition. De déshydratation. Et sa main est infectée. Ils ont fait du sale boulot.

Sam perçut l'inquiétude d'Abbie, et cela lui donna une idée de l'état de sa main. Elle traversa la pièce pour s'asseoir au chevet de son frère.

Elle avait l'air d'avoir survécu à une guerre entière. Ce qui était le cas. Sa joue était passée de gonflée et rouge, à violette et boursouflée. Le produit que Doc avait passé sur son bras brillait, créant une tache blanche sur sa peau mate. Autour de son visage, ses cheveux retombaient en une masse emmêlée. Toutefois, elle restait la plus belle femme que Sam ait jamais vue.

— Je lui ai injecté tout un tas d'antibiotiques et d'analgésiques, expliqua Doc avec détachement, tout en appliquant une crème antibiotique sur la blessure de Sam. Ça va assainir l'amputation. J'ai installé une perfusion. Dès que ça fera effet, dans une douzaine d'heures environ, il recommencera à se sentir humain. En attendant, la morphine le maintient dans un état semi-conscient.

— Il peut parler ?

— À peu près. Tu peux essayer. J'en ai fini avec toi.

L'air renfrogné, Sam examina l'énorme bandage blanc qui recouvrait son bras.

— C'était vraiment nécessaire ?

— Je n'ai plus de pansements Bugs Bunny. Faut faire avec ce qui reste.

Sam se leva, et approcha du canapé sur lequel Cory Hughes dormait.

— Comment va-t-il ?

Abbie ne leva pas les yeux vers Sam. Elle secoua la tête.

— Ce n'est pas quelqu'un de mauvais, dit-elle sincèrement, comme si elle s'attendait à l'entendre affirmer le contraire. Il a seulement…

Elle se tut, secoua la tête, sans détacher son regard de Cory.

— Notre père le battait violemment… pour tout et pour rien… Cory avait… des difficultés scolaires. Dès que l'école appelait pour parler de ses problèmes, ou qu'il rapportait un mauvais bulletin, il se faisait tabasser. Cette ordure n'a jamais pensé à lui faire passer des tests pour voir s'il n'avait pas des problèmes d'apprentissage. S'il l'avait fait, il aurait su que Cory était dyslexique. Même les professeurs n'ont rien vu. Après, c'était trop tard.

Il remua dans son sommeil, et elle posa la main sur ses cheveux.

— Un jour, quand il avait dix ans, Cory a été tellement battu qu'il a eu une cheville cassée. La cheville a mal guéri parce que, d'après Dexter Hughes, Cory ne méritait pas d'aller aux urgences.

— Abbie...

— Non, le coupa-t-elle. Je veux que vous sachiez qui est Cory. D'où il vient. Pourquoi il se rebelle. C'était un beau petit garçon plein de courage, et il aurait dû être protégé et aimé mais ça n'est jamais arrivé.

— Vous l'avez aimé, dit doucement Sam.

— Je n'étais qu'une enfant. Ce n'était pas suffisant.

— Que faisaient les services sociaux ?

— Comme toujours. Trop de travail, pas assez de personnel. Et personne ne leur a rien dit. Nous sommes passés à travers les mailles du filet. Cory en a payé le prix.

Bien, Sam avait compris le message. Dans la vie, tout n'était pas noir ou blanc. Pour Cory, il y avait eu beaucoup de gris.

— Il m'a dit... juste avant qu'il s'endorme il y a un instant, il m'a dit qu'il avait fait le con. Qu'il avait été piégé par l'organisation de Nader il y a quelques mois. Quand il a fini par comprendre dans quoi il avait mis les pieds, il n'avait plus aucun moyen de leur échapper.

Sam n'avait pas de mal à croire que Nader soit sournois, sinistre et impitoyable.

— A-t-il expliqué comment il s'est retrouvé en possession des diamants ?

Elle acquiesça.

— Il y avait un autre type. Derek quelque chose...

— Styles ?

— Vous le connaissez ? s'étonna-t-elle en levant la tête.

258

Sam savait que Styles était mort, et que Cory Hughes avait une chance folle d'être en vie.

— Qu'a-t-il dit sur Styles ?

— Apparemment, il travaillait pour Nader. Il avait l'intention de le doubler. Derek a trouvé le moyen de vendre les diamants à Desmond Fox. Ça ne s'est pas passé comme prévu et Derek a été tué. Il est allé trouver Cory pour lui demander de l'aider, mais avant qu'il arrive à lui trouver un médecin, il était mort.

C'était donc Cory qui avait déposé Styles devant une église. Sam possédait suffisamment d'informations pour deviner le reste.

— Cory s'est retrouvé en possession des diamants.

Elle approuva d'un signe de tête.

— Et coincé entre deux murs. D'une façon comme de l'autre, il ne pouvait qu'avoir des ennuis. Alors il s'est dit que puisqu'il allait mourir, il préférait que ça arrive en tentant de conclure l'arrangement organisé par Derek.

— Il a quand même eu l'intelligence d'expédier les diamants à Las Vegas.

— Oui. Il avait obtenu un rendez-vous avec Fox, mais Smith l'a intercepté.

— C'est là que vous êtes intervenue.

— Oui, c'est là que j'entre dans le tableau. Que va-t-il lui arriver maintenant ? demanda-t-elle en levant les yeux vers Sam.

Elle faisait allusion à des poursuites judiciaires. Elle demandait à Sam s'il allait livrer Cory aux autorités.

— Nous verrons cela plus tard. Pour l'instant, nous devons le renvoyer aux États-Unis où il pourra être soigné correctement. Doc est doué mais ses ressources sont limitées.

— Et votre projet d'attraper Nader ?

Mendoza surgit à ce moment-là.

— Nous avons un problème.

Il avait tout raté.

Sam serra le poing contre le mur, à côté de la fenêtre, le regard perdu dans le vague.

Nader avait disparu. Une fois de plus, Sam avait manqué l'occasion d'affronter ce salopard une bonne fois pour toutes. En faisant le bon choix, celui de sauver Cory, il avait fait le mauvais choix. À présent, un truand assassin, voleur et pervers avait échappé aux mains de Sam.

Les mots de Mendoza tournaient en boucle dans sa tête.

« *Nous avons un problème. J'ai passé le coup de fil dont je t'ai parlé. J'ai préféré vérifier une deuxième fois les coordonnées de Nader pendant que j'y étais. Il a levé l'ancre, Sam. Il a dû s'inquiéter en voyant que Smith ne revenait pas. Il s'est dit qu'il se passait quelque chose. On dirait qu'il a pris le large.* »

Tout comme en cet instant, Sam eut l'impression qu'un tank lui passait sur le corps.

— *Depuis quand ?*

— *En début de matinée.* »

Trop de temps avait passé pour avoir la moindre chance de le rattraper. Il pourrait faire décoller un hélicoptère de San Pedro Sula mais ce serait trop tard. Il leur faudrait plusieurs heures pour rejoindre Isla Roatán, et le temps d'arriver, Nader serait déjà loin. Même si, par miracle, ils parvenaient à le rejoindre, Sam savait que le *Seenymphe* était aussi bien équipé qu'un navire de guerre. En mer, il était quasiment imprenable.

Il ferma les yeux, baissa la tête. Il pensa à Terri. À la petite Tina. À son père.

*Désolé. Il était horriblement désolé.*

— Est-ce qu'on peut toujours contacter Nader avec le portable de Smith ?

Abbie. Ce sentiment de culpabilité. Doublé de la conviction de pouvoir faire quelque chose.

— Ça ne changerait pas grand-chose si on y arrivait. Il doit être sur le qui-vive.

— Il a des soupçons, intervint-elle en le rejoignant. Mais il ne sait rien.

— Elle a raison, admit Doc.

Sam se détourna de la fenêtre, et lui lança un regard noir.

— Mais oui, elle a raison, reprit Doc, sur la défensive. Même si Nader envoie des éclaireurs à Peña Blanca, et qu'ils découvrent ses hommes, il se dira que c'est une attaque de Fox.

— Nader ne sait pas que vous êtes ici, fit remarquer Abbie, en remerciant Doc d'un signe. Tout ce qu'il sait, c'est que moi, je suis là.

Sam plongea ses yeux dans ceux d'Abbie, emplis de sincérité.

— Laissez tomber, Abbie. Tout est terminé.

— Ce n'est pas terminé, affirma-t-elle avec toute la conviction du monde. Tant que Nader n'est ni derrière les barreaux ni mort, ce ne sera jamais terminé. Pas pour Cory. Pas pour moi. D'après ce que vous m'avez appris, il me semble clair que Cory ne sera en sécurité nulle part sur cette terre tant que cet homme sera en liberté. Je ne veux pas vivre avec cette épée de Damoclès au-dessus de ma tête.

Las. Sam se sentait horriblement las. Et soucieux. Abbie avait entièrement raison au sujet de Nader. Il patienterait. Puis il attaquerait subitement. Il partirait à leur recherche. Comme il traquerait la famille de Sam et s'en prendrait de nouveau à eux s'il établissait le lien entre les différents événements.

— Il existe des programmes de protection que vous pourriez rejoindre.

— Des programmes de protection des témoins ? reprit-elle sans y croire.

— Nous connaissons du monde. Nous pouvons organiser ça.

— Je n'en ai pas envie. Je veux que vous attrapiez Nader. Pas seulement pour Cory et moi. Pour vous, Sam, dit-elle en posant une main sur son bras. Et je pense que je sais comment vous pourriez vous y prendre.

— Ça fait deux ans que je traque ce salaud. Je l'ai perdu un nombre incalculable de fois. Et vous pensez savoir comment le faire tomber ? Abbie, vous n'êtes pas du tout dans votre élément, lança-t-il sur un ton mordant.

Silence.

Puis, à son étonnement, Mendoza et Savage se rallièrent à Doc.

— On devrait écouter ce qu'elle a à dire, Sam, avança doucement Mendoza. Ça ne peut pas faire de mal d'écouter.

Sam était trop sidéré pour parler. Ça n'avait pas d'importance. Abbie avait des tas de choses à dire, et les mots jaillirent de sa bouche.

— Je devrais appeler Nader du téléphone de Smith. Je le convaincrai que Cory est mort. Qu'il a été tué à Peña Blanca, mais que je me suis échappée et que je suis restée cachée tout ce temps en attendant de trouver le moyen de le contacter. Je lui dirai que s'il veut les diamants, c'est avec moi qu'il devra traiter, et je lui donnerai un lieu de rendez-vous. D'après ce que vous m'avez dit, il ne pourra pas résister à cette occasion d'entrer en possession du collier. Et puis, je ne suis pas une menace à ses yeux. Juste une nuisance.

— Ce qu'il verra en vous, c'est un appât. Et c'est ce que vous allez devenir. Je m'y refuse.

— Je ne suis pas un appât, insista-t-elle. Je suis votre meilleure carte. Votre as.

— Penses-y, Sam, dit Savage. Et rapidement, avant que Nader ne réfléchisse trop longtemps sur ce qui s'est passé à Peña Blanca.

# 20

*Pont du* Seennymphe

Frederick se considérait comme un digne descendant de la Renaissance. Il tenait en haute estime les arts, le bon vin et les gros cigares. Il tira longuement sur son *maduro habano*, en se réjouissant de ne jamais avoir à s'en passer.

Les doux plaisirs. Oui, les doux plaisirs de l'existence l'emplissaient de fierté, tout comme il se félicitait de ses talents de navigateur. Pour piloter le *Seennymphe*, il était capable de se passer des ordinateurs dont son capitaine était entièrement dépendant.

Ainsi, ce fut avec un réel plaisir qu'il ordonna à celui-ci de prendre une pause, avant de désactiver le guidage électronique, et de prendre les commandes. Il aimait tenir la barre entre ses mains, sentir la proue aiguisée briser la houle, la puissance du moteur bien entretenu.

En revanche, il n'appréciait pas qu'on l'interrompe lorsqu'il était aux commandes. S'il s'était réfugié là, c'était avant tout pour échapper à sa colère. Sa colère contre Rutger Smith qui s'était fait tuer. Car à présent, il en était certain. Il avait envoyé des hommes sur place. Les restes sanguinolents de Smith avaient été retrouvés à Peña Blanca.

C'était Desmond Fox qu'il fallait remercier. Fox avait anéanti Smith et sa troupe de soldats, enlevé Hughes et devait être en possession des diamants de Tupacka.

Les diamants étaient à lui ! Il les avait longuement convoités, il avait dû comploter deux années durant pour parvenir à ses fins. Et ils avaient disparu. Tout cela à cause d'un petit passeur américain et de sa perfide sœur qui avaient permis l'intervention de Fox.

Bien sûr, ils allaient tous mourir. Personne ne gagnait jamais contre Frederick Nader. Et la femme paierait particulièrement cher avant de rendre l'âme.

— Excusez-moi, monsieur.

Edward. Son intendant de bord.

— Je sais que vous avez demandé à ne pas être dérangé. Mais vous avez un appel téléphonique, monsieur. Une femme. Le numéro indique qu'elle se sert du portable de M. Smith. Elle a insisté en disant que vous souhaiteriez lui parler.

Frederick se retourna, vaguement intrigué.

— Cette femme aurait-elle un nom ?

— Elle s'est présentée sous le nom d'Abbie Hughes, monsieur.

La colère contracta son sphincter. Il s'empara du téléphone, renvoya l'intendant d'un signe de tête, et reprit place derrière le gouvernail.

— Mademoiselle Hughes. Que me vaut ce plaisir ?

— J'ai quelque chose que vous voulez.

Bref et direct. Frederick apprécia sa concision extrême, et sa grossièreté.

— Ah, je vois que vous êtes une véritable femme d'affaires.

Plus certainement une idiote, comme son frère.

— Vous ne voyez rien du tout, espèce de connard.

Elle dépassait les limites de l'impolitesse. Ce n'était qu'une garce américaine effrontée. Trop bête pour se rendre compte de l'homme à qui elle avait affaire.

— Il n'est pas nécessaire de tomber dans la vulgarité, affirma-t-il en refrénant l'envie de lui raccrocher au nez ; après tout, elle pensait posséder quelque chose qui l'intéressait.

— Bon, vous voulez parler des conditions, ou pas ? Si ce n'est pas le cas, je ne vais pas perdre mon temps ni vous faire perdre le vôtre.

Frederick serra les dents, et eut envie de l'avoir en face de lui pour la punir de son impertinence. Mais il s'efforça de retrouver son sang-froid.

— Comment puis-je m'assurer que vous avez toujours accès à la marchandise ? Après tout, vous pourriez l'avoir déjà vendue.

— À Desmond Fox ?

Il sentit son visage s'empourprer. Son ton moqueur était intolérable.

— Pourquoi à Desmond Fox ?

— Ne faites pas l'andouille, Nader. Vous avez été négligent. Vos erreurs ont conduit Fox à Peña Blanca, où vos hommes retenaient mon frère prisonnier comme un animal. À cause de vous, mon frère est mort. Tout le monde est mort, à part moi. Je suis la seule survivante du carnage. C'est une chance pour vous car je suis la seule à pouvoir délivrer la came pour laquelle vous seriez prêt à tuer.

Malgré sa forte colère, il devait faire preuve de finesse. Une agitation similaire à un orgasme s'empara de lui, rien qu'en pensant aux diamants. Que ça lui plaise ou non, il devait jouer le jeu de cette manipulatrice orgueilleuse. Toutefois, il devait commencer par lui faire comprendre qu'il y aurait un prix à payer.

— Smith était l'un de mes meilleurs atouts. Sa mort est une grande perte, très chère. Et c'est la faute de votre frère.

— Et vous êtes responsable de la mort de mon frère. Si vous voulez les diamants, vous allez devoir y mettre le prix.

— Vraiment ? (Cette fois, il fut incapable de contenir sa rage.) Vous pensez réellement pouvoir m'imposer vos conditions ? À moi ? Vous feriez mieux d'être un peu plus prudente, mademoiselle Hughes. Et répondez à cette question, si vous le voulez bien. Comment puis-je être certain que vous possédez toujours les diamants ? Vous êtes restée injoignable pendant un bon moment. Où étiez-vous donc ? Pourquoi vous a-t-il fallu autant de temps pour me contacter ? Serait-ce parce que vous avez négocié avec Fox en premier lieu ?

— Je m'étais cachée. Quoi d'autre ? J'ai enterré mon frère. À présent, je suis prête à traiter avec vous. Que cela vous plaise ou non, c'est moi qui dicte les règles. Je décide du lieu de rendez-vous. Je décide du moment. Je décide comment. Et je décide de qui sera là.

— Votre insolence est intolérable.

— Ce qui est intolérable, c'est ce qui est arrivé à Cory. Bon, vous voulez ces diamants ou pas ? Si vous n'en voulez pas, cette conversation est terminée. Je prendrai contact avec Fox. Il sera plus qu'heureux d'accepter le prix que j'en demanderai.

L'idée que ce crétin puisse poser la main sur un objet aussi exquis que les diamants de Tupacka donna des frissons à Frederick.

— Très bien. Parlons argent, combien voulez-vous ?

— Quatre millions. En dollars américains.

Il aurait éclaté de rire s'il avait pu. Il s'était préparé à donner le double de cette somme. Même si elle ne verrait jamais un seul centime de son argent, bien évidemment.

— Trois et demi, pas un sou de plus.

— Au revoir, monsieur Nader.

— Attendez une minute.

Il soupira pour lui laisser croire qu'elle le tenait.

— Si vous envisagez de vous lancer dans le commerce international, vous devez apprendre à apprécier les subtilités de la négociation.

— Ce que j'apprécie, c'est l'argent liquide. Vous connaissez la piste d'atterrissage près de La Jigua ?

La Jigua n'était qu'à quelques kilomètres de Peña Blanca. Il connaissait particulièrement bien cette région.

— Je crois, oui.

— Retrouvez-moi là-bas, au coucher du soleil.

— Je crains que ce ne soit impossible, dit-il en estimant le temps qu'il lui faudrait pour mettre une équipe en place. Je me trouve à plusieurs milles marins de la côte. Même si je change de cap sans tarder, je dois encore trouver un moyen de locomotion pour la suite du trajet.

— Prenez donc ce joli petit hélicoptère qui est posé sur le pont de votre navire. C'est au coucher du soleil, ce soir, ou jamais.

Il ferma les yeux, redoublant d'effort pour contenir sa rage. Elle allait connaître une mort particulièrement lente, cette garce.

— Je dois encore rassembler l'argent.

— Faites-le. Il vous reste sept heures. Venez seul. Si j'aperçois quelqu'un d'autre, vous n'entendrez plus parler de moi.

Elle raccrocha.

Morte.

Cette femme était morte. Cette pute irrespectueuse.

Plus rusée et courageuse que son frère, il devait le lui accorder. Mais tout aussi corrompue que lui. Ce qui faisait au moins une qualité appréciable chez elle.

Ainsi, elle devait préparer un vilain tour. Très bien. Il se réjouissait d'avoir l'occasion de prendre le dessus grâce à son intelligence, de voir l'expression qui s'afficherait sur son visage juste avant qu'il ne la tue.

Car il allait la tuer lui-même. Il n'avait pas besoin de Smith pour ça. Il n'avait besoin de personne.

Revigoré par ce projet, il rendit les commandes du vaisseau à l'ordinateur. Il quitta le pont, à la recherche du capitaine. Il voulait l'informer qu'ils repartaient vers La Ceiba, où le *Seennymphe* devrait être amarré. C'est de là qu'il repartirait. Quand il serait sur place, il en profiterait pour acheter des *maduros habanos* à ajouter à sa cave. Un homme n'avait jamais trop de bonnes choses en sa possession.

Avant cela, il avait plusieurs coups de fil à passer. Des hommes à réunir et à organiser autour de la piste d'atterrissage de La Jigua.

*Venir seul ? Navré, ma chère. Ça n'allait pas être possible.*

## La Entrada

— La vache. La petite dame est dure en affaires.

Savage fut contraint d'exprimer son admiration quand Abbie coupa la communication.

Sam pour sa part n'était pas dupe de son ton autoritaire avec Nader. Sa main tremblait.

— *Cojones*, approuva Mendoza de la fenêtre d'où il surveillait l'arrivée du véhicule qui emmènerait Cory à San Pedro Sula.

Il avait également trouvé une assistance médicale qui se chargerait de lui jusqu'à ce qu'il soit suffisamment vaillant pour prendre l'avion.

— Je pourrais vous demander de négocier mes crédits à l'avenir ? demanda Doc en souriant, tout en serrant l'épaule d'Abbie pour la féliciter.

Il réussit à la faire rire.

Sam vit Abbie se détendre, puis elle soupira longuement, par saccades.

Cependant, il était sur les nerfs. Il n'aimait pas cette situation. Il s'en voulait d'avoir laissé Abbie s'offrir comme appât. Elle avait beau affirmer le contraire, c'était ce qu'elle était.

Un appât destiné à piéger une ordure.

— La voiture est arrivée, déclara Mendoza avant d'aller à la rencontre du chauffeur, et de lui indiquer l'endroit où il devrait conduire Cory à leur arrivée à San Pedro Sula.

Mendoza avait un ami, un médecin urgentiste, qui hébergerait Cory et lui prodiguerait les soins nécessaires.

— Ça va aller, assura Cory à sa sœur en larmes, tandis que Doc et Savage l'aidaient à se relever du canapé. Contente-toi de coincer ce salaud.

— On se voit demain. Nous prendrons l'avion ensemble, et nous rentrerons à la maison.

Abbie le serra de toutes ses forces, puis le lâcha à contrecœur.

Sam les observait en silence, jusqu'à ce que Cory se tourne vers lui.

— Faites tout votre possible pour qu'il ne lui arrive rien, dit-il.

Vingt-quatre heures plus tôt, Sam le voyait comme un pauvre minable qui ne méritait pas toute l'attention que lui accordait sa sœur.

Vingt-quatre heures plus tôt.

Cependant, en cet instant, Sam approuva d'un geste.

Une promesse, d'homme à homme.

Une heure après, Sam vit le pick-up réquisitionné de Fox disparaître sur le chemin accidenté menant à La Jigua. Mendoza était au volant, accompagné de Doc et Savage. Sous la bâche, à l'arrière de la camionnette, se trouvaient suffisamment d'artillerie et de munitions pour expulser Ben Laden de sa grotte.

Mais aujourd'hui, ils ne chassaient pas les terroristes. Ils poursuivaient des rats qui aidaient et encourageaient les terroristes. Des rats qui allaient sortir de leurs trous en rampant, et surgir tout autour de la piste d'atterrissage en brandissant de grosses armes payées par Nader, le chef des rats. Les MCB allaient tout faire pour arriver les premiers sur la piste d'atterrissage.

Sam retourna dans l'hacienda, et découvrit Abbie qui arpentait la petite pièce à la chaleur étouffante.

— Salut, dit-elle en tressaillant de tout son être quand elle entendit la porte se refermer derrière lui.

Il posa un regard inquiet sur elle.

— Ça va ?

Elle hocha la tête. Un mensonge. En réalité, elle était exténuée et sur les nerfs.

— Où sont les autres ?

— Ils préparent la suite, dit Sam.

— Que préparent-ils ? demanda-t-elle avec détachement, les bras serrés autour de la taille sans cesser de faire les cent pas.

— À l'heure qu'il est, Nader a déjà dû rassembler tous les mercenaires existant dans un rayon de cent cinquante kilomètres. Ils doivent être en route pour La Jigua, et ils vont se déployer en vue d'une embuscade. Ils formeront un petit comité d'accueil.

Elle acquiesça, sans avoir vraiment écouté.

— Vous croyez que Nader ne m'a pas crue quand j'ai dit que j'agissais seule ?

— Je crois que Nader est en terrain inconnu sans Smith pour se charger de l'organisation. Pour couvrir ses bases, il va se préparer à tirer sur tout ce qui bouge. Il ne prendra aucun risque. Il va réquisitionner des tireurs, et quand il apparaîtra, il se pensera en parfaite sécurité. Mais il va avoir une mauvaise surprise.

— Parce que ses gars seront morts.

Son ton était neutre. Comme si elle énonçait un simple fait. Aussi impassible que son expression. De la part d'une femme qui portait ses sentiments sur son visage aussi facilement que d'autres portent du parfum, c'était très surprenant. Devant cette absence de toute émotion, Sam s'inquiéta.

— Ouais, admit-il en se rapprochant d'elle. Morts ou indisposés.

Elle détourna le regard.

— Tuer ou mourir.

Il posa une main sur son bras, en veillant à ne pas toucher la blessure provoquée par le couteau de Smith.

— Abbie… tout sera bientôt terminé. Ensuite, vous pourrez tourner la page.

Pour la première fois depuis qu'il était entré et l'avait trouvée dans cet état, il vit autre chose que de l'indifférence dans ses yeux. Cela ressemblait à du désespoir.

— C'est ce que vous faites dans la vie ? Vous tuez quelqu'un, et ensuite vous passez à autre chose ? Vous oubliez en un clin d'œil ce qui s'est passé ?

Ce matin, il s'était attendu à ce qu'elle prenne du recul sur les événements, à ce qu'elle en saisisse pleinement l'impact. Il le savait parce qu'il lui arrivait de traverser, lui aussi, ces moments-là. Et non. Il n'était pas possible de se détacher aussi facilement. On n'oubliait jamais. Mais elle n'avait pas besoin d'entendre ça pour l'instant.

— Je serais mort à l'heure qu'il est si vous n'aviez pas tiré.

Elle s'avança vers lui. Les yeux écarquillés, le visage torturé, sa barricade émotionnelle vola en éclats.

— Vous croyez que je ne le sais pas ? Vous croyez que je ne sais pas que c'était lui ou vous ? Ça ne change rien au fait que je lui ai ôté la vie. Il… c'était le fils de quelqu'un. Il était peut-être même père.

271

— C'est vrai. Il avait peut-être des enfants. Mais il a fait le mauvais choix. Il a décidé d'agir du côté du mal.

— Comme Cory a choisi de se ranger du mauvais côté ?

Son supplice se mua en accusation.

Sam comprenait. Elle pataugeait. Elle était perdue. Elle cherchait à donner un sens à quelque chose d'insensé et parvenait néanmoins à tenir debout alors qu'un danger plus grand l'attendait.

— Ce n'était pas une critique, dit-il doucement. On a tous un passé. On a tous nos raisons de prendre une voie plutôt qu'une autre, et elles sont parfois incontestables. Certains… ont plus de chance que d'autres. Ils voient la lumière. Ils s'en sortent. Ou quelqu'un leur tend la main au bon moment. D'autres sont privés de la possibilité de choisir.

— Tout comme j'ai privé cet homme de prendre un jour une autre voie en le tuant.

— Il s'est mis lui-même dans cette situation, Abbie. Ce n'est pas vous qui l'y avez forcé. Vous avez appuyé sur la détente, mais vous ne l'avez pas tué. Il s'en est chargé lui-même à la minute où il a accepté de travailler pour Fox.

Elle se frotta le visage. Respira lentement. Elle secoua la tête comme si elle tentait d'y voir plus clair, de chasser tous ces souvenirs.

— Que se passe-t-il maintenant ?

Sam accepta d'abandonner cette conversation. Elle ne voulait plus en parler. L'important était qu'elle ait confié une partie de ce qui la dévorait.

— Nous allons manger les *baleadas* que Señorita García a préparées avant d'aller au marché. Si toutefois les gars nous en ont laissé. Ils s'en remplissaient les poches comme si c'était des bonbons quand je suis entré dans la maison.

— Allez-y. Je n'ai pas faim.

Elle devait se nourrir. Sam la prit par le coude, et l'entraîna vers la cuisine.

— Tant pis. Vous avez besoin de protéines.

Il l'invita à s'asseoir à une table en bois. Elle plissa le nez, renifla avec une certaine curiosité.

— Ça ressemble à une tortilla.

— Si vous voulez. Mangez. Vous ne quitterez pas cette table avant d'avoir mangé.

— Vous aimez donner des ordres, hein ? affirma-t-elle sans attendre de réponse.

Elle se servit une part de *baleada* richement garnie de haricots, de fromage, d'œufs et de guacamole.

— Oui, c'est vrai, répondit-il simplement.

Il obtint la réaction escomptée.

Un coin de sa bouche se releva, et elle dit sans réfléchir :

— C'est sûrement que vous êtes doué pour ça.

La bouche pleine, il confirma :

— C'est un don.

Un nouveau sourire. Un peu coquin, ouvertement amusé, bien que retenu.

Cela lui plut. Il aimait la voir se détendre. Et avoir réussi à lui faire penser à autre chose qu'aux événements de la matinée.

— Ça provenait du jugement de mon divorce, dit-elle alors qu'un silence agréable s'était installé, après qu'elle eut mangé la moitié de sa *baleada*. Les nouveaux meubles. La nouvelle voiture. J'ai reçu de l'argent la semaine dernière.

Il acquiesça sans rien dire.

— Et le diamant ? Il vient de ma bague de fiançailles. Je l'ai fait monter en pendentif. Don avait beaucoup de défauts, mais il était généreux.

— Il était surtout idiot, déclara Sam.

En levant les yeux vers lui, elle le vit hausser les épaules. Il se réjouit de la voir apprécier son déjeuner.

— Il vous a laissée partir. Il faut être idiot pour faire ça.

Toutefois, il était conscient de l'avoir jugée bêtement, sans chercher à comprendre.

Il se leva puis se dirigea vers le vieux réfrigérateur calé dans un coin, et en sortit deux bières. Il lui en tendit une.

Elle l'accepta, et il alla chercher un décapsuleur avant de la rejoindre à table.

— Alors… et vous ? Quelle est votre histoire ? Vous avez été marié ? demanda-t-elle.

Il but une gorgée de bière fraîche.

— Eh, non.

Comme il n'ajouta aucune explication, elle posa sur lui un regard interrogateur.

— C'est bref comme histoire.

Il se prépara une autre *baleada*.

— Après avoir servi dans l'armée, j'ai rejoint mon ancien commandant en Argentine. Dans un organisme privé. J'y ai consacré tout mon temps.

— À sauver le monde, avança-t-elle.

Il haussa les épaules.

— Des petits bouts. Ça ne m'a pas laissé de temps pour…

Il se tut, réfléchit, puis termina sa phrase :

— Avoir une vie sentimentale. Les femmes ont tendance à partir en courant quand elles comprennent que dans mon métier, les hommes ont une espérance de vie aussi longue qu'une mouche.

— Mais vous avez arrêté ?

Il fit oui de la tête. Repensa au poids de cette décision.

Elle s'adossa contre le dossier de sa chaise.

— Ça vous manque ?

Son regard se perdit dans le vague.

— Ça ne changerait rien, si ça me manquait. J'ai pris des engagements.

Le visage d'Abbie retrouva toute son expressivité et se teinta de tristesse.

— Je suis vraiment désolée pour votre sœur.

Il ferma les yeux. Déglutit bruyamment.

— Ouais. Merci. Vous avez fini ?

Il n'avait aucune envie de parler de Terri.

— J'ai le ventre plein.

— Allons nous balader. Il fait trop chaud dans cette maison.

— Pour aller où ?

Il consulta sa montre.

— Il nous reste quelques heures à tuer avant que Mendoza revienne nous chercher. Prenez une serviette. Une tenue de rechange, si vous en avez une. Du shampooing, si vous avez aussi.

— Euh, comment ça ?

— J'ai vu à quoi ressemble la douche. C'est un seau avec un tuyau, expliqua Sam en approchant de la porte.

— Vous avez trouvé un spa, ou quelque chose comme ça ?

— Quelque chose comme ça, dit-il en souriant.

# 21

Il était très agréable de quitter la maison obscure ; la chaleur et l'ombre des murs de pisé ; l'odeur prégnante de désinfectant et de tortillas frites.

Le soleil tapait avec force sur les épaules d'Abbie. Elle cheminait à côté de Sam, entre les herbes hautes, derrière l'hacienda.

À quelques centaines de mètres de la maison, le paysage – composé de collines basses aux courbes douces – ressemblait à ce qu'ils avaient traversé à cheval le matin même. Il suffisait de grimper un versant et de redescendre pour que l'hacienda et le petit hameau de La Entrada disparaissent. Rien d'autre que des champs de verdure, du ciel bleu et du soleil chaud. Idyllique. L'instant aurait sûrement été paradisiaque si elle était parvenue à oublier temporairement tout ce qui s'était passé depuis la veille au soir.

La tête explosée de Rutger Smith.

Le sang et les morceaux de cervelle collés dans ses cheveux.

Les cadavres dans la boue.

Des cadavres dans la poussière.

Un fusil à la main.

Faire feu.

Un homme qui s'effondre devant elle.

Pleinement consciente qu'elle venait de le tuer.

Elle l'avait tué.

Tué.

Elle avait tué un homme.

Hier, elle en aurait eu la nausée. Un mal de ventre instantané. Aujourd'hui, elle se sentait vide.

*Vous avez appuyé sur la détente, mais vous ne l'avez pas tué. Il s'en est chargé lui-même à la minute où il a accepté de travailler pour Fox.*

Un jour. Peut-être qu'elle finirait par accepter les paroles de Sam. Leur justesse. Mais aujourd'hui, elle avait juste envie d'oublier.

Alors, quand ils arrivèrent à destination, sur la crête d'une colline, elle comprit pourquoi il l'avait amenée ici. Pour lui changer les idées, ne serait-ce qu'un instant.

— Oh.

Elle s'arrêta net. Le souffle coupé. Hypnotisée. Émerveillée. Subjuguée. Submergée par la gratitude.

— C'est beau.

Elle avait besoin de beauté. De quelque chose qui lui rappelle ce que la vie pouvait être. Vitale. Vibrante. Universelle.

— Oui, il faisait sombre quand je me suis rendu à la rivière, hier soir, mais j'ai deviné que ça valait la peine de revenir. Je me suis dit que ça vous plairait, expliqua Sam.

— C'est mieux qu'un spa, dit-elle en souriant avant de descendre vers les méandres du cours d'eau, à l'ombre des arbres.

Les fleurs dansaient sur leurs longues tiges fines, les abeilles virevoltaient, les oiseaux chantaient.

*Idyllique*, songea-t-elle à nouveau. La perfection. Une réclame pour le calme et la tranquillité.

— C'est du sable au fond, précisa Sam en atteignant la berge. Hier soir, l'eau coulait à plein régime. Il ne doit y avoir que soixante, ou soixante-dix centimètres d'eau maintenant que l'excédent provoqué par les pluies s'est écoulé.

— C'est beaucoup mieux qu'un spa, affirma-t-elle avec conviction, en ôtant ses chaussures.

Avec prudence, elle approcha de la rivière et s'enfonça à mi-mollets dans l'eau claire et fraîche.

— Regardez par là.

Elle leva les yeux et vit que Sam avait fouillé dans son sac, et trouvé du shampooing. Il lui lança la bouteille qu'elle rattrapa au vol.

— Prenez votre temps. Vous retrouverez le chemin de la maison, je pense ?

Elle plaça une main sur le front pour se protéger du soleil brûlant qui brillait dans le dos de Sam, plus haut sur la berge.

— Vous partez ?

Il se gratta la joue. Une barbe naissante recouvrait le bas de son visage. Cela lui donnait un air imposant, dangereux... et terriblement séduisant.

— Je pensais que vous auriez envie d'être un peu seule.

Oui. Depuis un peu plus de vingt-quatre heures, elle vivait dans un environnement saturé en testostérones. Son attention était délicate. Et ce geste en disait long sur sa personnalité. Tout n'avait pas été facile entre eux, mais à présent, elle voyait clair.

— Sam Lang, vous êtes quelqu'un de bien.

Un sentiment ressemblant à du soulagement traversa son visage.

— Ouais, bon.

Il déplia une couverture qu'il avait prise dans son lit et l'étala sur l'herbe.

— Je l'ai déjà dit, mais prenez votre temps. Faites une sieste. Dormir fait toujours du bien.

Il posa sur elle un regard insistant. De ses yeux noirs si pénétrants. Elle reconnut cette façon de la regarder. Il n'avait pas envie de s'en aller.

En moins d'une seconde, elle comprit qu'elle ne souhaitait pas le voir partir.

— Restez, dit-elle, en plongeant ses yeux dans les siens. Restez avec moi.

Sa gorge se serra si fort qu'elle vit ses muscles se contracter. Pourtant, il resta debout.

— Restez là, répéta-t-elle, d'une voix plus prometteuse que suppliante, avant de porter la main au bas de son tee-shirt.

Sam perçut l'intensité de sa demande. Il éprouva du désir dès qu'Abbie tira sur son haut pour l'enlever. Elle ne le quitta pas des yeux, même quand elle jeta son haut dans l'herbe.

Il comprenait son désir profond de ne pas être seule, de vivre un moment singulier, à deux. À trente-cinq ans, il avait passé sa vie en solitaire. Alors oui, il comprenait sans mal son besoin de compagnie. Si la solitude avait été un choix de vie, cette idée l'enchantait de moins en moins.

— Restez, murmura-t-elle en passant ses doigts fins dans son dos pour dégrafer son soutien-gorge.

Sa gorge se serra aussi fort que son bas-ventre quand elle fit glisser ses bretelles sur ses épaules, et lança l'accessoire de satin rose à ses pieds.

Elle se tenait là – les épaules rejetées en arrière, exquise, fière, belle. Elle ne cherchait pas à l'aguicher. Elle ne jouait pas. Elle ne faisait pas semblant.

Il n'y avait rien de forcé dans son attitude. Elle attendait plus que ça de lui. Elle avait besoin de plus. Besoin de sa force, de sentir son corps se détendre entre ses mains. Dans ses yeux, il perçut un désespoir à peine voilé, le besoin sincère d'éprouver autre chose que de la terreur et de l'angoisse.

Il ne savait pas si c'était sage ou terriblement stupide mais il en avait besoin, lui aussi. Soudain, il en éprouva le désir, voulut passionnément sentir ses doigts se promener sur son corps.

*La petite dame a du cran.*

Les mots de Reed étaient en deçà de la vérité. Elle dépassait toute tentative de description. Aucune femme ne lui avait autant fait envie qu'elle.

Elle avait de magnifiques seins, d'une beauté toute féminine. Ses mouvements étaient félins et sensuels alors que le soleil dansait dans ses cheveux, et que le vent qui agitait les arbres projetait des ombres pommelées sur sa peau cuivrée.

D'un geste, elle l'invita à la rejoindre.

Alors il sut qu'il ne pourrait pas s'empêcher de se rapprocher d'elle.

Il enleva son tee-shirt, hypnotisé par Abbie qui enlevait son jean en faisant onduler son corps, avant de faire rouler son slip rose sur ses hanches. Son sourire exprimait un mélange de soulagement et d'envie alors qu'il se déshabillait entièrement pour la rejoindre dans l'eau fraîche.

Elle s'avança vers lui, se plaqua rapidement contre son corps, pressant ses seins frémissants et ses tétons tendus contre son torse. Peau contre peau, chaleur contre chaleur, ils restèrent ainsi, alors que l'eau tournoyait autour de leurs chevilles.

— Vous savez que c'est de la folie, murmura-t-il tout contre sa bouche, en faisant glisser ses mains sur son corps, pour descendre dans son dos, s'emparer de ses hanches et la coller contre lui.

— C'est pire que ça, confirma-t-elle en s'offrant à lui, en s'abandonnant à la faim intérieure qui le dévorait.

Il aimait l'embrasser. Il aimait les petits bruits qu'elle faisait pendant leurs baisers. Des bruits de plaisir, d'abandon, d'impatience qui révélaient l'ampleur de son désir. S'il n'allait pas plus doucement, il allait la prendre sans tarder. Durement. Fortement. Rapidement. Mais elle méritait mieux que ça.

— Nous avons du temps devant nous, dit-il en plaçant la tête d'Abbie sous son menton avant de refermer ses bras autour d'elle. Nous avons du temps, répéta-t-il avant de l'entraîner dans l'eau. Allons nous tremper.

— Je suis déjà trempée, dit-elle avec un sourire malicieux.

Il gloussa. L'embrassa profondément, mais sans s'attarder.

— C'est bon à savoir. Je ne l'oublierai pas mais d'abord, faites-moi ce plaisir.

— C'est ce que j'allais faire.

Il n'était pas capable de dire à quel moment précis les choses avaient changé entre eux. Quand la méfiance, l'esquive et les jeux de cache-cache avaient fait place à cette ouverture naturelle et sensuelle. À cette... confiance.

*Sam Lang, vous êtes quelqu'un de bien.*

De la même façon, il n'avait pas eu conscience d'avoir eu si besoin de l'entendre prononcer cette phrase avant cet instant. Ni n'avait su à quel point il avait désiré ce genre d'intimité. Oui, il ignorait quand tout avait basculé. Mais il se contentait de se féliciter de cette transition. Cette femme n'était pas comme les autres. Cette femme, comprit-il sans cesser de s'émerveiller, et avec une clarté indubitable, était la sienne.

La sienne.

— Je vais vous laver les cheveux, Abbie.

Son regard en dit long. Elle était surprise, perplexe et pourtant la tendresse emplissait ses yeux.

— Vous en avez vraiment envie ?

— Oui. Vraiment.

Il s'assit en tailleur dans le fond du ruisseau, et l'installa sur le dos, devant lui. Elle cala ses omoplates contre ses mollets, et il plaça confortablement sa tête dans le creux de ses cuisses.

Ses longs cheveux noirs flottaient sur ses jambes. L'eau coulait doucement sur ses épaules, ruisselait par minces filets entre ses seins nus, pour former une petite flaque sur son nombril.

Il lui prit la bouteille de shampooing des mains, en versa une noisette dans sa paume et lança le flacon sur la berge.

— Hmmm, fit-elle en fermant les yeux.

Il la sentit se décontracter lentement, la tension quitta son corps au moment où il appliqua le produit sur ses cheveux.

— Combien va me coûter ce soin complet au spa ?

— Nous allons trouver un arrangement, dit-il en souriant, séduit par la texture et le poids de sa chevelure mouillée.

Ainsi que par l'image de son corps élancé étendu dans l'eau, nu, devant lui.

Avec un soin particulier, il massa son cuir chevelu, en partant du sommet de son crâne pour redescendre vers sa nuque, où il dénoua les muscles douloureux. À chaque passage de son pouce, les tensions se relâchaient.

— Très agréable, vous aurez un bon pourboire, murmura-t-elle.

— Dans ce cas, j'ajouterais que… tu es belle, dit-il en effleurant sa clavicule, avant de glisser lentement vers la naissance de ses seins.

Il recouvrit ses seins de ses grandes mains, épousa leur forme lisse de ses paumes, en s'émerveillant de l'onctuosité de sa peau, du poids de ses seins, et de la sensibilité des pointes qui se durcirent sous ses doigts.

Elle leva les bras, enserra ses mains, les pressa plus fort contre sa chair, arquant le dos à l'idée du plaisir qui l'attendait.

— Sam.

— Chut, murmura-t-il en se penchant vers elle pour l'embrasser.

Il gloussa quand son menton cogna contre son nez, et qu'ils durent trouver une position adaptée.

Alors, il suça sa lèvre inférieure entre ses dents, avant de s'écarter.

De sa main, elle serra sa nuque pour le retenir, et tourna la tête de droite à gauche tout en se frottant contre sa verge en érection.

— Je te veux en moi, Sam.

— En temps voulu.

Elle émit un bruit qui tenait autant du rire que du grognement, mais qui reflétait surtout sa frustration.

— Est-ce qu'on t'a déjà dit que tu avais des problèmes de contrôle ?

— Souvent, dit-il en rinçant soigneusement ses cheveux.

Il aimait l'allure et la texture de sa chevelure qui flottait autour de sa tête, et lui caressait les cuisses. Il aimait la regarder étendue là, les yeux fermés, voir le soleil qui dansait sur l'eau et se reflétait sur sa peau mouillée.

— Est-ce que quelqu'un aurait déjà essayé de mettre ce besoin de tout contrôler à rude épreuve ?

— À de nombreuses reprises. Mais pas autant que toi, admit-il.

Ses cils humides s'agitèrent et leur ombre joua sur ses joues. Elle leva la tête vers lui et sourit.

— Je crois que cette idée me plaît.

Alors elle se redressa, s'agenouilla face à lui tandis que l'eau jouait autour de sa taille.

— Je crois même que j'adore cette idée.

Elle se pencha vers lui, enroula ses bras autour du cou de Sam et l'embrassa. De ses lèvres chaudes. Avec sa langue curieuse. Et des soupirs ravissants.

Il perdit tout contrôle de lui-même, comme s'il se dissolvait dans l'eau. Il la saisit par la taille, la souleva et passa les jambes d'Abbie autour de sa taille afin de l'installer sur lui. Les lèvres de son sexe s'ouvrirent contre sa verge dès qu'il frotta ses hanches contre elle.

— Viens, ordonna-t-elle en mordillant sa lèvre inférieure avant de plonger sa langue dans sa bouche comme pour lui demander en silence de la pénétrer.

*Trop rapide, trop brutal*, songea-t-il en s'efforçant de se retenir, d'œuvrer avec délicatesse. Elle glissa la main entre leurs deux corps, et serra son sexe grossissant dans sa main. Elle le positionna à l'orée de sa féminité, puis s'abaissa brusquement.

La pénétration fut instantanée. Étourdissante. Affolante.

Elle se raidit, poussa un cri, puis reprit sa bouche et commença à onduler sur lui. Affamée. Exigeante. Sauvage et délurée.

Il réclama sa bouche dans un grommellement, s'accrocha à ses hanches, et l'entraîna de haut en bas dans un rythme effréné. Il avala ses soupirs sensuels. Perçut nettement sa respiration saccadée. Le clapotis de l'eau. Le claquement de leurs corps l'un contre l'autre, primitifs, parfaits et ravageurs.

Elle hurla son nom, arqua le dos et jouit dans un long souffle doublé d'un gémissement profond et grave. Il l'étreignait fermement pour s'enfoncer plus loin, plus fort en elle. Alors il sentit l'afflux de sperme gonfler ses testicules, la pression douce augmentant au-delà du supportable. Serrant plus fort ses hanches il la souleva, et la fit redescendre sur lui une dernière fois. Ses gestes étaient si passionnés qu'il savait qu'il lui laisserait des bleus. Comme il n'y pouvait rien, il s'abandonna. Un pic de plaisir riche, électrique et inédit le transperça, l'annihila et le transforma entièrement.

— Abbie, murmura-t-il en la tenant contre lui de toutes ses forces. Abbie, répéta-t-il alors qu'elle s'effondrait, haletante, sans force, contre son torse.

Ils restèrent ainsi un long moment. Les membres emmêlés dans l'eau qui leur arrivait à la taille, alors que leurs orteils s'engourdissaient. La joue d'Abbie sur son épaule. Le menton de Sam appuyé sur sa tête. Quand il eut des fourmis dans les jambes, il dut se résoudre à l'écarter d'elle.

— Allez. On va se laver et se sécher.

Tout en riant paresseusement, ils se levèrent en chancelant. Ensuite, ils se lavèrent l'un l'autre. C'était une expérience nouvelle pour Sam. Cette intimité tendre et décontractée. Il le lui confia quand ils sortirent de l'eau pour s'allonger sur la couverture sèche étalée à l'ombre des arbres.

— Moi aussi, avoua-t-elle en roulant sur le côté de façon à l'observer.

Il croisa son regard, et aperçut son bras blessé.

— Il va falloir changer le pansement.

— Mon bras va bien.

— Oui, comme tout le reste.

Elle sourit. Posa un doigt sur ses lèvres. Il ouvrit la bouche, et aspira le doigt d'Abbie.

— Ce n'est pas un rêve ? C'est bien réel ? demanda-t-elle en ayant soudain l'air soucieux.

Il aurait pu éluder sa question, faire semblant, mais il ne savait que trop bien ce qu'elle voulait dire. Il inspira profondément, embrassa la paume de sa main. Les bras croisés sous la tête, il laissa son regard se perdre dans les arbres qui les dominaient.

— J'imagine que nous le saurons en rentrant.

Il avait participé à de multiples conflits, officiels ou non. En plein cœur d'une bataille, les émotions étaient démultipliées. Ce que l'on ressentait face au danger modifiait parfois le rapport au monde réel. Lui savait quels étaient ses sentiments. Il savait que rien ne changerait. En revanche, il ignorait ce qu'elle éprouverait dès que la menace serait écartée.

— Je veux que ça appartienne à la réalité, Sam. Je le souhaite de toutes mes forces.

Il tourna la tête. Dans ses yeux bruns, il perçut des sentiments si bruts qu'une nouvelle vague de tendresse et de désir le submergea.

— Oui, moi aussi.

*Moi aussi*, se dit-il en l'attirant contre lui pour l'inviter à faire la sieste.

Avant tout, ils devaient se sortir de là. Ils devaient arrêter Nader. S'ils n'y parvenaient pas, ils n'auraient aucun avenir. Réel ou imaginaire.

Il veilla sur elle pendant son sommeil. À contre-cœur, il la réveilla une heure plus tard.

Ils se rhabillèrent en silence, sans plus rien ressentir de leur tendre décontraction.

La réalité avait violé leur intimité et leur paradis.

Le nuage noir que représentait Frederick Nader planait de nouveau au-dessus de leur tête.

— Nous allons en finir avec cette sale histoire, déclara-t-elle alors qu'elle avait visiblement mis de côté tous ses sentiments en prévision de ce qui les attendait.

— Risque zéro. Tu ne prendras aucun risque. C'est compris ?

Oui. Dans ses yeux, il lut clairement qu'elle avait saisi son souhait implicite. En revanche, il ne savait pas si elle avait l'intention d'obéir.

# 22

Le soleil brillait sur le toit de la Town Car noire de Frederick Nader qui, peu habitué à conduire, se dirigeait vers l'ouest, en direction du soleil couchant. À cet endroit, l'autoroute s'arrêtait pour être relayée par un chemin de terre. La poussière se plaqua immédiatement en couches épaisses sur le pare-brise, tapissant la peinture rutilante tandis qu'il fonçait droit vers la piste d'atterrissage de La Jigua.

Frederick aurait préféré une Mercedes Benz allemande, plus robuste. Ces voitures étaient plus luxueuses, mieux équipées, supérieures en tous points à leurs équivalents américains. Toutefois, il n'avait pas eu le temps de trouver un meilleur véhicule.

Les riches envolées du concerto de Mozart numéro 3 l'enveloppèrent, et les notes intenses et veloutées résonnèrent dans les huit haut-parleurs de l'habitacle. L'Autrichien avait eu du talent. Dommage qu'il n'ait pas été allemand.

Et il était tout aussi dommage que Mlle Abbie Hughes n'ait aucune chance de voir le soleil se lever.

Ses coups de fil avaient porté leurs fruits. Il connaissait bien Caesare Fuentes et ses mercenaires, pour avoir travaillé avec eux lors de précédentes missions. Un seul appel avait suffi à assurer à Frederick qu'en échange d'un dédommagement généreux un minimum de douze hommes, armés jusqu'aux dents, seraient postés sur la piste d'atterrissage bien avant l'arrivée de Mlle Hughes et des éventuels mercenaires qu'elle aurait eu le cran d'engager. Car, bien évidemment, il s'attendait à ce qu'elle vienne accompagnée.

Frederick vouait une confiance aveugle aux hommes de Fuentes. Cependant, par acquit de conscience, il s'était offert les services de douze hommes supplémentaires. Ceux-ci le suivaient dans trois Jeep, à distance suffisante pour ne pas être vus et pouvoir tirer si Frederick rencontrait une quelconque résistance.

*Venez seul ?* C'était amusant.

Après tout, on n'était jamais trop prudent. De la même façon, on ne pouvait jamais faire confiance à une femme. Comme son frère, cette Américaine était stupide et trop gourmande. Pendant qu'il s'amuserait avec elle, elle implorerait sa pitié. Cette idée lui comprima l'entrejambe. Les frissons par procuration, c'était terminé. Puisque Smith n'était plus là, Frederick prendrait lui-même soin de Mlle Hughes. En fait, il savourait cette idée au point de regretter d'avoir autrefois délégué ce genre de besogne à Smith.

Il ralentit dès qu'apparut le toit ondulé du vieux hangar. Il s'enfonça prudemment sur la voie d'accès, puis tourna dans l'allée et arrêta le véhicule. Hormis quelques charognards en bordure du terrain, picorant ce qui devait être la carcasse putride d'un cochon sauvage, il n'y avait aucun signe de vie.

Les portes de l'entrepôt étaient ouvertes, et l'intérieur se perdait dans l'obscurité. Un Cessna monomoteur – antique et hors d'usage – était garé sur le côté sud du hangar, la cale reposant sur ses roues, attaché aux étais. Une épaisse couche de poussière recouvrait son pare-brise.

Une hélice reposait contre un moyeu.

Au milieu du tarmac se trouvait un petit hélicoptère à quatre places. Ridicule si on le comparait à son Eurocopter rapide et efficace qui l'avait amené à San Pedro Sula.

Assis derrière le volant de sa Town Car, Frederick observait le mouvement lent des hélices et détecta la présence d'occupants dans le cockpit.

S'il aurait pu applaudir son ingéniosité, il ne pouvait qu'être navré pour Abbie Hughes. Avait-elle réellement envisagé de lui échapper en s'envolant ? Dans cette partie du monde, l'argent permettait de tout obtenir, et il était certain de réussir à corrompre le pilote.

Il s'avança pour s'arrêter à soixante mètres de l'engin, et coupa le moteur. Ensuite, il ajusta sa cravate, arrangea sa coiffure dans le rétroviseur, et chercha du bout des doigts le Walther P38 rangé dans sa poche intérieure. Lorsqu'il quitta le calme et la fraîcheur de son véhicule pour s'enfoncer dans la chaleur étouffante de cette fin de journée, il eut une montée d'adrénaline. Le rugissement du moteur de l'hélicoptère emplissait l'air. Il se ressaisit immédiatement et ferma la bouche quand le vent lui envoya un nuage de poussière au visage. Dégoûté, il reçut en même temps l'odeur pestilentielle de la chair animale en putréfaction.

— J'espère qu'elle en vaut la peine, marmonna-t-il en attendant l'arrivée de Mlle Hughes.


— Le spectacle va commencer, murmura Savage dans son micro.

Il était à plat ventre sur le toit du hangar, sous une bâche grise destinée à le camoufler, lui et la mitrailleuse M-249 que Doc lui avait prêtée de mauvais gré.

— Il était plus que temps. Ce putain de toit en ferraille est entrain de me carboniser les couilles.

— Voilà une image qui va me filer des cauchemars.

Doc répondit depuis l'intérieur du hangar où il s'était mis en position défensive, derrière un amoncellement désordonné de cadres de fenêtres.

Sam s'était posté derrière une hélice du Cessna hors service qui lui offrait une vue dégagée sur Nader et l'hélicoptère dans lequel se trouvaient Abbie et Mendoza. Il vit la voiture de Nader s'arrêter. S'efforça de garder son calme quand le salopard en sortit.

— Mendoza ?

Le rotor principal tournait à bas régime. De la poussière s'élevait en cercles à chaque passage de l'hélice tandis que le moteur de la turbine grinçait.

— Prêt à passer à l'attaque.

Mendoza était assis aux commandes de l'hélicoptère, le M-4 chargé. L'engin était prêt à décoller si les choses tournaient mal. Mais il était surtout leur interprétation du cheval de Troie, même si selon leur plan, Nader devait s'en approcher et entrer, et pas le contraire. Dans la cabine de pilotage, aux côtés de Mendoza, Abbie transpirait autant sous son gilet de Kevlar que tous les membres de l'équipe. Sam savait qu'il lui suffirait de la voir poser un pied hors du cockpit pour qu'il s'élance sur le tarmac et la protège de ses propres mains. Il faisait confiance à Mendoza pour décoller en un clin d'œil si l'action virait au rouge, et l'emmener loin de cette piste.

La fin était proche. Leur plan était simple et net. Les gars s'étaient chargés du groupe de mercenaires de Nader qui étaient arrivés plus tôt. Ils étaient soit morts soit ligotés comme des poulets dépecés, et empilés derrière le hangar.

— Aussi facile que de rafler ton argent au poker, avait commenté Doc.

Auparavant, Mendoza était revenu à La Entrada, et avait conduit Sam et Abbie à la piste d'atterrissage.

— Faisons en sorte que la suite soit aussi facile, avait dit Sam avant qu'ensemble, ils définissent leurs positions défensives.

Sam avait insisté pour qu'Abbie se maintienne à une certaine distance de lui. Il devait rester mobile au cas où Nader ait d'autres tours dans sa manche. Il savait également que dès que Nader le verrait, Sam deviendrait une cible plus convoitée qu'Abbie à ses yeux. Cela signifiait qu'elle n'avait pas besoin de se tenir trop loin de Nader. Il voulait surtout éviter que les tirs l'encerclent.

— Quoi qu'il arrive, Raphael, ne la laisse jamais sortir de l'hélico, murmura Sam dans son micro.

Nader se trouvait à l'avant de sa Lincoln Town Car. Tel Mahomet attendant la montagne.

Son attente allait s'éterniser.

Sam observait l'ordure à l'allure trop fière. Les pieds de Nader trembleraient dans ses mocassins italiens s'il savait ce qui était arrivé à ses hommes.

— Il fait horriblement chaud, mademoiselle Hughes, cria Nader pour couvrir le bruit du moteur. Pourrions-nous passer aux choses sérieuses, je vous prie ?

— Ouais.

Sam surgit de l'arrière du Cessna, son M-16 en appui contre son épaule, l'arme pointée sur la poitrine de Nader.

— Passons aux choses sérieuses.

— Vous ! s'exclama Nader qui alla se réfugier derrière la portière de sa voiture d'un pas mal assuré.

— Ouais, c'est moi. Et c'est avec moi que tu vas faire affaire, cette fois-ci, pas avec une femme sans défense.

Ses yeux s'écarquillèrent de peur. À juste titre. Plus que tout au monde, Sam désirait appuyer sur la détente. Vider un chargeur de trente balles dans le trou qui remplaçait le cœur de Nader. Il sentit que Doc se tenait derrière lui, et le couvrait.

— Que se passe-t-il, Nader ? C'est moins amusant d'être en première ligne que retranché dans ta tour d'ivoire ?

Mais ils avaient trop bavardé. Le moment d'en finir était arrivé. Il était temps que Nader sache qu'il était sur le point de rendre son dernier souffle.

— Ça t'a coûté combien de payer quelqu'un pour assassiner ma sœur ?

— Ce... ce n'était pas moi.

La colère fit flotter un nuage rouge devant les yeux de Sam.

— Inutile de mentir, sale vermine. Donne-moi une raison de ne t'envoyer qu'une seule balle à la fois.

La haine avait battu en brèche son sang-froid, et l'entraînait dans un tourbillon de rage si primaire qu'il imaginait les milles actes les plus atroces qu'il pourrait infliger à cet homme. Toutes sortes de monstruosités innommables.

Chaque cellule de son être avait envie de lui faire payer la vie de sa sœur. De faire couler son sang pour le punir de l'existence qu'il s'était cru le droit de dérober. Pour la culpabilité qui meurtrissait sa conscience comme autant de coups de sabre.

Son cœur bondit. Ses mains tremblaient ; il posa le doigt sur le cran de sécurité, à un demi-centimètre de la gâchette. Sa respiration s'arrêta tandis que Nader approchait lentement de la portière du conducteur. Nader allait pousser des cris aigus de cochon, se tortiller dans la poussière comme un serpent. Sam allait se délecter de chaque hurlement angoissé. Savourer l'idée de le laisser rôtir et pourrir au soleil, avant que les vautours ne viennent picorer ses os.

— Couche-toi, espèce de connard. Face contre terre, ordonna Sam au moment où retentissait le bruit d'un véhicule arrivant à vive allure.

— On a de la compagnie, cria Doc. Putain de merde ! ajouta-t-il en distinguant trois camionnettes chargées d'hommes armés, qui surgirent en haut de la colline pour se diriger vers eux à vive allure.

— C'est quoi ce bordel ? ajouta Doc en remarquant deux Jeep, dont l'une tirait des balles d'une mitrailleuse alimentée par bande.

Elles dispersaient des nuages de fumée sur leur passage.

— Mais qu'est-ce que c'est ?

Une chose était claire, dans trente secondes, ils seraient pris au piège.

— Emmène-la loin d'ici ! hurla Sam dans le micro.

Mendoza s'était déjà installé aux commandes. Il lança le moteur à plein régime alors que les véhicules ennemis se rapprochaient rapidement pour encercler l'hélico.

Sam se tourna vers Nader au moment où il plongeait à l'intérieur de sa Town Car. Il mitrailla la voiture mais celui-ci tournait déjà la clé dans le démarreur.

Dans le lointain, on entendit une mitrailleuse. Savage, sur le toit, répondait avec le M-249. Abbie et Mendoza allaient se retrouver coincés entre les lignes de tirs. L'hélicoptère s'éleva de quelques centimètres avant de retomber lourdement.

— Merde, gronda Doc. Ils ont pris une balle dans le rotor arrière.

Ce qui voulait dire que l'engin n'irait nulle part. Nader accéléra et Sam vit ses chances de l'abattre lui échapper. En fin de compte, il sut ce qu'il devait faire.

Il devait rejoindre Abbie. Elle était plus importante que Nader. Mendoza pourrait la protéger un temps, mais elle était une cible immobile.

Il s'élança vers l'hélicoptère.

Doc le rattrapa, saisit Sam par son gilet de sécurité et l'attira vers le hangar.

— Tu es dingue, ma parole ? hurla-t-il en poussant Sam dans un coin.

Oui, il l'était. Et Doc avait raison. Se faire tuer n'aiderait pas Abbie.

Du coin de l'œil, il vit la Town Car opérer un demi-tour serré et filer vers la route. Il se retourna, releva son M-16 et tira une salve de balles en direction de la voiture.

Les deux pneus du côté du chauffeur se dégonflèrent comme un soufflé. Elle fit une embardée, puis un tête-à-queue, mais le truand reprit le contrôle de son véhicule en accélérant. Sur deux roues d'un côté, et deux jantes à nu de l'autre, la Lincoln s'éloigna par la route.

— Fils de pute, jura Sam en voyant Nader s'enfuir.

Il s'accroupit derrière la porte ouverte du hangar, et concentra son attention sur l'homme armé qui visait l'hélicoptère.

— Il faut les sortir de là. Savage, hurla-t-il dans le micro. Choisis le bon moment, et élimine la première Jeep qui arrive à l'hélico.

» Couvre-moi, brailla-t-il à l'intention de Doc. C'était maintenant ou jamais.

— Putain. Laisse tomber.

Doc le saisit par le gilet pare-balles et le tira violemment pour le mettre à l'abri, dans le garage.

— Si tu sors maintenant, tu vas te transformer en passoire. Mais regarde là ! Tu vois ce que je vois ?

— De quoi parles-tu ?

— Qui tire sur qui ?

Sam se tourna vers la piste d'atterrissage. Il évalua la scène d'un rapide coup d'œil.

— Ces abrutis se canardent mutuellement ou je rêve ?

Les hommes avaient compris.

— Fox. Dans les camionnettes, ce sont les sbires de Fox.

— Et ils s'en prennent aux gars de Nader qui sont dans les Jeep.

— Comment Fox a-t-il su ce qui allait se passer ici ?

Ils s'abritèrent quand une rafale de tirs perça la carcasse métallique, juste au-dessus de leur tête.

— Putain, Fox avait une taupe dans le camp de Nader. Il n'a pas pu s'empêcher d'intervenir.

Doc avait sûrement raison. Les mercenaires qu'il avait engagés avaient été payés au prix fort. Ils se trouvaient face à une communauté impitoyable et incestueuse. La loyauté leur était aussi étrangère que la confiance.

— Je dois rejoindre Abbie.

Sam évalua le chaos. Les pick-up remplis de tireurs armés d'AK encerclaient les Jeep comme des loups. Et les loups ne se laissaient pas faire. Les salves tirées des mitraillettes des gars de Nader rebondissaient sur le sol, sur l'hélicoptère et sur les camionnettes en fuite.

— Savage, cria Sam.

— Yo.

— Il me faut l'une de ces Jeep.

— Il n'y a qu'à demander.

Derrière Sam, du M-16 de Doc jaillirent les balles de trois chargeurs de 5.56 NATO. Malgré le chaos, ces tirs se distinguaient aisément des charges assourdissantes des AK-47 qui s'échappaient de l'arrière des camionnettes.

Aux ricochets cinglants s'ajoutaient les rafales du M-249 et des bandes de chargeurs quand Savage s'attaqua à la Jeep la plus proche de lui.

— Et but ! hurla Doc lorsque Savage fit exploser le pare-brise de la Jeep.

Deux hommes chancelèrent et tombèrent par l'arrière, avant de s'enfuir vers un abri. La Jeep freina brusquement à vingt mètres du hangar.

Cette fois-ci, Sam ne prit pas le temps d'annoncer son plan. Il s'élança avant que Doc ne puisse l'en empêcher, sachant qu'il ferait feu pour le couvrir.

Arc-bouté, il avança en zigzag vers la Jeep pendant que, du toit du hangar, Savage balayait le terrain à grand renfort de tirs pour lui dégager la voie. Sam parcourut les deux mètres qui le séparaient de la Jeep en plongeant, ouvrit d'un geste brusque la portière et tira le chauffeur hors de son siège. Il n'avait pas encore touché terre que Sam s'engouffrait derrière le volant, et fonçait.

Il accéléra si violemment qu'il dispersa d'épais nuages de poussière derrière lui. Il se précipitait droit vers l'hélicoptère pris au piège, tête baissée derrière le volant pour éviter les balles qui volaient tout autour. Il dérapa et s'immobilisa juste devant la porte du cockpit.

— J'ai cru que j'allais rater le dîner, ironisa Mendoza tout en aidant Abbie à sortir.

Sam la fit asseoir sur le siège avant, à côté de lui. Mendoza bondit sur la banquette arrière.

— On n'a pas manqué d'invités-surprises, grommela Mendoza en épaulant son M-4 pour viser une camionnette qui s'approchait d'eux, alors que Sam écrasait l'accélérateur pour retourner au plus vite vers le hangar.

— Vous allez vous en sortir ? demanda Sam en freinant brusquement afin de laisser Mendoza descendre.

— Tu demandes à un aveugle s'il a envie de voir clair ? rétorqua Mendoza avant d'aller rejoindre Doc qui levait le pouce pour féliciter Lang.

Sam démarra en trombe, à la poursuite de Nader.

# 23

Sam poussa le moteur au maximum de sa puissance, et dévala le chemin de terre en suivant les traces laissées par Nader.

— Attache ta ceinture !

Il n'eut pas besoin de le dire deux fois. Abbie se cramponnait de toutes ses forces au tableau de bord, à tel point que ses phalanges étaient blanches.

— Et fais attention aux morceaux de verre, cria-t-il pour se faire entendre malgré le vent qui entrait par l'encadrement vide du pare-brise et lui cinglait le visage.

Les petits débris de verre volaient autour d'eux, et la poussière tourbillonnait à l'intérieur de l'habitacle pour se mêler aux cheveux détachés d'Abbie.

D'une main tremblante, elle s'efforça de s'emparer de sa ceinture.

L'adrénaline. La peur. Sam connaissait bien ces deux états. S'il l'avait pensée plus en sécurité avec les gars, il l'aurait laissée là-bas mais en vérité, il préférait l'avoir près de lui. La protéger lui-même.

— Que s'est-il passé ?

Il plissait les yeux pour lutter contre le vent.

— Je pense que Fox avait lui aussi prévu de retrouver Nader.

La ceinture de sécurité l'empêcha de heurter le toit lorsqu'une bosse fit bondir la voiture.

— C'était Fox ?

— Ça y ressemble.

— Et les gars ?

Elle jeta un coup d'œil derrière son épaule. Sam contrôla les rétroviseurs latéraux. Les pick-up entouraient les Jeep restées sur place.

— Ils vont réussir à s'en sortir ?

— Je vous parie que oui.

Il croyait toujours en eux, de tout son cœur.

La mâchoire serrée, il se rapprochait du nuage de poussière. Il accéléra de plus belle.

— Je vois la voiture, dit Abbie en maintenant ses cheveux hors de son champ de vision.

— Accroche-toi.

L'air grave, Sam se colla à la Lincoln.

— Accroche-toi ! répéta-t-il en tapant dans le pare-chocs arrière de la Lincoln.

L'impact se répercuta dans ses mains, et remonta jusqu'à ses épaules.

Il écrasa l'accélérateur une fois de plus.

De nouveau, il buta violemment contre la Lincoln. La voiture de Nader fit une embardée, se redressa, et accéléra. Des éclairs surgirent du ventre de la voiture quand il frotta contre la route, du côté du chauffeur, là où les jantes nues peinaient à assurer l'équilibre.

Si Abbie semblait abasourdie, elle ne cria pas, ne jura pas, et s'abstint de lui demander d'arrêter.

Le regard fixé droit devant lui, Sam ralentit légèrement afin de creuser la distance entre les deux véhicules. Quand il estima que l'espace était suffisant pour prendre de l'élan, il fonça.

— Tiens bon.

— Mon Dieu, murmura Abbie quand il arriva à la hauteur de la Town Car, adopta la même vitesse, environ soixante-dix kilomètres heure, jusqu'à ce que les roues avant de la Jeep se trouvent alignées sur celles de l'arrière de la Lincoln, côté conducteur.

Quand il n'y eut plus que quelques centimètres entre eux, Sam tourna sèchement le volant pour venir cogner contre la Town Car. La technique visant à immobiliser le véhicule de l'adversaire fut plus efficace que celle du bélier. Les roues arrière de la Lincoln se mirent à patiner, puis dérapèrent. Sam freina brusquement, dégagea l'avant de la Jeep, et garda le contrôle quand la Lincoln fit une nouvelle embardée, avant de partir en tonneau dans le ravin, soulevant un nuage de gaz d'échappement et de poussière. Le nez en avant, elle plongea dans le vide.

Elle s'arrêta. Immobile au milieu d'un nuage de terre.

Sam se précipita vers la Lincoln.

— Ne quitte pas ce véhicule, ordonna-t-il, son M-16 à la main, en se rapprochant de la voiture accidentée de Nader.

La portière de la Lincoln s'ouvrit soudainement, et Nader apparut en titubant. Le visage en sang. Son bras gauche pendait en formant un angle grotesque ; il était visiblement cassé. Il s'appuya contre la voiture pour rester debout.

Sam s'était juré de ne plus laisser Nader lui échapper. Il leva son fusil. Visa. Plaça le doigt sur la gâchette, et entendit des voix s'élever.

La voix de sa sœur, hurlant de douleur, brûlant dans les flammes, trouvant la mort au cœur d'un brasier. La voix de la petite Tina pleurant toutes les larmes de son corps, chaque soir, jusqu'à s'endormir d'épuisement. La voix de son père. *Tu ne peux pas ne rien faire.*

Nader tomba à genoux.

— Ne me tuez pas. S'il vous plaît, je vous en conjure. Je ne suis pas armé, je vous en supplie. (Il fondit en larmes. Misérable, anéanti.) J'ai de l'argent. Plus que tout ce que vous pourriez imaginer.

*Qu'il aille se faire foutre. Vas-y !* ordonna une nouvelle voix. Sa propre voix. *Tue-le ! Ne fais pas endurer à ta famille une nouvelle période de souffrance en assistant au procès de l'assassinat de Terri. Ne prends pas le risque de laisser ce malade s'en tirer.*

— Je vous en prie, s'il vous plaît. Ayez pitié.

*Vas-y ! Fais-le !*

Le doigt de Sam se crispa sur la détente. Il fixa un point entre les yeux de serpent de Nader.

Mais il restait figé. Paralysé. Avec l'envie d'agir, au fond de lui, d'éliminer ce déchet et de débarrasser le monde de son existence de brute.

Toutefois, quelque chose le retenait.

Quelque chose d'humain, comprit-il, qui jaillissait des profondeurs de son être pour empêcher son doigt de commettre l'irréparable. Quelque chose qui le distinguait des hommes comme Nader capables de tuer de sang-froid et de s'endormir paisiblement quelques heures plus tard après avoir tout oublié.

*Il a assassiné ta sœur. Il mérite de mourir ainsi.*

Il releva le canon de son arme.

Observa le misérable salopard geindre et supplier comme un gosse.

*Quand on fréquente des monstres, il faut faire attention à ne pas en devenir un*

Des mots qui accompagnaient Sam depuis toujours. Un avertissement de Nate Black. Son commandant dans l'armée. Son ancien supérieur hiérarchique.

Il ne pouvait pas faire ça.

Il en était tout simplement incapable. Il ne pouvait pas se résoudre à abattre un homme de sang-froid. Il ne pouvait pas devenir un monstre comme celui qui pleurnichait, brisé, devant lui.

Tout en grommelant, il relâcha la détente.

Il abaissa son arme. Se couvrit le visage d'une main. S'aperçut que ses joues étaient mouillées. Il ne savait pas s'il devait se féliciter ou se maudire de cette petite dose d'humanité qui le poussait à renoncer.

Il baissa la tête, et respira lentement.

— Sam !

Le hurlement d'Abbie lui fit relever la tête, juste à temps pour voir Nader s'écarter de la voiture et brandir une arme de sa main droite.

L'instinct. La mémoire musculaire. La volonté de survivre.

Ces trois composantes de son être prirent le dessus. Sam leva son M-16 et appuya sur la gâchette. Alors qu'il fit feu, il entendit une succession de coups.

Il sentit l'arme vibrer dans ses mains, même quand l'écho des tirs se répercuta dans le silence, et que son doigt, toujours en appui sur la détente, ne produisait plus que des cliquètements indiquant que le chargeur était vide. Le corps de Nader tressauta, se voûta puis s'écroula avant que Sam ait eu le temps de comprendre qu'il avait fait feu.

Mort.

Ce sale monstre était enfin mort.

Abbie se précipita vers Sam. Lui sauta au cou.

Il passa un bras autour d'elle, la serra contre lui, respira profondément. Tout était fini.

Peut-être. À moins que…

Il releva la tête.

Percevant le bruit d'un véhicule à l'approche, il pivota sur lui-même. Un pick-up. Bondé de muscles et d'artillerie. Desmond Fox en personne sur le siège passager.

Sam s'interposa devant Abbie, et se tint droit quand la camionnette ralentit pour piler devant lui.

Sam ne pouvait absolument rien faire d'autre que rester là, avec une arme vide.

Fox considéra Sam, puis Nader, étendu sans vie dans le fossé.

Il offrit son sinistre sourire à Sam.

— *Bien hecho.*

Bien joué.

Visiblement ravi, il donna l'ordre à son chauffeur de démarrer. Tout en s'éloignant, Fox imita la forme d'une arme avec son index et son pouce. Il la pointa vers la tête de Sam. Actionna une gâchette imaginaire.

— *La proxima vez.*

La prochaine fois.

— Quelle horreur, souffla Abbie en revenant à ses côtés.

Ils regardèrent le pick-up disparaître, suivi de près par le reste de l'équipe.

— Que vient-il de se passer, au juste ?

— Fox vient de m'offrir un sursis.

La mort de Nader – l'ennemi juré de Fox – avait servi de catalyseur. En le prévenant qu'il tuerait Sam « la prochaine fois », Fox lui avait témoigné sa reconnaissance.

Les MCB arrivèrent sur place quelques minutes plus tard.

— On le suit ? demanda Savage, toujours sous le coup de l'excitation du combat, et prêt à partir à l'attaque.

Sam secoua la tête. Il en avait assez. Et tel qu'il connaissait Fox, il avait convoité les diamants uniquement pour contrarier Nader. Tant que le bijou était restitué au Honduras, ils n'entendraient plus parler de lui.

Il serra Abbie, de toutes ses forces, le regard rivé sur le corps inerte de Nader.

À cet instant, il sentit le nuage qui assombrissait lourdement le ciel au-dessus de lui se dissiper peu à peu.

# 24

*Rancho Royale*

— Oncle Sam !

Quand Tina l'aperçut dans l'allée, elle s'élança au pas de course et plongea dans ses bras avec la rapidité et la précision infaillible d'un missile commandé.

— Oh, là ! s'exclama Sam, amusé, en la faisant tournoyer dans les airs.

— Tu m'as tellement manqué, déclara la petite fille avec la spontanéité et l'innocence d'une enfant.

Elle s'agrippa à lui, passa les bras autour de son cou et enroula ses petites jambes autour de sa taille.

— Moi aussi, mon trésor, murmura-t-il en enfonçant son visage dans ses cheveux pour savourer son odeur.

Par-dessus sa tête, il aperçut son père.

Le visage de Tom Lang ne trahissait aucune émotion, mais reflétait une centaine d'interrogations.

Leurs regards se croisèrent, et Sam acquiesça d'un signe de tête. *C'est fait.*

Son père pinça les lèvres. Il redressa les épaules, lui répondit d'un mouvement de tête, exprimant par ces petits gestes insignifiants son soulagement et sa gratitude.

— Qu'est-ce que tu m'as rapporté ? demanda Tina en rigolant.

Sam soutint longuement le regard de son père, et ils échangèrent en silence tout un monde d'émotions. Ensuite il se tourna vers Tina, et la chatouilla au point de la faire hurler de rire.

— Et qu'est-ce qui te fait dire que j'ai un cadeau ? la taquina-t-il avant de la reposer par terre.

Dans son sac, il chercha la paire de bottes qu'il avait achetée sur un coup de tête à l'aéroport.

— Parce que tu m'aimes, affirma-t-elle avec une certitude qui emplit le torse de Sam d'un amour infini.

— Tu as raison, concéda-t-il avant d'éclater de rire en la voyant serrer ses bottes contre son cœur.

— Exactement ce que je voulais.


*Las Vegas*

— Comment va-t-il ?

Abbie referma la porte de la chambre d'amis sans faire de bruit, et rejoignit Crystal au salon.

— Aujourd'hui ? Pas terrible.

Abbie faisait tout son possible pour ne pas s'inquiéter. Et Cory faisait de son mieux pour la rassurer. Mais il était peu convaincant. Depuis leur retour, il passait l'essentiel de son temps alité.

— Ils ont du mal à éliminer l'infection, mais sa température est un peu en baisse aujourd'hui et il est moins pâle.

— Que disent les médecins ?

Abbie se laissa tomber sur le canapé, prit le verre de vin que Crystal lui avait servi et but une gorgée.

— Qu'il faut être patient. Qu'il va guérir. Merci, ajouta-t-elle un peu tard en désignant son verre, pour signifier à Crystal qu'elle appréciait sa présence à ses côtés et ses petites intentions.

— Merci à toi.

Crystal leva son verre en souriant.

— C'est ton vin. Et il est excellent, dois-je dire.

Abbie ferma les yeux, reposa la tête sur le coussin du canapé.

— J'ai l'impression que je pourrais dormir pendant un mois.

— Jouer au G.I. t'a épuisée, on dirait ?

Abbie sourit. Oui, elle se sentait épuisée. Maintenant qu'elle en avait le temps, elle pouvait enfin se livrer à quelque chose qu'elle avait repoussé depuis trop longtemps.

— Crystal, je n'ai jamais pris la peine de te remercier, dit-elle avec sérieux.

Depuis le retour d'Abbie, deux jours plus tôt, elles avaient longuement évoqué ce qui s'était passé au Honduras, principalement par téléphone. Crystal était curieuse des moindres détails, et Abbie s'était sentie obligée de tout lui raconter avec précision. Elle aurait dû la remercier de l'avoir aidée depuis longtemps.

— Pour avoir joué à cache-cache avec le cow-boy flic homo ? C'était du gâteau ! s'exclama Crystal en gloussant. J'ai adoré mener ce joli garçon par le bout du nez.

La veille, Crystal avait indiqué à Reed l'endroit où se trouvaient les diamants, ainsi que le code de la consigne de la gare routière. Sam leur avait expliqué que le collier serait acheminé vers le Honduras par service spécial du gouvernement. Il serait ensuite exposé au Musée National.

— Je n'en doute pas. Mais je parlais de ce que tu as fait pour moi, sans même me poser de questions. Cory serait mort à l'heure qu'il est si tu n'avais pas pris tous ces risques, déclara Abbie, le regard empli de reconnaissance.

Fidèle à elle-même, Crystal parut mal à l'aise face à son témoignage d'affection. Elle préféra donc ne pas s'étaler sur le sujet.

— Les amis sont là pour ça. Oh, non, je parle comme une carte de vœux à trois balles, ou comme une vieille chanson de Dionne Warwick. Attends, la musique est en train de me revenir.

— Très bien, dit Abbie en se redressant pour poser la main sur celle de son amie. Fais semblant de ne pas avoir compris, mais j'insiste. Je te dois beaucoup. Cory aussi. J'ai de la chance de t'avoir.

Sentant qu'elle était sur le point de céder aux larmes qui la menaçaient, Crystal se leva d'un bond.

— Je t'enverrai la note. Ah, non, je vais plutôt me faire payer en vin. Je te ressers ?

Abbie approuva d'un geste, et s'enfonça dans le canapé tandis que Crystal allait chercher la bouteille entamée de pinot grigio à la cuisine. Elle se réjouissait de pouvoir se reposer sur son amie.

En retrouvant son lit, elle avait cru qu'elle dormirait profondément. Au lieu de quoi, elle avait du mal à trouver le sommeil. Elle était nerveuse. Et ses nuits étaient peuplées de cauchemars.

Trop de scènes se rejouaient dans sa tête. Aucune qu'elle ait envie de revivre. Mais par-dessus tout, c'était Sam qui occupait ses pensées et la maintenait éveillée. Sans cesse, elle se demandait ce qui se passait avec lui. Entre eux.

Il lui avait téléphoné. Trois fois, la veille. Deux fois aujourd'hui. Pour prendre de ses nouvelles. Prendre des nouvelles de Cory. S'assurer qu'elle ne manquait de rien. Il avait fait allusion à la nécessité de « se parler », à un moment ou à un autre. Et ce soir il allait enfin venir pour cela. Elle devait repousser le mauvais pressentiment qui la tenaillait à l'idée de cette discussion à venir. Elle écartait tant bien que mal la peur de devoir affronter des adieux, tout en se reprochant de manquer d'assurance.

— Alors… reprit Crystal en revenant au salon, bouteille à la main. C'était comment ? Ces deux journées magiques sous le soleil, à éviter les balles qui volent en tous sens et à courir après les méchants ? Avec quatre gardes du corps en quête de justice ? Ils sont bien du côté de la justice, dis-moi ? demanda-t-elle en remplissant leurs verres.

— Oui, dit Abbie en se reprochant une fois de plus de chercher des problèmes avec Sam là où ils n'existaient pas. Ils sont du côté des gentils.

Elle repensa à Doc – grand, élancé, son sourire facile, et ses mains de guérisseur. À Mendoza – le sublime latino, habile pilote de rallye, qui fredonnait en permanence. À Savage – avec sa carrure d'ours qui, elle en était certaine, avait été aussi surpris qu'elle par la sympathie qui était née entre eux.

Les trois hommes l'avaient chacun enlacée avant que leurs chemins ne se séparent à San Pedro Sula. Et elle devait admettre qu'au moment de les quitter, elle s'était sentie émue.

— Je n'ai toujours pas compris qui ils sont vraiment. Ni ce qu'ils font, fit remarquer Crystal.

Abbie non plus. Pas exactement.

— Tout ce que je sais, c'est qu'ils sont basés en Argentine. Que Sam travaillait avec eux, avant. Je crois qu'il s'agit d'une sorte d'agence privée – un peu comme Blackwater. Seulement, ils effectuent des missions moins officielles. Il ne faut pas trop poser de questions ni en parler, tu vois le genre ? Par contre, je n'aimerais pas être leur ennemi. Ils savent ce qu'ils font, c'est certain.

— Et ils pourchassaient ce Nader bien avant que Cory ne soit impliqué ?

Abbie acquiesça d'un geste. Même avec Crystal, elle préférait ne pas évoquer les secrets de Sam. Sa perte ne regardait que lui. Elle n'appartenait à personne d'autre.

— Et ensuite ? demanda Crystal en calant ses pieds sous ses fesses pour mieux s'installer dans le fauteuil.

— J'espère qu'une fois que le gouvernement du Honduras aura récupéré les diamants, tout sera oublié.

— Tu veux parler des charges contre Cory ?

— Oui. Bon, je sais qu'il n'est pas complètement innocent dans cette affaire, mais je sais aussi qu'il a été happé malgré lui dans cette organisation. Il a été pris au piège, et il n'avait aucun moyen de faire marche arrière.

Maintenant, elle connaissait les détails de son parcours. Quand Cory ne dormait pas, ils discutaient. Au cours de ces deux derniers jours, il lui avait tout raconté.

— Abbie, tu n'as pas besoin de le défendre. Pas avec moi. Cory est un bon garçon. Je le sais.

Crystal n'ignorait pas tout ce que Cory avait enduré étant enfant.

— Enfin bref, j'ai juste envie de tourner la page maintenant.

Les yeux rivés sur le mur du fond, Crystal approuva d'un signe.

— Bon, vas-tu finir par me raconter ce qui s'est passé avec Sam là-bas ?

Abbie fit tourner le vin dans son verre, observa le liquide clair en regrettant de ne pas parvenir à dissiper ce mauvais pressentiment dès qu'elle pensait à cette discussion, celle que Sam réclamait.

Elle revit les moments idylliques qu'ils avaient partagés malgré la tempête.

*Ce n'est pas un rêve ? C'est bien réel ?*

C'était la question clé.

— On en saura plus à 22 heures, déclara-t-elle finalement, alors que Crystal attendait une réponse. J'aurai peut-être la réponse à 22 heures, ce soir.

Crystal était partie depuis moins d'un quart d'heure quand Abbie entendit la porte de la chambre d'amis s'ouvrir. Levant les yeux, elle vit Cory avancer avec peine dans le salon.

— Salut ! Comment te sens-tu ?

Il avait les yeux cernés. Exception faite de ses joues rosies par la fièvre, il était livide. Et maigre. Le cœur serré, elle constata une fois de plus à quel point il était affaibli.

— Ça va, dit-il en se laissant tomber dans son fauteuil en cuir, visiblement sans forces.

— Et moi je suis la reine d'Angleterre, rétorqua-t-elle en souriant doucement. Tu as besoin de quelque chose ?

— Non, merci, répondit-il en secouant la tête.

Il avait le regard triste et grave.

— Quoi ? demanda-t-elle en se penchant vers lui. Tu as mal ? Tu devrais peut-être prendre tes médicaments mainte...

— Non, l'interrompit-il brusquement, avant de prendre un air désolé. Non, grande sœur, ça va. Je suis un gros naze, mais je me sens bien.

Elle prit sa défense instantanément.

— Tu n'es pas un gros naze, affirma-t-elle.

— Ah, non ? Alors comment se fait-il que tu aies failli mourir à cause de mes imbécillités ?

— Tu n'as jamais voulu que les choses se passent ainsi. Je le sais.

— Je ne le voulais pas, mais ça ne m'a pas empêché de foutre ma vie en l'air. Et maintenant, c'est la tienne que je pourris.

— Mais non, Cory. Je vais bien, et ma vie aussi.

— Ah bon ? N'importe quoi. Depuis toujours, je ne t'apporte rien d'autre que des soucis. Tu ne mérites pas ça. Et moi, je ne te mérite pas.

— Tu veux dire que si c'était moi qui avais eu des problèmes, tu ne m'aurais pas aidée ?

— Tu vois, c'est toute la différence entre toi et moi. Tu ne te serais jamais mise dans une telle situation. Tu es trop stable, trop solide pour ça. Trop... bonne.

Elle tomba à genoux devant lui, et posa une main sur sa pauvre main bandée.

— C'est lui qui t'a fait ça. Notre père. Mais il a mal agi, Cory. Tu vaux mille fois plus que lui, et tu es mille fois plus intelligent que lui.

Les yeux de Cory s'emplirent de larmes.

— Il est peut-être temps que je sois à la hauteur de ce que tu penses de moi, au lieu de constamment prouver le contraire.

Elle repoussa les cheveux qui retombaient sur son front.

— Tu n'as rien à prouver.

— Je crois que si. J'ai vraiment beaucoup de choses à prouver. Tu vas voir, Abbie, tu vas être fière de moi maintenant. Je ne sais pas encore comment, mais je vais y arriver. Je suis tout neuf, comme un petit bourgeon.

Cette image la fit sourire.

— Comme un petit bourgeon ?

— Oui, c'est ça. Je vais faire plus attention à ce que je fais.

Abbie ne l'avait jamais vu dans cet état. Et elle était convaincue qu'il pensait sincèrement chacune de ses paroles.

— Je me suis dit... que je devrais peut-être reprendre mes études.

Elle acquiesça, et ressentit le besoin de creuser cette idée.

— Parce que tu crois que c'est ce que je veux que tu fasses ? Ou parce que tu en as envie ?

— Peut-être un peu des deux. Mais c'est surtout pour moi. En faisant les choses à ma façon, je n'arrive à rien de bon. Alors je devrais peut-être prendre davantage exemple sur toi.

— Dans ce cas, vive les bourgeons !

Il sourit enfin, brièvement, avant de retrouver toute sa gravité.

— Je t'aime, Abbie.

Pour la première fois, en le regardant, elle ne vit plus le petit garçon blessé. Elle vit un jeune homme. Un homme qui avait enfin compris que son destin ne dépendait que de lui. Qu'il tenait sa vie entre ses mains.

— Ça tombe bien, parce que moi aussi, je t'aime.

— J'aimais bien le look mal rasé. Ça va me manquer, dit Abbie quand Sam franchit le seuil de sa maison ce soir-là.

En vérité, c'était lui qui lui avait manqué. Il était splendide. Comme toujours. Il était rasé de près. Sa chemise était blanche. Son jean impeccable, avec ses plis marqués.

*Ses fesses moulées dans un Wrangler me rendent folle.*

Pourquoi cette petite phrase tournait-elle en rond dans sa tête, elle l'ignorait.

En vérité, elle préférait ne pas le savoir.

Car elle était terrifiée. Elle craignait d'apprendre qu'ils n'avaient vécu qu'un rêve, et que Sam était venu dans le but de le lui dire en face. Elle avait peur parce qu'elle mourait d'envie de plonger dans ses bras, de l'embrasser, le déshabiller. Toutefois, son expression l'arrêta.

— Tu as l'air fatigué, dit-il. Tu as du mal à dormir ?

— Oui, c'est vrai, avoua-t-elle se retenant de préciser qu'il était la raison de ses insomnies.

— Ça passera. Et ce bras, comment va-t-il ?

Bon. Ils étaient partis pour parler de la pluie et du beau temps. Puisqu'il évitait d'entrer dans le vif du sujet, elle avait toutes les raisons de craindre le pire.

— Mon bras va très bien.

— Et comment se porte Cory ? demanda-t-il alors qu'elle l'invitait à se mettre à l'aise.

Elle devait certes être reconnaissante de l'intérêt qu'il portait à leur bien-être, mais la panique grondait en elle.

— En fait, depuis ce soir, il va beaucoup mieux. Je commençais à ne plus y croire mais brusquement, sa fièvre est tombée. Il prend une douche.

Sur ce point, elle pouvait être soulagée. Crystal n'était partie que depuis six heures, mais durant ce laps de temps, la transformation de Cory avait été stupéfiante. Abbie avait même pu quitter la maison le temps de remplir les placards de la cuisine. Elle avait préparé des lasagnes pour Cory, son plat préféré, et il avait non seulement réussi à manger mais aussi à ne rien vomir.

Alors oui. Le soulagement était vif. Tout comme celui que lui procurait leur bavardage. En revanche, la politesse extrême de Sam était inquiétante.

— J'ai besoin d'un verre de vin, dit-elle brusquement quand le silence et la gêne devinrent insoutenables. Je vous en sers un ?

— Avec plaisir.

Bref. Succinct.

Que se passait-il ? Et surtout, qu'est-ce clochait ?

Il n'avait pas cherché à la toucher. Ne l'avait pas attirée contre lui. Ne l'avait pas embrassée.

Pourquoi est-ce que ça ne se passait pas ainsi ?

Cela la déstabilisait.

D'une main tremblante, elle s'empara d'une bouteille neuve de pinot. Elle savait qu'elle avait assez bu pour aujourd'hui. Demain matin, elle se réveillerait avec un atroce mal de tête et ne pourrait s'en prendre qu'à elle-même.

Ce serait peut-être aussi la faute de Sam car elle avait beau retourner la situation dans tous les sens, elle ne voyait pas comment ne pas terminer cette journée au lit – seule – les yeux rougis par les larmes.

*Quelle fille courageuse !* se dit-elle en ouvrant la bouteille. *Pose-lui la question. Vas-y. Demande-lui. Et qu'on en finisse.*

C'était, bien évidemment, le vrai problème. Elle avait peur d'en finir avec lui.

*Sinon, serre les dents. Accepte la situation. Accepte la souffrance. Accepte de tirer dans le tas.*

Toutes ces phrases banales étaient désormais chargées d'un lourd poids à ses yeux. Elle avait traversé trop de tourments.

Et pourtant, elle ne pouvait se résoudre à aller droit au but.

— Tiens, dit-elle, surprise par l'arrivée de Cory quand elle trouva la force de regagner le salon avec les verres de vin. Comment te sens-tu ?

— Assieds-toi, Abbie, dit Sam en lui prenant les verres des mains.

Ce fut à ce moment qu'elle remarqua l'air grave des deux hommes.

Un air qui l'avertissait qu'elle n'allait pas aimer la suite. Un air qui lui disait qu'elle ferait bien de s'asseoir pour éviter de défaillir.

— Qu'y a-t-il ?

Cory se laissa tomber sur l'accoudoir du canapé, à côté d'elle.

— Demain, je vais me rendre à la police fédérale.

Si Sam ne lui avait pas pris les verres des mains, elle les aurait fait tomber.

— Qu'est-ce... qu'est-ce que tu racontes ?

Cory regarda Sam qui acquiesça d'un geste encourageant.

— J'ai fait des conneries, Abbie. Je dois payer pour mes erreurs.

— Tu as déjà payé, rétorqua-t-elle, sentant la panique empourprer ses joues. Tu as été suffisamment puni.

Avec précaution, elle prit sa main bandée entre les siennes.

— Tout le monde a obtenu ce qu'il voulait. Vous avez eu Nader, dit-elle à l'intention de Sam. Vous avez récupéré le collier. Je ne vois pas l'intérêt d'une telle démarche. Ce n'est pas nécessaire.

— C'est simplement ce que je dois faire, affirma Cory avec gravité. Sam et moi, nous en avons parlé.

— Sam ?

Son regard passa de Cory à Sam, qui les observait avec sérieux.

— Quand as-tu parlé avec Sam ? demanda-t-elle.

— Cet après-midi, répondit Sam.

— Quand tu es allée faire des courses, précisa Cory.

Elle se mit à trembler, sentit sa poitrine se serrer sous l'effet de la colère, de la déception, de l'ultime trahison de Sam.

— Comment oses-tu me faire ça ? Comment as-tu pu le convaincre de faire une chose pareille ?

— Je ne l'ai pas poussé à le faire. C'est un homme, pas un enfant, Abbie, dit Sam avec délicatesse. Il est responsable de ses choix. Il a pris des tas de mauvaises décisions. Laisse-le prendre la bonne, cette fois.

La bonne décision.

Tout espoir d'un avenir commun fut anéanti.

— C'est comme ça que vous appelez la décision de finir en prison ? reprit-elle.

— Je sais que tu n'as aucune raison de le faire, mais pourrais-tu essayer de me faire confiance, cette fois ? De me croire si je te dis que tout va bien se passer ?

— Tu as toujours raison, lança-t-elle d'un ton accusateur. Je n'ai aucune raison de te faire confiance.

316

C'est le plus grand des échecs. J'en ai eu envie. J'ai cru... comme j'ai pu être idiote ! Tu as tout fait pour que je croie... en tout. Alors que tout ce que tu voulais, c'était... quoi ? Que veux-tu donc, Sam ? C'est ton idée d'une espèce de justice poétique ? Tu as perdu ta sœur ? Alors je dois, à mon tour, perdre mon frère pour que les choses soient justes ? lança-t-elle avec colère.

Sam blêmit. La douleur qui traversa son regard en dit long sur la profondeur de la blessure qu'elle venait de rouvrir.

Ce qu'elle venait de dire était tout simplement horrible. Mais elle était terrorisée. Comme si elle pressentait qu'elle avait des raisons d'avoir peur. Peur qu'il n'arrive quelque chose de terrible.

Ça allait arriver.

Elle allait perdre Cory.

Quand Sam se leva pour sortir, elle comprit que cette fois-ci, elle avait définitivement perdu Sam, aussi.


Le lendemain matin, ce sentiment de perte l'écrasa de tout son poids. Les yeux cernés, elle vit deux hommes qui s'étaient présentés comme des agents de police emmener Cory avec eux.


— Tu as l'intention de passer le restant de tes jours à ruminer ? vociféra Reed en s'engageant sur le parking du centre de la police fédérale de Las Vegas, ou tu vas essayer de trouver une solution ?

Sam gardait le regard rivé droit devant lui et ne se donna pas la peine de tourner la tête vers Reed qui avait adopté un look hollywoodien, avec ses lunettes de soleil de marque et sa décapotable de location.

— Tu sais, un jour ou l'autre, tu vas finir par dépasser les bornes.

— Et ça te donnera le droit de me cogner ?

— Sûrement.

Reed ricana en traversant le parking à la recherche d'une place.

— Comme si tu en étais capable.

Comme s'il en avait envie, songea Sam. Si Reed pouvait être particulièrement agaçant, Sam n'imaginait pas un jour lui en vouloir au point de s'en prendre physiquement à lui.

— Alors, tu vas te décider ? insista Reed.

— À quoi faire ? répliqua Sam sans dissimuler son énervement, bien que cela n'arrête pas Reed.

— À arranger les choses avec Abbie Hughes.

— J'ai l'impression que j'ai déjà grillé toutes mes cartouches.

Abbie lui pardonnerait peut-être ce qu'il lui avait fait, mais elle ne lui pardonnerait jamais si Cory terminait en prison.

C'était à cela qu'il avait consacré sa matinée. Non seulement la brigade des stupéfiants s'intéressait à ce que Cory Hughes avait à dire sur les opérations de Nader, mais d'autres joueurs avaient enfilé leurs tenues de combat pour s'aventurer sur le terrain. La CIA, la brigade criminelle, la sécurité intérieure. Et une poignée d'autres. Sam s'attendait à voir les représentants de tous les organismes de défense surgir en force. En fait, il les avait lui-même contactés. Si Interpol avait eu le temps de réagir, ils auraient également été présents.

— Yo.

Levant les yeux, Sam s'aperçut que Reed était déjà descendu de voiture et qu'il l'attendait.

— Tu veux entrer ou tu préfères rester là pour parfaire ton bronzage ?

Sam donna un coup d'épaule dans la portière et se dirigea vers le bâtiment, soulagé de reconnaître la femme qui se trouvait sur les marches extérieures.

— Bonjour, Sam, dit Ann Tompkins en souriant avant de le prendre dans ses bras. Johnny, ajouta-t-elle avec le même sourire, tout en lui serrant la main.

— Ann, ça fait longtemps.

— Trop longtemps. Vous nous avez manqué, à Robert et à moi.

— Annie, je comprends que je puisse vous manquer, dit Reed avec amusement, mais Sam ? Je vois mal pourquoi.

Ann rit avant de se tourner vers Sam.

— Occupons-nous au plus vite de cette sale affaire, d'accord ?

— Oui, allons-y, articula Sam, surpris de constater à quel point il se sentait petit devant cette femme. Et à quel point son calme et son assurance lui donnaient des ailes.

— Je vous remercie, dit-il en l'arrêtant sur les marches.

Ses mots reflétaient misérablement la profondeur de ses sentiments.

Elle posa la main sur sa joue. Sourit tendrement.

— Vous faites partie de la famille, Sam. Vous n'avez pas besoin de me remercier.

Elle reprit un air grave et professionnel adapté à la situation, et disparut dans le bâtiment.

# 25

Cette salle était typique de l'administration, songea Abbie en prenant place près de Cory, à une longue table dans le coin d'une immense pièce sans fenêtre.

Des murs peints en gris. Un mobilier ringard, qui remontait à l'époque où les budgets étaient entièrement dévolus au bon fonctionnement de la toute-puissante bureaucratie. Autour de la table, tous les costumes étaient noirs.

Seule Crystal, assise dans le fond, avec ses cheveux roux brillants et hirsutes et ses longues boucles d'oreilles chatoyantes, apportait une touche colorée à cet environnement grisâtre.

Abbie avait tellement envie d'en finir qu'elle attendait le début de la séance avec impatience. Ce matin, l'agent de la brigade des stupéfiants qui avait escorté Cory jusqu'à la voiture de police l'avait informée qu'ils attendaient l'arrivée d'un intervenant dans le but de mener un « entretien informel. »

— Il n'est pas en état d'arrestation ?

— Non, madame. Pas à ce stade de l'enquête.

Ce qui signifiait qu'à un moment ou à un autre, il serait arrêté.

— J'aimerais l'accompagner.

— Vous êtes la bienvenue si vous désirez assister à l'entretien, avait répondu l'agent.

Il lui avait alors donné l'adresse, en précisant qu'elle pouvait le suivre avec son propre véhicule.

Elle avait consulté la carte d'un rapide coup d'œil.

— Agent Larson, mon frère a-t-il besoin d'un avocat ?

— Je te l'ai déjà dit, avait répondu Cory en baissant la tête pour s'asseoir sur la banquette arrière de la voiture. Je ne veux pas d'avocat.

Parce qu'il n'en avait pas les moyens. Abbie savait que c'était la seule raison de son refus. Il refusait qu'elle paie de sa poche avec le peu d'économies qu'elle possédait.

Hormis l'avocat de son divorce, qui ne travaillait plus au cabinet si elle en croyait les noms inscrits sur la lettre accompagnant le dernier règlement, Abbie n'avait personne à contacter. Mais si c'était nécessaire, elle trouverait quelqu'un pour le représenter. Survolant la pièce du regard, elle examina les visages fermés des hommes qui patientaient dans un silence stoïque. Si cette réunion virait à l'enquête criminelle, ou si le terme « délit » était ne serait-ce que sous-entendu, elle engagerait un avocat, que Cory le veuille ou non.

Elle adressa un signe de tête à Crystal qui avait tenu à l'accompagner pour la soutenir moralement. Puis elle refit le tour de la table. Des hommes à l'allure ordinaire, dotés de responsabilités extraordinaires et de suffisamment d'influence pour envoyer Cory croupir en cellule.

N'être qu'un simple civil parmi tous ces bureaucrates de l'administration judiciaire l'effrayait. Cette situation la terrifiait au point d'oublier leurs noms. De la même façon, une fois que cette période d'inquiétude intense serait passée, elle oublierait tous ces visages. Ils s'étaient tous présentés tour à tour, en précisant l'organisme ou le bureau qu'ils représentaient. La brigade des stupéfiants. La sécurité intérieure. L'agence de renseignements de la défense. Le bureau de lutte contre le trafic d'alcool, de tabac et d'armes à feu. Le FBI. La CIA. Et d'autres qu'elle n'avait pas retenus tant elle était intimidée.

Assis à côté d'elle, Cory était pâle mais déterminé. Il semblait plus solide qu'elle, en fait, et il n'exprima aucune surprise quand la porte s'ouvrit sur une femme mince, d'âge mûr, suivie par Sam Lang et le cow-boy flic homo de Crystal.

La salle était loin d'être pleine mais l'arrivée de ces deux hommes suffit à emplir l'espace, au point de lui couper brutalement le souffle.

Abbie s'étonna d'être si déstabilisée par l'irruption de Sam. Elle fut tentée d'attribuer sa réaction à la tristesse plutôt qu'à la surprise.

Toutefois, elle n'eut pas l'impression d'être la seule à s'étonner de sa présence.

Tout autour de la table, les costards-cravates se figèrent. Les chuchotements cessèrent brusquement. Chacun ajusta sa cravate, ou s'éclaircit la gorge. Et tout le monde se regardait d'un air ahuri.

La femme se dirigea directement vers le bout de la table de conférence, et posa bruyamment son attaché-case devant elle. À ce moment-là, Abbie comprit que cette femme dont elle ignorait l'identité venait, par sa seule présence, de redistribuer les cartes. Dans l'assemblée, les responsabilités de chacun ne comptaient plus puisque cette dame venait manifestement de s'imposer comme leur supérieure.

— Messieurs, commença-t-elle sans préambule, allons droit au but, voulez-vous ? Le Département de la Justice estime que Cory Hughes est un témoin protégé. Par conséquent, il bénéficie de l'immunité absolue face à toutes les poursuites judiciaires éventuelles qui seraient en rapport avec les affaires qui l'ont amené à fréquenter Frederick Nader, désormais décédé. En échange de cette immunité, M. Hughes a accepté de nous faire part de toutes les informations qui permettent d'assurer la sécurité de l'État et qui sont liées au réseau de Nader.

Abbie était interloquée. Elle regarda Cory à la dérobée, et s'aperçut qu'il ne bougeait pas d'un pouce. Elle osa un regard en direction de Sam, qui n'exprimait rien de plus.

— Je vais vous demander à tous de sortir de cette salle. Seul le témoin est invité à rester à sa place, déclara la femme avant de poser son regard sur Abbie et de lui adresser un signe d'encouragement. Son geste signifiait *Ne vous inquiétez pas. Tout va très bien se passer.*

Quand elle entendit les gens se déplacer, Abbie s'aperçut que Sam et Reed étaient debout. Cela suffit à la convaincre de suivre le mouvement. Elle se leva à son tour, serra l'épaule de Cory avant de rejoindre les deux hommes qui se tenaient près de la porte en compagnie de Crystal.

— Que vient-il de se passer ? demanda-t-elle en se tournant vers Sam, consciente qu'il n'était pas étranger à ce qui venait de se produire.

Il lui prit le bras, et l'entraîna dans le couloir.

— Allons prendre un café, et je te raconterai tout.


— Attendez-moi, s'exclama Johnny en rejoignant au pas de course Crystal Debrowski et sa démarche chaloupée, sur le parking des locaux de la police.

Sans surprise, il constata qu'elle ne ralentissait pas.

Cela lui était égal. Sam était parti avec leur véhicule, pour une durée indéterminée, et Johnny avait du temps à perdre.

— Allez, soyez sympa, dit-il en rattrapant Crystal devant sa voiture.

— Je commence à me lasser de vous avoir toujours derrière moi, bel ange.

Oui, bon, Johnny aurait aimé pouvoir en dire autant mais en vérité, son joli derrière l'avait intrigué trois longues journées durant. Il avait pris l'habitude de le suivre, et de subir de bouleversantes réactions.

Craquante. À son grand étonnement, cette petite fée le faisait craquer. Elle n'était pas du tout son genre. Pas même un peu.

— Je vois une seule façon d'arrêter ça, affirma-t-il en croisant les bras pour lui bloquer le passage, adossé à la portière de sa voiture.

Elle leva les yeux vers lui, du haut de son mètre cinquante.

— Dites-moi.

Il lui offrit son plus charmant sourire.

— Cessez de vous échapper, trésor.

Elle plissa les yeux, puis éclata de rire comme si la situation lui semblait incongrue.

— Non ! Ne me dites pas que vous me draguez maintenant.

Si, en réalité, c'était le cas. Et devant son amusement, il éprouva un certain agacement.

— Pourquoi pas ?

— Vous perdriez votre temps, et vous me feriez perdre le mien, gronda-t-elle.

Il fronça les sourcils alors qu'une idée dérangeante lui traversait l'esprit.

— Je sais, vous préférez les filles.

Elle leva les yeux au ciel.

— Vous êtes incroyable. Mais si cela suffit à préserver votre ego sensible et à vous convaincre de me laisser tranquille, libre à vous de croire ce que vous voulez.

Il se sentit plus soulagé qu'insulté. Il aurait été dommage qu'elle joue dans le camp adverse, même s'il se demandait toujours pourquoi cela avait une telle importance à ses yeux.

Cette énigme le rendait fou.

— Vous m'empêchez de passer, fit-elle remarquer en montrant sa voiture du doigt. Vous permettez ?

Il s'installa plus confortablement contre la portière.

— Quelle bonne idée ! Après tout, j'ai tout mon temps. C'est une journée magnifique. Je suis en compagnie d'une belle femme...

Elle leva la main pour l'interrompre.

— Bon. Inutile d'aller plus loin. Vous ne me plaisez pas, Reed. Vous êtes trop joli garçon. Et trop vaniteux. Et surtout beaucoup trop casse-pieds.

Il inclina la tête, les sourcils froncés.

— Ah, oui ? Maintenant dites-moi la vérité.

Elle poussa un long soupir.

— Que dois-je faire pour me débarrasser de vous ?

— Acceptez de déjeuner avec moi.

— Je n'ai pas faim.

— Alors allons au lit tout de suite.

— Je ne suis pas aussi désespérée que ça.

— Bien sûr que si.

Devant son regard noir, il leva la main.

— Sinon, je n'insisterais pas, reprit-il.

Ses yeux lancèrent des flèches argentées.

— Écoutez, ça ne m'intéresse pas, déclara-t-elle.

Il s'amusait bien. Mais comme cette approche s'avérait inefficace, il changea de stratégie.

— Vous êtes une amie formidable. C'est bien d'être venue soutenir Abbie aujourd'hui. Sans parler des risques que vous avez pris pour elle, en cachant les diamants. Vous auriez pu vous attirer de gros ennuis.

— Et en quoi cela vous regarde-t-il ?

Elle venait de marquer un point.

— Aucune idée.

Elle pencha la tête de côté, et l'examina un court instant. Elle ouvrit la bouche, mais la referma aussitôt. Finalement, elle secoua la tête.

— Je termine à 20 heures.

Il s'écarta de sa voiture.

— C'est vrai ?

— Rien qu'un dîner, précisa-t-elle.

— Oui, bien sûr. Je sais bien.

— Bon, dit-elle, fâchée d'avoir cédé. Ne me faites pas regretter ma décision.

— Non, madame.

Fou de joie, il lui ouvrit sa portière.

— On se retrouve à 20 heures.

— C'est vous qui invitez, précisa-t-elle en s'installant derrière le volant.

Elle démarra, et s'éloigna.

— La vache, murmura Johnny en regardant sa voiture disparaître. Ce n'est peut-être pas de l'amour, mais je me suis bien amusé.

Sans cesser de sourire, il consulta sa montre, puis regagna le bâtiment où il trouva un siège libre dans le couloir. Il se prépara à faire une sieste aussi rapide que régénératrice en attendant le retour de Sam.


— Elle s'appelle Ann Tompkins, dit Sam après s'être installé en face d'Abbie, à la table d'un café situé à quelques rues des locaux de la police fédérale. Ann travaille pour le Département de la Justice. Au bureau du sous-procureur général.

Abbie avait des vertiges, et pour plusieurs raisons. La proximité de Sam était l'une d'elles. Mais surtout, ce qui arrivait à Cory… Elle n'en revenait pas.

— Le Département de la Justice ? Le sous-procureur général ?

Sam confirma d'un geste.

— Elle a pris un avion hier soir depuis Washington.

Il leva les yeux vers la serveuse qui leur proposa la carte.

— Nous ne prendrons que du café. Deux, commanda-t-il.

Abbie s'adossa contre le mur, les mains sur la table.

— Pourquoi ? Pourquoi fait-elle cela pour Cory ?

Sam plongea ses yeux dans les siens.

— Elle fait ça pour moi. Je lui ai demandé d'intervenir.

Abbie resta sans voix. Elle le regarda longuement.

*Qui était cet homme ?*

Qui était cet homme capable de demander à un haut fonctionnaire des États-Unis de mettre ses occupations de côté pour venir en aide à un inconnu, à l'autre bout du continent ?

Abbie avait cru connaître la réponse. Elle avait cru qu'il était l'homme qu'elle aimait. Puis elle avait cru qu'elle le détestait. Et ensuite, elle avait cru qu'elle ne pouvait pas lui faire confiance. Qu'elle ne pouvait pas lui confier son cœur, ni la vie de son frère.

*Je sais que tu n'as aucune raison de le faire, mais pourrais-tu essayer de me faire confiance, cette fois ? De me croire si je te dis que tout va bien se passer ?*

Il lui avait demandé de lui faire confiance. Non seulement elle avait refusé, mais elle s'était emportée en lui reprochant de se servir de la mort de sa sœur comme d'une arme.

Elle avait manqué d'intelligence. Et elle aurait dû s'en remettre à lui. Après tout ce qu'ils avaient traversé ensemble. Après tout ce qu'ils avaient partagé, elle aurait dû comprendre que c'était un homme de parole.

— Sam.

Elle recouvrit ses grandes mains bardées de cicatrices.

— Je suis vraiment désolée pour ce que je t'ai dit, hier. Je suis désolée de ne pas avoir...

— Non, l'interrompit-il, en caressant le dos de sa main de son pouce. Ce n'est rien. Tu avais peur.

— Non, ce n'est pas rien. J'ai été horrible avec toi. Ce que j'ai dit... c'est inexcusable.

Il secoua la tête, et ses yeux noirs s'emplirent de bienveillance.

328

— Tu as peur, répéta-t-il. J'aurais eu la même réaction que toi, à ta place. Tu sais, si j'avais pu te parler d'Ann, de ce que j'essayais de mettre en place, je l'aurais fait. Mais je n'ai su qu'un peu avant minuit qu'elle allait pouvoir obtenir l'immunité. Je voulais éviter de te donner de faux espoirs, au cas où elle ne parvienne pas à le préserver des poursuites judiciaires.

— Qui es-tu, Sam Lang ?

La question s'imposait. Elle voulait tout savoir sans tarder, alors qu'elle s'accrochait à sa main comme à l'espoir qu'en fin de compte, leur histoire avait peut-être un avenir.

— J'espère que tu n'es pas pressée.

La serveuse arriva pour remplir leurs tasses, et il dégagea ses mains.

— J'ai tout mon temps.

Du temps, et le désir de se racheter.

— Je vous ai déjà dit que j'avais servi dans l'armée, commença-t-il en lui reprenant la main.

Elle fit oui de la tête et la peur de l'avoir perdu, qui lui enserrait la poitrine depuis la veille au soir, se dissipa lentement.

— J'étais dans les Opérations Spéciales. La Delta, reprit-il. C'est à ce moment-là qu'on m'a recruté pour rejoindre une équipe hautement spécialisée dans différentes sortes d'interventions. Le Groupe d'Intervention d'Urgence allait là où personne d'autre ne se rend. Nous atteignions des objectifs officiellement interdits. Nous travaillions dans le secret, hors de tout contrôle. Le fils d'Ann et de Robert Tompkins, Bryan, faisait partie de l'équipe. Un soldat hors pair, ajouta-t-il.

Si l'amour et l'admiration emplirent ses yeux, un poids s'abattit lourdement sur lui.

— Nous avons perdu Bry en Sierra Leone.

Il se tut, prit une longue inspiration, et elle comprit, sans avoir besoin de demander, que Sam se trouvait avec Bryan Tompkins au moment de sa mort.

— Il était comme un frère pour moi. Nous étions tous des frères. Et après... après sa mort, Ann et Robert ont invité l'équipe chez eux. Ils ont clairement expliqué que Bry nous considérait comme sa famille. Et que pour eux, nous faisions désormais partie de la leur.

Il se tut à nouveau, puis haussa les épaules.

— Au début, c'était assez gênant. Je crois qu'ils cherchaient inconsciemment à combler un vide. Mais leur sincérité, leur grand cœur... ça nous a tous touchés, vous comprenez ? Doc, Mendoza, Savage, nous avons été émus pas leur immense générosité. Ann, Robert, et leur fille Steph, sont devenus comme une seconde famille pour nous. Pour certains, comme Reed, c'est même leur seule famille.

— Tu côtoies ces gars depuis si longtemps ?

— Eux, et d'autres. Comme je l'ai dit, nous étions frères. On ne peut pas traverser tout ce qu'on a traversé ensemble, et se quitter le cœur léger.

— C'est comme ça que tu es devenu proche d'Ann Tompkins.

Il acquiesça.

— Oui. À l'époque, elle était avocate dans un cabinet important. Il y a quelques années, on lui a proposé de rejoindre le Département de la Justice.

— Et elle peut se permettre de faire ça ? Elle peut accorder l'immunité à Cory juste parce que tu le lui as demandé ?

— Pas sans raison probante, bien sûr. Cory détient des informations essentielles, Abbie.

— Comment est-ce possible ? Il n'était qu'un... comment as-tu dit ? Un petit passeur sans intérêt.

— Oui, mais malgré tout, il doit connaître plus de détails sur les agissements de Nader qu'il ne le croit. Il a vu des choses, il s'est rendu dans des lieux stratégiques pour l'organisation. Il est capable de reconnaître des visages, de les identifier comme appartenant au réseau de Nader.

» Tu sais, Nader est sous surveillance depuis plus longtemps que Ben Laden. Pour Ben Laden, nous savions qu'il était derrière les attaques du onze septembre. Nader était plus sournois. Il était également intouchable pour les gouvernements, car nous n'avions aucune charge valable contre lui, même si tout indiquait qu'il avait des activités parallèles.

— C'est là que tu entres en jeu ? Toi et l'agence pour laquelle tu travailles désormais ?

— Pour laquelle je travaillais, la reprit-il de telle façon qu'Abbie comprit qu'il regrettait de s'être séparé des hommes qu'il considérait comme ses frères.

» Oui. L'agence accomplit de nombreuses missions pour Oncle Sam. Mais personne à Washington n'admettra publiquement être au courant de son existence, et encore moins avoir commandité cette mission.

La confiance. Elle revenait sur le tapis. Seulement cette fois, Sam confiait à Abbie des informations clairement confidentielles. Le sens de son geste ne lui échappa pas. Pas plus que son importance.

— Maintenant que Nader a été éliminé, le Département de la Justice et toutes les agences satellites ont compris que, durant un certain temps, l'organisation serait déroutée. Ce moment est arrivé, et ça ne va pas durer. Mais il va y avoir des luttes pour le pouvoir. La place est convoitée. Nombreux sont ceux qui vont chercher à prouver qu'ils sont capables de prendre la relève. Et puis l'un d'eux va être moins prudent que les autres, plus téméraire. Et quand ça arrivera, avec l'aide de Cory, nous devrions pouvoir le relier à Nader. Et alors, en général, dès que les gros joueurs commencent à chanceler c'est l'effet domino. À partir du moment où l'on en repère un, les autres tombent rapidement. Ils n'arriveront pas à se cacher assez rapidement.

» C'est pour cela que le témoignage de Cory est si crucial, reprit-il. Et c'est pour cela qu'Ann lui a accordé l'immunité.

— Mais il était de toute façon disposé à témoigner, fit remarquer Abbie.

— Bon, on a un peu arrangé les choses en sa faveur. Peu importe. Ce qui compte, c'est qu'avec son aide, nous pinçons un type, nous le relions à un trafic de drogue ou d'armes, et soudain ça devient une opération judiciaire qui permet de faire tomber l'organisation. Toute l'armée américaine, et celle d'une demi-douzaine de pays européens peuvent alors s'associer, au lieu d'une poignée de gars qui agissent dans l'ombre pour faire tout le sale boulot.

Tout était clair, mais une phrase précise l'avait touchée au plus profond de son être.

*Bon, on a un peu arrangé les choses en sa faveur. Peu importe.*

— Arranger les choses en sa faveur, ce n'est pas rien, dit-elle les yeux emplis de tout l'amour que cet homme lui inspirait. Tu as pris des risques pour lui. Cela signifie que tu as risqué gros pour moi.

Il plongea ses yeux dans les siens.

— Et je suis sur le point d'en prendre un autre.

Il prit une profonde inspiration, serra sa main avec une telle force qu'il lui fit mal, mais cette douleur était agréable.

— Je t'aime, Abbie.

*Oui*, songea-t-elle en laissant les larmes rouler sur ses joues. Elle le savait.

Enfin, elle le savait.

Dîner. Crystal avait seulement accepté de dîner avec lui. Et pourtant, une question s'imposait : comment se faisait-il qu'elle soit nue comme un ver, ligotée à son propre lit par des sangles ? *Que lui était-il passé par la tête ?*

À plusieurs reprises, elle tira avec colère sur les liens, jura doucement en constatant qu'ils ne cédaient pas et regarda le plafond. On n'apprenait pas à être stupide. Elle en était la preuve vivante. Dans son cas, c'était un don naturel.

— Dessert ?

Elle releva la tête vers la porte de sa chambre.

En le voyant là, nu, arborant son sourire diabolique, un pot de crème glacée et une cuillère à la main, elle fut tentée de se pardonner d'avoir succombé au baratin de Johnny Duane Reed. Et quand il s'avança dans la pièce, exposant ses incroyables attributs masculins, son ventre musclé et souple, elle faillit oublier pourquoi le dessert serait une plus grosse erreur que l'invitation à dîner.

Elle détourna le regard, trop embarrassée pour l'affronter.

— Détache-moi.

Il posa une fesse sur le lit, se pencha vers elle, et appuya la main sur le matelas, à côté de son épaule, pour la forcer à le regarder.

— Si je fais ça, il n'y aura plus rien d'amusant.

Il était atrocement irrésistible. Ses cheveux trop longs, trop blonds, décoiffés par leurs ébats. Ses yeux trop joueurs, et trop bleus. Non, il n'était pas qu'un joli garçon. Il présentait également les penchants sexuels d'un ange déchu. Et quand il baissa la tête pour frotter ses incroyables lèvres sur la pointe gonflée de ses seins, titiller sa peau sensible de sa barbe naissante, elle oublia les lanières, ses erreurs stupides, et la promesse qu'elle s'était faite de ne jamais laisser cet homme s'approcher d'elle ou de son lit.

— Mmmm, murmura-t-il en s'attardant sur son sein avant de relever la tête pour sourire, et de plonger ses yeux dans les siens. Alors, ce dessert ?

Abbie était à genoux au-dessus de Sam, dans l'obscurité. Ses longs cheveux foncés retombaient sur son visage. Ses cuisses fines et fermes enserraient son torse. Ses profonds soupirs rauques en disaient long sur le plaisir qu'elle prenait. À quel point elle appréciait de le chevaucher avec fougue, avant de ralentir la cadence pour s'adonner à la tendresse, et l'entraîner si loin qu'il faisait partie d'elle.

— Je t'aime, murmura-t-elle en se penchant pour l'embrasser de ses lèvres charnues, gourmandes et exigeantes. Je t'aime...

Il leva la main, dégagea délicatement les cheveux qui masquaient son visage pour mieux distinguer ses yeux dans la semi-obscurité du soleil couchant.

— Encore.

— Je t'aime, susurra-t-elle entre ses gémissements, tout en s'enfonçant sur lui pour les transporter vers des sphères de jouissance totalement inédites.

— Laisse-moi faire, murmura-t-il en la soulevant. Laisse-moi...

Il l'assit sur sa bouche, écarta son sexe avec sa langue et se fit le plaisir de céder à son envie.

Quand il posa ses lèvres sur son intimité, elle poussa un cri, trembla et retomba en avant. Lorsqu'il se mit à sucer, ses mains tapèrent contre le mur, au-dessus du lit. Elle cria son nom quand il glissa un doigt en elle, la fit danser au rythme de sa langue, pour la précipiter dans un tourbillon d'extase.

— Sam...

Ses soupirs tremblotants, sa respiration saccadée, rien ne lui échappait. Jamais il n'oublierait le goût de miel de sa délivrance, ni les tremblements de son corps quand elle s'effondra sur le lit, à côté de lui.

Il caressa sa hanche nue du pouce, tout en l'admirant alors qu'elle redescendait lentement sur terre, comme si elle venait d'escalader une montagne, et poussait un petit gémissement de félin comblé de bonheur.

Il la retourna doucement sur le dos, la pénétra, et entreprit de l'exciter en donnant des coups de reins lents mais réguliers. Cette friction prit le dessus, et quand son orgasme resserra ses muscles vaginaux, libérant un liquide chaud, il jouit à son tour.

— Mon Dieu, murmura-t-elle quelques minutes plus tard, en l'enserrant pour sentir tout son poids.

Par crainte qu'il ne quitte son corps, elle avait crocheté ses chevilles autour de ses hanches.

— Dis-moi que ce sera toujours comme ça, murmura-t-elle.

— Rien ne changera jamais, promit-il en faisant rouler leurs corps sur le côté afin de permettre à Abbie de respirer librement.

Ils restèrent longuement étendus dans cette position. Il adorait observer son visage de près. Ses cils épais dont l'ombre s'étendait sur ses joues. Ses lèvres gonflées qui, même en cet instant, alors qu'il avait joui et se sentait comblé, faisaient réagir sa verge qui durcit en elle.

Elle sourit en coin.

— Déjà ?

Il rit.

— Je n'y peux rien. J'ai toujours recherché la performance.

Elle posa une main sur son visage, et son sourire se dissipa lentement.

— Plus jamais je ne douterai de toi. Je te le promets. J'ai besoin que tu le saches.

Désormais, il savait beaucoup de choses. Des choses qu'il ignorait complètement avant de la rencontrer.

— Je sais, la rassura-t-il en nichant la tête d'Abbie au creux de son cou.

Il la tint plus près de lui. Fort. Il la garda contre lui comme le plus cher des trésors qu'un homme ait jamais possédé.

Un trésor unique, exactement ce qu'elle était.

# Épilogue

*Richmond, Virginie*
*Résidence de Robert et Ann Tompkins*
*Deux mois plus tard*

Engagement, bague de fiançailles et bébé. Ces trois mots avaient toujours évoqué la prison pour Sam Lang. Mais en voyant Abbie battre les cartes à la table de poker où étaient installés Doc, Savage, Reed, et Jenna, la femme de Gabe Jones, il songea que l'idée d'emprisonnement était bien loin de son esprit.

La liberté. La paix. La satisfaction.

La vie.

— Sam, je te ressers ?

Sam se tourna vers Robert Tompkins, l'hôte de la soirée destinée à fêter l'anniversaire de Stéphanie, leur fille, et le grand saut de Sam et Abbie.

Oui. Ils avaient franchi le pas. L'amour était comme une drogue. Forts de l'espoir que leur relation avait apporté à leurs vies, Sam et Abbie s'étaient mariés un mois plus tôt. Le bébé, qui devait naître dans un peu moins de sept mois, était une source permanente d'émerveillement et de joie pour Sam. L'approche de cet événement l'avait rendu étourdi, et ses bévues offraient à Reed de nombreuses occasions de le railler à n'en plus finir.

Sam baissa les yeux sur son verre de bière.

— Ça va, merci, Robert.

— Je vois ça.

Amusé, il tapa amicalement l'épaule de Sam, et fit le tour de l'assemblée, pichet en main. Sam but une longue gorgée puis, accoudé au bar, il observa les hommes qu'il considérerait toujours comme ses frères, tous rassemblés dans la salle de jeu des Tompkins.

Il avait pris les réprimandes d'Ann à cœur. Ils ne s'étaient pas réunis dans leur maison de Richmond depuis trop longtemps. Pour cette raison, Sam avait lancé un appel autoritaire à tous les MCB, en les mettant au défi de ne pas se montrer. Les hommes avaient été ravis de répondre présent, d'autant qu'ils ne pouvaient pas se plaindre de s'ennuyer. Au contraire.

Avec bonheur, il constata qu'Ann et Robert semblaient passer un excellent moment en leur compagnie. À regarder Robert, qui riait et blaguait avec les MCB, personne n'aurait pu imaginer qu'il avait été conseiller du président des États-Unis. Ni qu'Ann, qui garnissait le buffet, avait eu le pouvoir et le courage de défendre Cory Hughes. De la même façon, personne n'aurait imaginé qu'ils portaient toujours le deuil de l'homme qui avait réuni les MCB entre leurs murs.

Sam leva les yeux vers le portrait de Bryan Tompkins accroché au-dessus de la cheminée. Il leva son verre comme pour le saluer en silence. Bryan « tête de bébé » Tompkins était mort trop jeune, exactement comme Terri.

Comme les Tompkins, Sam pleurait sa perte mais la vie continuait. La femme qui éclata de rire en tapant dans la main du sauvage Gabe Jones, sa jeune épouse, était devenue sa principale raison de vivre.

— Tu as vu ça, Gabe ? brailla Jenna. On vient de battre Holliday à son propre jeu !

— Ils ont triché ! l'accusa Doc en faisant rouler un cigare éteint d'un coin à l'autre de sa bouche. Je veux qu'on sache que ce ne sont que des tricheurs.

— Si tu préfères croire ça, le nargua Abbie en souriant à Sam.

— Jones. Lang. Vous pourriez venir calmer vos femmes ? ordonna Colter en s'attendant à la réponse qui ne tarda pas à jaillir.

— Les calmer ?

Assises de part et d'autre de Colter, Abbie et Jenna répétèrent ce mot en même temps.

Avec un sourire, Ann approcha de Sam en s'essuyant les mains.

— Pour quand ce bébé est-il prévu ?

— J'espère qu'il n'arrivera pas avant que j'aie réalisé que j'allais devenir papa, dit-il, émerveillé par cette idée.

Si leurs calculs étaient justes, le bébé arriverait sur terre neuf mois et quinze minutes après un mémorable shampooing.

— J'avais entendu parler des accouchements dans l'eau, avait dit Abbie, une fois remise du choc des résultats du test de grossesse, mais jamais des conceptions dans l'eau.

— On dirait que nous sommes forts en bizarreries, avait répondu Sam en la serrant dans ses bras.

Aussi fort qu'il la tenait contre lui – dans sa tête, dans son cœur – depuis ce jour.

— Tu seras un formidable père, l'assura Ann. Je t'ai vu avec Tina. Tu es merveilleux avec elle, Sam. Elle t'adore.

La fillette allait de mieux en mieux. Ses parents lui manqueraient toujours, mais Tina était forte. Elle allait de l'avant. Abbie avait tenu un rôle majeur auprès de Tina, et elle l'avait aidée à franchir le cap. Sam ne l'en aimait que davantage

Alors qu'il l'observait, si à l'aise avec ses amis, il repensa à la facilité avec laquelle elle s'était liée à sa nièce, mais aussi à ses parents, et Sam se dit qu'il avait beaucoup de chance.

Il avait de la chance d'être en vie. De la chance d'avoir Abbie. De la chance d'avoir ces gars comme amis.

Gabe Jones vint le rejoindre au bar.

— Tu ressembles à un chat qui vient d'avaler un canari.

*On ne peut pas dire mieux*, songea Sam en lui rendant son sourire. Il leva son verre à l'intention de la table de poker.

— Il t'arrive de te demander ce que nous avons fait pour mériter ces deux femmes ? demanda-t-il en indiquant Jenna et Abbie d'un geste.

— Ça doit être à cause de notre vie saine, grommela Gabe en posant une fesse sur le tabouret près de Sam.

Ce dernier contempla son ami et se réjouit de le voir heureux et en bonne santé, de le savoir vivant.

— Alors, dans combien de temps comptes-tu reprendre du service ?

Gabe avait reçu des éclats d'obus dans le mollet lors de l'explosion d'une bombe à Buenos Aires, et une infection pernicieuse l'avait contraint à renoncer à la partie inférieure de sa jambe.

— Encore quelques mois, et je serai prêt à galoper, dit Gabe après avoir bu quelques longues gorgées de bière.

Cela ne répondait pas exactement à la question de Sam, mais il comprit dans quel état d'esprit se trouvait Gabe. Perdre une jambe ne suffisait pas à freiner l'Ange. Gabe était le plus solide des hommes, mais Sam attribuait volontiers sa guérison à la femme qui mettait une raclée à Holliday à la table de poker.

Gabe posa son verre vide sur le comptoir.

— Alors. Un bébé, hein ?

Sam grommela.

— Un sacré projet.

Gabe se leva et lui donna une tape dans le dos.

— Je préfère que ça t'arrive à toi qu'à moi.

Sam éclata de rire.

— Attends un peu. Je sais comment ça marche. Dès que Jenna verra le bébé, elle en voudra un.

Gabe ne répondit pas, mais Sam eut la nette impression que cette idée ne déplaisait pas vraiment à l'homme baraqué.

— Il est temps que je vole au secours d'Holliday, décida Gabe avant de se diriger vers la table de poker.

Sam le regarda s'éloigner, puis survola la pièce du regard. Il écouta les rires, les éclats de voix bon enfant.

Il remarqua que Mendoza et Stéphanie discutaient dans un coin, et que la jeune femme était suspendue à ses lèvres. Savage et Green accaparèrent immédiatement Gabe. Sam savait qu'ils partageaient sa joie. C'était terriblement bon de le revoir. En bonne santé, heureux, de retour auprès de l'équipe après de longs mois de convalescence.

Même le chef des MCB, Nate Black, était venu. Il était un peu plus réservé que dans les souvenirs de Sam, mais d'un autre côté, Nate avait toujours été un cérébral, plus discret que la drôle de bande qu'il commandait.

Deux éléments de cette troupe incroyable, Reed et Savage, décidèrent de passer au billard. Ils entreprirent une partie à huit balles ponctuée d'insultes variées allant du répertoire animal aux prouesses sexuelles.

— L'amour est tellement palpable dans cette pièce, dit Abbie, souriante, en rejoignant Sam au comptoir, pour se lover contre lui.

Il l'enlaça d'un geste protecteur, et embrassa le sommet de sa tête.

— La partie de poker est terminée ?

— C'est trop facile de battre Doc, affirma-t-elle suffisamment fort pour que Colter l'entende.

— Calme-la, suggéra Doc en posant sur le couple un regard faussement menaçant.

Sam observa le sourire aimable d'Holliday avant de lui crier :

— Occupe-toi plutôt de calmer ta femme. Oh, zut, j'ai oublié. Tu n'en as pas.

La moquerie de Sam fut accueillie par une explosion d'exclamations. Ses vannes avaient dû leur manquer, à en croire leur enthousiasme.

— Depuis quand es-tu aussi prétentieux, Lang ? rétorqua Doc en distribuant les cartes à la tablée où Gabe et Nate avaient remplacé Savage et Reed.

Abbie le serra de toutes ses forces.

— C'est vrai, ça. Depuis quand es-tu prétentieux ?

— Depuis le jour où je suis allé à Las Vegas, où j'ai parié sur le hasard, et gagné la plus jolie femme du monde.

Elle leva les yeux au ciel.

— Tiens, d'habitude de telles banalités sortent plutôt de la bouche de Reed.

— Je me demande si je dois être vexé ou flatté, lui répondit Sam.

— Tu dois surtout être fatigué, murmura-t-elle en prenant un air grave, avant d'ajouter à l'oreille de Sam, de façon à ce que personne d'autre ne l'entende : Très, très fatigué. Tellement fatigué que je pense que je vais t'emmener au lit. Tu as besoin d'une bonne nuit de sommeil.

— C'est bien de repos dont tu parles, dis-moi ?

Son sourire irrésistible et aguicheur suffit à convaincre Sam de se lever en lui prenant la main.

— Presque…

— C'est vrai qu'il commence à se faire tard.

— Je suis d'accord avec toi, dit-elle en souriant. Tu n'as plus qu'à convaincre les autres.

— Nous allons vous souhaiter une bonne nuit à tous. Abbie a besoin de dormir.

— Tu devrais la laisser aller se coucher, et rester avec nous, suggéra Reed d'un air narquois.

— Au risque de me répéter, les hors-la-loi dans ton genre feraient mieux de s'occuper de leurs femmes, imaginaires ou non. Laisse-moi m'occuper de la mienne.

— Quelle ruse, dis donc ! Tu les as sacrément bien bernés, s'amusa Abbie quand ils longèrent main dans la main le couloir conduisant à leur chambre.

— Oui, bon, on peut duper certaines personnes à coup sûr, tout le monde de temps en temps, mais on ne peut pas...

— Sam, l'interrompit-elle d'un baiser, lorsqu'ils furent arrivés. Depuis quand es-tu aussi prétentieux ?

À petits pas, il la fit reculer pour la plaquer contre le mur. Il l'embrassa avec tout l'amour et toute la fougue qu'elle éveillait en lui.

— Ça a dû commencer le jour où j'ai rencontré la femme de ma vie.

*Découvrez les prochaines nouveautés*
*des différentes collections J'ai lu pour elle*

**Le 5 juin**

*Les noces d'Elliot McBride* ∞

**Ashley Jennifer**

De retour chez lui après des années d'emprisonnement, Elliot McBride est un homme brisé. En se rendant à l'église, il tombe sur son amie d'enfance Juliana St.John. Cette dernière a été abandonnée au pied de l'autel. Pour aider son amie et sauver son honneur, Elliot décide de l'épouser...

*Sous le sceau de l'amour* ∞ **Shirlee Busbee**

Morgane l'a laissé lui faire l'amour, elle s'est donnée à lui. Mais il lui faut regarder la réalité en face. Royce Manchester utilise les femmes comme elle, simple femme de cuisine, mais ne les épouse pas. Pourtant Morgane veut tout : la vengeance, le coup de foudre... Royce, ce vil séducteur, n'a qu'à bien se tenir...

**Le 19 juin**

*Esclave de ses charmes* ∞ **Hope Tarr**

Gavin Carmichael est devenu un brillant avocat mais il n'a jamais oublié son amie de l'orphelinat, Daisy Lake. Lorsqu'il la retrouve par hasard dans un music-hall mal famé, il décide de lui offrir une vie meilleure quitte à succomber à ses charmes.

### La saga des Montgomery - 2 - *Un teint de velours*
### ❧ Jude Deveraux
Lorsque Scarlett laisse Stephen l'embrasser, elle a l'impression de découvrir un monde insoupçonné dans lequel l'amour est roi. Mais rapidement elle se reprend et le repousse.
Arrivera-t-elle à aimer un jour cet homme si différent d'elle, qu'elle déteste, mais qui est désormais son mari...

### *Inédit* Les McCabe - 3- *Le Highlander qui ne voulait pas aimer* ❧ Maya Banks
Par loyauté familiale, Caelen McCabe se propose d'épouser Rionna McDonald, rejetée par son frère, et de sauver ainsi l'alliance entre leurs clans. Bien que Rionna soit la femme parfaite, Caelen ne fait pas confiance à cette femme, adorable tentatrice qui le tourmente par ses charmes...

**Le 5 juin**

# CRÉPUSCULE

*La chronique des Anciens - 2 - Un cœur de pierre* ✃ **Thea Harrison**

Depuis la mort de son oncle, le tyrannique et meurtrier Fae noir, la sublime Tricks est pressentie comme l'héritière du trône. Si sa beauté a conquis bien des cœurs, certains restent de marbre... Et à l'heure où de terribles complots s'ourdissent contre elle, un homme vole à son secours : Tiago. Mi-homme, mi-aigle, il est l'une des armes les plus puissantes des Wyrs...

**Le 19 juin**

*Le royaume des Carpates - 4 - Désirs magiques* ✃ **Christine Feehan**

Surnommée la reine de l'illusion, Savannah Dubrinsky a le pouvoir d'hypnotiser n'importe qui. Mais il y en a un qui lui résiste... Et auquel elle ne peut résister. Insinué dans son esprit, Gregori, le plus puissant des Carpatiens, lui murmure qu'elle est sa promise et qu'il va venir sauver son âme. c'est un appel au désir, à l'amour, mais aussi au danger le plus absolu...

# PROMESSES

**Le 5 juin**

Inédit    *Friday Harbor - 2 - Le secret de Dream Lake*
ᐊ    **Lisa Kleypas**
Zoé Hoffman a presque abandonné tout espoir de trouver un jour le grand amour. Meurtrie, elle n'arrive pas à faire confiance et encore moins à offrir son cœur. Et surtout pas à Alex Nolan auquel tout l'oppose. Et pourtant....

**Le 19 juin**

*Les Kendrick et les Coulter - 5 - Pour l'amour de Nathalie*
ᐊ    **Catherine Anderson**
C'est en découvrant son jardin saccagé que Zeke Coulter fait la connaissance de ses voisins : un arrière-grand-père quasiment sénile, une lolita désarmante, deux chenapans... mais surtout, leur mère, la ravissante Nathalie, récemment divorcée. Nathalie est une femme bien décidée à s'en sortir malgré son ex-mari...

# *Passion intense*

### *Des romans légers et coquins*

## Le 5 juin

### *Une lady nommée Patience* cx **Lisa Valdez**

Coup de tonnerre à la cour d'Angleterre : Matthew Hawkmore, frère du comte de Langley, n'est qu'un vulgaire bâtard ! Le scandale fait de lui un paria que nul n'ose fréquenter... excepté Patience, sa belle-sœur, fascinée par cet homme dominateur et assoiffé de revanche. La belle rousse n'aspire pas au mariage, elle n'aime que la musique, pourtant une autre passion va bientôt l'embraser...

## Le 19 juin

Inédit   *Les frères McCloud - 3 - Hors de contrôle*

### cx **Shannon McKenna**

Harcelée, traquée par un fou allié, Margot Callahan, qui a choisi de changer son nom en Vetter, décide d'engager un détective pour la protéger. Elle jette son dévolu sur Davy McCloud, un expert en arts martiaux. Perspicace, autoritaire et séduisant, McCloud ne tarde pas à empiéter sur des territoires que Margot croyait inaccessibles. Comment réagira-t-il s'il découvre qu'elle est accusée de meurtre ?

*Et toujours la reine du roman sentimental :*

« Les romans de Barbara Cartland nous transportent dans un monde passé, mais si proche de nous en ce qui concerne les sentiments.
L'amour y est un protagoniste à part entière : un amour parfois contrarié, qui souvent arrive de façon imprévue.
Grâce à son style, Barbara Cartland nous apprend que les rêves peuvent toujours se réaliser et qu'il ne faut jamais désespérer. »
*Angela Fracchiolla, lectrice, Italie*

**Le 5 juin**
*L'amour tombé du ciel*

10424

*Composition*
FACOMPO

*Achevé d'imprimer en Italie*
*par* GRAFICA VENETA
*Le 22 avril 2013*

Dépôt légal : avril 2013
EAN 9782290070413
L21EPSN001061N001

ÉDITIONS J'AI LU
87, quai Panhard-et-Levassor, 75013 Paris

*Diffusion France et étranger : Flammarion*